OS QUATRO VENTOS

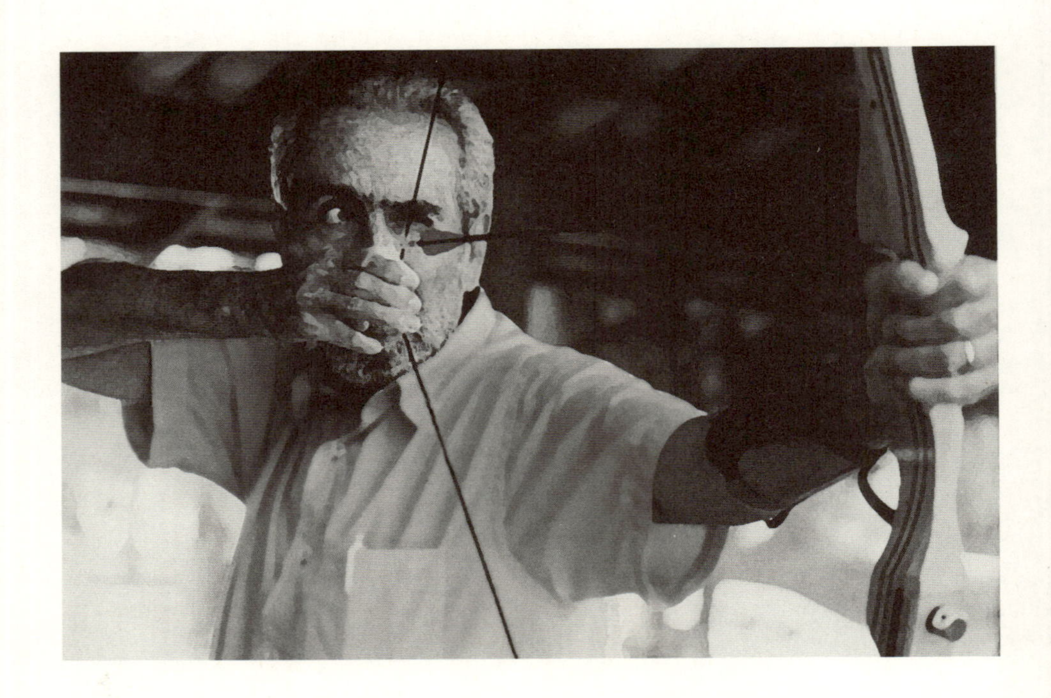

O Arqueiro

Geraldo Jordão Pereira (1938-2008) começou sua carreira aos 17 anos, quando foi trabalhar com seu pai, o célebre editor José Olympio, publicando obras marcantes como *O menino do dedo verde*, de Maurice Druon, e *Minha vida*, de Charles Chaplin.

Em 1976, fundou a Editora Salamandra com o propósito de formar uma nova geração de leitores e acabou criando um dos catálogos infantis mais premiados do Brasil. Em 1992, fugindo de sua linha editorial, lançou *Muitas vidas, muitos mestres*, de Brian Weiss, livro que deu origem à Editora Sextante.

Fã de histórias de suspense, Geraldo descobriu *O Código Da Vinci* antes mesmo de ele ser lançado nos Estados Unidos. A aposta em ficção, que não era o foco da Sextante, foi certeira: o título se transformou em um dos maiores fenômenos editoriais de todos os tempos.

Mas não foi só aos livros que se dedicou. Com seu desejo de ajudar o próximo, Geraldo desenvolveu diversos projetos sociais que se tornaram sua grande paixão.

Com a missão de publicar histórias empolgantes, tornar os livros cada vez mais acessíveis e despertar o amor pela leitura, a Editora Arqueiro é uma homenagem a esta figura extraordinária, capaz de enxergar mais além, mirar nas coisas verdadeiramente importantes e não perder o idealismo e a esperança diante dos desafios e contratempos da vida.

OS QUATRO VENTOS

Título original: *The Four Winds*

tradução: Claudio Carina
preparo de originais: Carolina Vaz
revisão: Camila Figueiredo e Rachel Rimas
projeto gráfico e diagramação: Valéria Teixeira
capa: Michael Storrings
imagem de capa: Shutterstock – © Anton Medvedev (trigo) e © Vandathai (pó)
imagens de miolo: Mark Taylor Cunningham | Shutterstock (p. 9); Library of Congress, Prints & Photographs Division, FSA/OWI Collection (p. 55 e 245); AP Photo | Imageplus (p. 167)
impressão e acabamento: Associação Religiosa Imprensa da Fé

CIP-BRASIL. CATALOGAÇÃO NA PUBLICAÇÃO
SINDICATO NACIONAL DOS EDITORES DE LIVROS, RJ

H219q
Hannah, Kristin, 1960-
Os quatro ventos / Kristin Hannah ; tradução Claudio Carina. - 1. ed. - São Paulo : Arqueiro, 2022.
384 p. ; 23 cm.

Tradução de: The four winds
ISBN 978-65-5565-264-2

1. Romance americano. I. Carina, Claudio. II. Título.

22-75401 CDD: 813
CDU: 82-31(73)

Meri Gleice Rodrigues de Souza - Bibliotecária - CRB-7/6439

Editora Arqueiro Ltda.
Rua Funchal, 538 – conjuntos 52 e 54 – Vila Olímpia
04551-060 – São Paulo – SP
Tel.: (11) 3868-4492 – Fax: (11) 3862-5818
E-mail: atendimento@editoraarqueiro.com.br
www.editoraarqueiro.com.br

Pai, este é para você

PRÓLOGO

Esperança é uma moeda que eu levo comigo: um *penny* americano que ganhei de presente de um homem que passei a amar. Em certos momentos da minha jornada, essa moeda e a esperança que ela representava foram as únicas coisas que me fizeram seguir em frente.

Vim para o Oeste em busca de uma vida melhor, mas a pobreza, as dificuldades e a ganância transformaram meu sonho americano em pesadelo. Os últimos anos foram um período de coisas perdidas: empregos, casa, comida.

A terra que amávamos nos traiu, nos deixou alquebrados, todos nós, até os velhos teimosos que falavam sobre o clima e parabenizavam uns aos outros pela abundante colheita de trigo da estação. *Aqui os homens precisam dar duro pra ganhar a vida*, diziam uns aos outros.

"Os homens".

Sempre os homens. Eles pareciam achar que cozinhar e lavar e criar os filhos e cuidar dos jardins não era nada. Mas nós, as mulheres das Grandes Planícies, também trabalhávamos de sol a sol, labutando nas plantações de trigo até ficarmos tão ressecadas e queimadas quanto a terra que amávamos.

Às vezes, quando fecho os olhos, juro que ainda sinto o gosto do pó...

1921

Maltratar a terra é o mesmo que maltratar os filhos.

– WENDEL BERRY,
AGRICULTOR E POETA

UM

Elsa Wolcott passara anos em uma solidão forçada, lendo aventuras fictícias e imaginando outras vidas. Em seu quarto solitário, rodeada pelos romances que se tornaram seus amigos, ela às vezes se atrevia a sonhar com uma aventura própria, mas só às vezes. Sua família sempre dizia que tinha sido a doença a que sobrevivera na infância que a deixara frágil e solitária, e nos dias bons ela acreditava nisso.

Nos dias ruins, como hoje, ela sabia que sempre fora uma estranha na própria família. Eles perceberam bem cedo que tinha algo errado com Elsa, que ela não se encaixava.

Havia uma dor que acompanhava essa constante decepção. A sensação de ter perdido algo inominável, desconhecido. Elsa sobrevivia a isso se mantendo calada, sem buscar nem exigir atenção, aceitando que era amada mas indesejada. A dor se tornou tão comum que ela raramente a notava. E sabia que não tinha nada a ver com a doença à qual sua rejeição costumava ser atribuída.

Mas agora, sentada na sala em sua poltrona predileta, fechou o livro no colo e pensou a respeito. *A época da inocência* tinha despertado alguma coisa nela, lembrando-a agudamente da passagem do tempo.

No dia seguinte seria seu aniversário.

Faria 25 anos.

Jovem sob quase todos os aspectos. Uma idade em que os homens bebiam gim caseiro, dirigiam descuidadamente, ouviam ragtime e dançavam com mulheres com faixa nos cabelos e vestido franjado.

Para as mulheres, era diferente.

Ao passarem dos 20 anos, a esperança começava a desvanecer. Aos 22, começavam os cochichos na cidade e na igreja, os olhares longos e pesarosos. Aos 25, era a perdição. Uma mulher que não fosse casada era uma solteirona. "Ficou pra titia", como diziam as pessoas, balançando a cabeça e lamentando as oportunidades perdidas. Em geral, as pessoas conjecturavam sobre o *porquê*, o que havia transformado uma mulher perfeitamente normal, de boa família, em uma solteirona. No caso de Elsa, porém, todos sabiam. Do jeito descarado que falavam, deviam achar que era surda. *Coitadinha. Magricela como um caniço. Não tem nada da beleza das irmãs.*

Beleza. Elsa sabia que isso era o cerne de tudo. Não era uma mulher atraente. Em seus melhores dias, com seu melhor vestido, um estranho poderia dizer que era elegante, mas nunca mais que isso. Elsa era "muito" tudo: muito alta, muito magra, muito pálida, muito insegura.

Tinha ido ao casamento das duas irmãs. Nenhuma tinha pedido que ficasse no altar, e Elsa entendia. Com pouco mais de 1,80 metro, era mais alta que os noivos. Destoaria nas fotografias, e as aparências eram tudo para os Wolcotts. Seus pais valorizavam as aparências acima de tudo.

Não era preciso ser nenhum gênio para olhar adiante na estrada da vida de Elsa e ver seu futuro. Ela continuaria ali, na casa dos pais na Rock Road, sendo cuidada por Maria, a empregada que sempre trabalhara para sua família. Depois que Maria se aposentasse, Elsa continuaria lá para cuidar dos pais, e depois, quando eles morressem, ficaria sozinha.

E o que teria feito da própria vida? O que marcaria sua passagem por este mundo? Quem se lembraria dela e por que razão?

Fechou os olhos e deixou um sonho conhecido e havia muito acalentado se insinuar de mansinho: imaginou-se vivendo em outro lugar. Numa casa que era dela. Ouvindo risos de crianças. Dos filhos *dela.*

Uma vida, não meramente uma existência. Este era seu sonho: um mundo em que sua vida e suas escolhas não fossem definidas pela febre reumática que contraíra aos 14 anos, uma vida na qual descobria uma força até então desconhecida, em que fosse julgada por algo mais que sua aparência.

A porta se abriu, e sua família entrou na casa com estardalhaço. Eles andavam, como sempre, em um grupo tagarela e sorridente, o pai corpulento na frente, o rosto afogueado pela bebida, as duas lindas irmãs mais novas, Charlotte e Suzanna, ladeando-o como as asas de um cisne, a mãe elegante atrás, conversando com seus belos genros.

O pai parou.

– Elsa – falou. – Por que ainda está acordada?

– Eu queria conversar com vocês.

– A esta hora? – perguntou a mãe. – Você parece corada. Está com febre?

– Há anos não tenho febre, mamãe. A senhora sabe disso.

Elsa se levantou, retorceu as mãos e olhou para a família.

Agora, pensou. Precisava fazer isso. Não podia perder a coragem de novo.

– Papai... – A primeira palavra saiu baixo demais, por isso tentou de novo, projetando a voz: – Papai.

O pai olhou para ela.

– Amanhã faço 25 anos – disse Elsa.

A mãe pareceu irritada em ser lembrada disso.

– Nós sabemos, Elsa.

– Sim, é claro. Eu só queria dizer que tomei uma decisão.

A família ficou em silêncio.

– Eu... Tem uma faculdade em Chicago com um curso de literatura que aceita mulheres. Eu quero...

– Elsinore – interrompeu o pai. – Que necessidade você tem de estudar? Você nem sequer conseguiu terminar a escola por causa da sua doença. Que ideia ridícula.

Era difícil se manter ali de pé, vendo seus fracassos refletidos em tantos olhos. *Lute por si mesma. Seja corajosa.*

– Mas eu já sou adulta, papai. Não fico doente desde os 14 anos. Acho que o médico foi... precipitado no diagnóstico. Eu estou bem. De verdade. Poderia ser professora. Ou escritora...

– Escritora? – repetiu o pai. – Você tem algum talento escondido que todos nós desconhecemos?

O olhar dele a magoou.

– É possível – respondeu ela, numa voz débil.

O pai se virou para a esposa:

– Providencie alguma coisa para sua filha se acalmar.

– Eu não estou histérica, papai.

Elsa sabia que o assunto estava encerrado. Não conseguiria vencer aquela batalha. Deveria ficar quieta e fora de vista, não sair pelo mundo.

– Eu estou bem. Vou para o meu quarto – disse Elsa.

Ela se afastou. Agora que o momento havia passado, ninguém mais olhava para ela. De alguma forma, Elsa desaparecera da sala, dissolvendo-se, como sempre acontecia.

Desejou nunca ter lido *A época da inocência*. O que poderia resultar de bom de todo aquele anseio não expressado? Ela nunca se apaixonaria, nunca teria um filho.

Enquanto subia a escada, ouviu música vindo do andar de baixo. Estavam ouvindo um disco na vitrola, um aparelho novo.

Elsa hesitou.

Desça, puxe uma cadeira.

Fechou a porta do quarto com firmeza, isolando os sons vindos da sala. Sabia que não seria bem-vinda lá.

Viu o próprio reflexo no espelho acima da pia. O rosto pálido parecia ter sido esticado por mãos ineptas, formando um queixo pontudo. Os cabelos compridos, dourados como palha de milho, eram finos e lisos, numa época em que a moda eram os ondulados. A mãe não a deixava usar o corte atual, dizia que ficaria ainda pior curto. Tudo em Elsa era sem cor, desbotado, exceto os olhos azuis.

Acendeu o abajur e tirou da gaveta um de seus mais adorados romances.

Funny Hill: Memórias de uma mulher de prazer.

Elsa se acomodou na cama e se perdeu naquela história escandalosa, sentindo uma necessidade assustadora e pecaminosa de se tocar, à qual quase cedeu. A dor que vinha com as palavras era quase intolerável, a dor física do desejo.

Fechou o livro, sentindo-se agora mais marginalizada que antes. Irrequieta. Insatisfeita.

Se não tomasse uma atitude logo, uma atitude drástica, seu futuro não seria nada diferente do presente. Continuaria naquela casa a vida toda, marcada dia e noite por uma doença que já não tinha havia uma década e por uma falta de atrativos para a qual não havia solução. Jamais conheceria a emoção do toque de um homem ou o aconchego de dividir uma cama. Nunca seguraria um filho nos braços. Nunca teria a própria casa.

Naquela noite, Elsa foi atormentada por anseios. Pela manhã, sabia que precisava fazer alguma coisa para mudar sua vida.

Mas o quê?

Nem todas as mulheres eram lindas, nem mesmo bonitas. Outras haviam tido febre na infância e conseguido levar uma vida satisfatória. Até onde sabia, os problemas do seu coração não passavam de conjecturas médicas. O órgão nunca tinha deixado de bater ou lhe dado motivo real para alarme. Elsa precisava acreditar que tinha garra, mesmo que essa garra nunca tivesse sido testada ou posta em prática. Como poderia saber ao certo? Nunca a deixaram correr, brincar ou dançar. Fora obrigada a sair da escola aos 14 anos, por isso nunca tivera um pretendente. Passara a maior parte da vida no quarto, lendo aventuras fantasiosas, inventando histórias, concluindo sua educação por conta própria.

Devia haver oportunidades no mundo, mas onde as encontraria?

Na biblioteca. Os livros tinham a resposta para todas as perguntas.

Arrumou a cama, foi até a pia, penteou os cabelos louros que chegavam à cintura e fez uma trança, colocou um vestido de crepe azul-marinho, meias de seda e sapatos pretos de salto. Um chapeuzinho, luvas de pelica e uma bolsa complementaram o traje.

Desceu a escada, aliviada em saber que a mãe ainda estaria dormindo àquela hora da manhã. A mãe não gostava que Elsa empreendesse esforços físicos saindo de casa, a não ser nas missas de domingo, quando sempre pedia à congregação que rezasse pela saúde da filha. A jovem tomou uma xícara de café e saiu ao sol de meados de maio.

A cidade de Dalhart, na região de Panhandle, no Texas, se estendia à sua frente, despertando sob um sol brilhante. Portas se abriam nos dois lados da calçada de madeira e placas de FECHADO eram desviradas. Mais além, sob um imenso céu azul, as Grandes Planícies se estendiam a perder de vista, um mar de prósperas plantações.

Dalhart era a sede do condado e os tempos eram de prosperidade. Desde que o trem começara a passar por ali na linha que ia do estado do Kansas ao Novo México, Dalhart tinha crescido. Uma nova torre d'água dominava o horizonte. A Grande Guerra havia transformado aqueles hectares em uma mina de ouro de trigo e milho. *O trigo vencerá a guerra!* era uma frase que ainda enchia os fazendeiros de orgulho. Eles tinham feito sua parte.

O trator havia chegado a tempo de tornar a vida mais fácil, e os anos de boa colheita – com chuvas e preços altos – levaram os agricultores a arar mais terras e plantar mais trigo. A seca de 1908, de que muito falavam os mais velhos, fora quase esquecida. Chovia regularmente havia anos, enriquecendo a todos na cidade, o pai dela mais que qualquer pessoa, pois recebia tanto em dinheiro quanto em promissórias pelos equipamentos agrícolas que vendia.

Naquela manhã, agricultores se reuniam na porta da lanchonete para falar sobre os preços da colheita e mulheres levavam os filhos à escola. Até poucos anos antes, cavalos e charretes ainda percorriam as ruas, mas agora automóveis fumegavam em direção ao futuro dourado e reluzente, buzinando. Dalhart era uma cidade pequena – mas em rápido crescimento –, com reuniões sociais, bailes na praça e missas nas manhãs de domingo. Gente trabalhadora e de mentes parecidas tirando seu sustento da terra e criando uma vida boa.

Elsa seguiu pela passarela que ladeava a Avenida Principal. As tábuas cediam um pouco a cada passo, fazendo-a sentir que balançava. Algumas jardineiras com flores sobre as cornijas das lojas proporcionavam pontos de cor muito necessários. A Liga de Embelezamento da cidade cuidava delas com muito apreço. Ela passou pelo banco e pela nova loja da Ford. Ainda ficava admirada por uma pessoa poder ir a uma loja, comprar um automóvel e voltar com o veículo para casa no mesmo dia.

Ao seu lado, o mercado abriu e o proprietário, o Sr. Hurst, saiu com uma vassoura na mão. As mangas de sua camisa estavam arregaçadas para mostrar os braços robustos. O nariz na forma de um hidrante, achatado e redondo, chamava a atenção no rosto corado. Era um dos homens mais ricos da cidade, dono do mercado, da lanchonete, da sorveteria e do boticário. Só os Wolcotts moravam na cidade havia mais tempo. Também eram texanos de terceira geração e se orgulhavam disso. O querido avô de Elsa, Walter, se considerara um Texas Ranger até o dia de sua morte.

– Olá, Srta. Wolcott – cumprimentou o lojista, afastando uns poucos fios de cabelo que ainda restavam do rosto vermelho. – Que lindo dia, não é mesmo? Está a caminho da biblioteca?

– Sim – respondeu Elsa. – Para onde mais?

– Recebi uma nova seda vermelha. Avise suas irmãs. Podem dar lindos vestidos.

Elsa parou.

Seda vermelha.

Ela nunca tinha usado seda vermelha.

– Posso ver, por favor?

– Ah! É claro. Você pode fazer uma surpresa para elas.

O Sr. Hurst entrou com ela na loja. Para onde quer que olhasse, Elsa via cores: caixas cheias de ervilhas e morangos, pilhas de sabonetes de lavanda, todos embrulhados em papel de seda, sacos de farinha e açúcar, vidros de conservas.

Foi levada por corredores de utensílios de porcelana e jogos de talheres, toalhas de mesa multicoloridas e aventais, até chegar a uma pilha de tecidos. O Sr. Hurst remexeu na pilha e puxou um corte de seda vermelha como rubi.

Elsa tirou as luvas, deixou-as de lado e pegou a seda. Nunca tinha tocado em algo tão suave. E hoje era seu *aniversário*.

– Combina com o tom de pele da Charlotte...

– Eu vou levar – disse Elsa.

Teria inserido uma ênfase indelicada no *Eu*? É provável. O Sr. Hurst a olhou de forma estranha.

Ele embrulhou o tecido em papel pardo, amarrou com um barbante e entregou o pacote a ela.

Elsa já estava saindo quando viu um lenço prateado com miçangas brilhantes. Era exatamente o tipo de coisa que a condessa Olenska poderia usar em *A época da inocência*.

Elsa voltou da biblioteca com a seda vermelha embrulhada em papel apertada contra o peito.

Empurrou para o lado o portão preto lavrado e entrou no mundo da mãe – um jardim aparado e contido que cheirava a rosas e jasmins. No final de um caminho entre as sebes ficava a mansão dos Wolcotts, construída pelo avô logo depois da Guerra Civil, para a mulher que amava.

Elsa sentia saudades do avô todos os dias. Era um homem tempestuoso, dado a beber e discutir, mas sabia amar, amar com abandono. Chorou a morte da esposa durante anos. Era o único Wolcott além de Elsa que adorava ler e quase sempre ficava do lado dela nas desavenças familiares. *Não se preocupe com a morte, Elsa. Preocupe-se com a vida. Seja corajosa.*

Nunca mais ninguém lhe dissera nada parecido, e Elsa sentia falta do avô o tempo todo. Suas histórias sobre os tempos sem lei no Texas, em Laredo, Dallas e Austin, e pelas Grandes Planícies eram suas melhores lembranças.

Ele com certeza teria dito a ela para comprar a seda vermelha.

A mãe tirou os olhos de suas rosas, ergueu a aba do chapéu de sol e perguntou:

– Elsa, por onde você andou?

– Na biblioteca.

– Você deveria ter pedido a seu pai para levá-la. É uma caminhada muito longa para você.

– Eu estou bem, mamãe.

Francamente. Às vezes parecia que eles *queriam* que ela estivesse doente.

Elsa segurou com mais força o pacote do tecido.

– Vá se deitar. O dia vai esquentar. Peça a Maria que prepare uma limonada.

A mãe voltou a cortar as flores, depositando-as num grande cesto de vime.

Elsa se afastou e entrou em casa, protegida do sol. Em dias que prometiam ser quentes, todas as cortinas eram fechadas. Naquela parte da casa, significava muitos dias de penumbra. Ao fechar a porta, ouviu Maria na cozinha, cantarolando em espanhol.

Elsa se esgueirou pela casa e subiu para seu quarto. Lá, desembrulhou o papel e contemplou a vibrante seda vermelho-rubi. Não conseguia deixar de tocá-la. A maciez a acalmou, de alguma forma lembrando-a da fita que segurava quando criança enquanto chupava o polegar.

Será que conseguiria fazer aquela maluquice que de repente surgira em sua mente? Começava pela aparência...

Seja corajosa.

Elsa juntou um punhado dos cabelos que chegavam à cintura e cortou-os à altura do queixo. Sentiu-se um pouco maluca, mas continuou cortando até estar com os pés rodeados de grandes mechas louras.

Uma batida na porta a assustou tanto que ela deixou a tesoura cair na penteadeira.

A porta se abriu. A mãe entrou no quarto, viu o cabelo destroçado de Elsa e estancou.

– O que você fez?

– Eu queria…

– Você não vai sair de casa até seu cabelo crescer de novo! O que as pessoas vão dizer?

– As moças agora usam os cabelos curtos, mamãe.

– Não moças jovens e educadas, Elsinore. Vou buscar um chapéu.

– Eu só queria ficar bonita – explicou Elsa.

A expressão de pena nos olhos da mãe foi mais do que Elsa podia suportar.

DOIS

Durante dias, Elsa ficou escondida no quarto, alegando não se sentir bem. Na verdade, não conseguia encarar o pai com o cabelo mal cortado e a carência que ele expunha. No começo, ela tentou ler. Livros sempre foram o seu refúgio: romances abriam espaço para ela ser ousada, corajosa, bonita, mesmo que só na sua imaginação.

Mas a seda vermelha continuava sussurrando, chamando-a, até ela finalmente pôr os livros de lado e começar a fazer um vestido a partir do molde de uma revista. Depois de ter começado, pareceu tolice não continuar, e assim ela cortou o tecido e começou a costurar, só para se distrair.

Enquanto costurava, começou a sentir algo notável: *esperança*.

Por fim, num sábado à tarde, o vestido estava pronto. Era o epítome da moda na cidade grande – um corpete com decote em V e cintura baixa, com a barra assimétrica; lindo e muito moderno. O tipo de vestido para uma mulher que poderia dançar a noite inteira sem se importar com o mundo. *Melindrosas*, como eram chamadas. Jovens que alardeavam sua independência, que tomavam uísque, fumavam e dançavam com vestidos que exibiam as pernas.

Precisava ao menos experimentar o vestido, mesmo que nunca fosse usá-lo fora daquelas quatro paredes.

Tomou um banho, raspou as pernas e vestiu meias de seda sobre a pele nua. Enrolou o cabelo molhado em bobes e rezou para que criassem *alguns* cachos. Enquanto o cabelo secava, esgueirou-se até o quarto da mãe e pegou emprestadas algumas maquiagens da penteadeira. Ouviu a vitrola tocando no andar de baixo.

Por último, escovou o cabelo levemente ondulado e amarrou o glamouroso lenço prateado na cabeça. Colocou o vestido, que flutuou ao seu redor leve como uma nuvem. A barra assimétrica da saia ressaltava suas pernas compridas.

Chegando mais perto do espelho, realçou os olhos azuis com delineador preto e empoou as maçãs do rosto pronunciadas com um blush rosado. O batom vermelho fez seus lábios parecerem mais carnudos, como as revistas femininas sempre prometiam.

Olhou-se no espelho e pensou: *Ah, meu Deus. Estou quase bonita.*

– Você consegue – disse em voz alta. *Seja corajosa.*

Quando saiu do quarto e desceu a escada, sentiu-se surpreendentemente confiante. Durante toda a sua vida tinha ouvido que não era atraente. Mas agora...

A mãe foi a primeira a notar. Cutucou o pai com tanta força que o fez tirar os olhos do que estava lendo, *O manual do fazendeiro*.

Seu rosto se contraiu por completo.

– O que você está vestindo?

– Eu... Fui eu que fiz – disse Elsa, nervosa, retorcendo as mãos.

O pai fechou bruscamente o livro.

– O seu cabelo. Meu Deus! E esse vestido de meretriz. Volte para o seu quarto e não se envergonhe ainda mais.

Elsa se virou para a mãe em busca de apoio.

– Essa é a nova moda...

– Não para mulheres decentes, Elsinore. Você está mostrando os *joelhos*. Nós não estamos em Nova York.

– Suma daqui – disse o pai. – *Já.*

Elsa fez menção de se afastar. Mas então pensou no que significava obedecer e parou. Vovô Walt lhe diria para não desistir.

Esforçou-se para manter o queixo erguido.

– Eu vou a um bar hoje à noite para ouvir música.

– Não vai, não. – O pai se levantou. – Eu a proíbo.

Elsa correu para a porta, com medo de parar se reduzisse a velocidade. Saiu e continuou correndo, ignorando as vozes que a chamavam. Só parou de correr quando foi forçada pela respiração ofegante.

Na cidade, o bar ficava espremido entre um velho estábulo, forrado de tapumes naquela era do automóvel, e uma padaria. Desde a ratificação da Décima Primeira Emenda e o início da Lei Seca, ela costumava ver homens e mulheres desaparecerem pela porta de madeira do bar clandestino. E, contrariando a opinião da mãe, muitas das jovens se vestiam exatamente como ela.

Desceu os degraus de madeira até a porta fechada e bateu. Uma portinhola que nunca havia notado se abriu; um par de olhos semicerrados apareceu. Um tema jazzístico soava num piano, e fumaça de charutos emanava pela abertura.

– A senha – disse uma voz conhecida.

– Senha?

– Srta. Wolcott. Está perdida?

– Não, Frank. Estou com vontade de ouvir música – explicou Elsa, orgulhosa de si mesma por se sentir tão calma.

– Seu pai me esfolaria se eu a deixasse entrar aqui. Vá para casa. Uma moça como a senhorita não deveria andar pela rua vestida desse jeito. Isso só vai causar problemas.

A portinhola se fechou. Elsa ainda ouvia a música tocando atrás da porta fechada. "Ain't We Got Fun". Um bafejo de fumaça de charuto pairava no ar.

Ficou ali por um momento, confusa. Não poderia sequer entrar? Por que não? Claro, a Lei Seca tornava a bebida ilegal, mas todo mundo na cidade molhava o bico em lugares como aquele, e os policiais faziam vista grossa.

Saiu andando sem rumo pela rua, em direção ao tribunal do condado.

Foi quando viu um homem vindo em sua direção.

Era alto e esbelto, o cabelo grosso e preto parcialmente domado com vaselina. Vestia uma calça preta desbotada colada aos quadris estreitos e uma camisa branca abotoada até o pescoço embaixo de um suéter bege, que deixava à mostra apenas o nó da gravata xadrez, além de uma boina de couro inclinada na cabeça.

Enquanto se aproximava, Elsa viu como era jovem – talvez não tivesse mais de 18 anos, com a pele queimada de sol e olhos castanhos (olhos sedutores, segundo os romances).

– Olá, moça – disse ele, parando, sorrindo e tirando a boina.

– Você está falando c-comigo?

– Não estou vendo ninguém mais por perto. Meu nome é Raffaello Martinelli. Você mora em Dallas?

Italiano. Bom Deus. O pai dela não a deixaria nem olhar para aquele rapaz, muito menos falar com ele.

– Sim.

– Eu, não. Sou da agitada metrópole de Lonesome Tree, perto da fronteira com Oklahoma. Se estiver na estrada e piscar, você não a vê. Como você se chama?

– Elsa Wolcott.

– Como o vendedor de tratores? Ei, eu conheço seu pai. – Abriu um sorriso. – O que está fazendo aqui sozinha nesse lindo vestido, Elsa Wolcott?

Seja como Fanny Hill. Seja ousada. Aquela poderia ser sua única chance. Quando voltasse para casa, provavelmente o pai a deixaria trancada de castigo.

– Eu... estou sozinha, acho.

Os olhos escuros de Raffaello se arregalaram. O pomo de adão subiu e desceu quando ele engoliu em seco rapidamente.

Passou-se uma eternidade enquanto Elsa esperava que ele falasse alguma coisa.

– Eu também estou sozinho.

Ele segurou a mão dela.

Elsa quase se desvencilhou, de tão chocada que ficou.

Quando fora tocada pela última vez?

É apenas um toque, Elsa. Não seja boba.

Ele era tão bonito que Elsa se sentiu um pouco zonza. Seria igual aos garotos que a provocavam e a intimidavam na escola, chamando-a de esquisitona pelas suas costas? O luar e as sombras esculpiam o rosto dele – maçãs do rosto altas, a testa larga e achatada, o nariz reto e afilado, os lábios tão cheios que ela não pôde deixar de pensar nos romances pecaminosos que lia.

– Vem comigo, El.

Raffaello a apelidou de pronto, transformando-a numa outra mulher. A intimidade fez um arrepio percorrer seu corpo.

Levou-a pela ruela vazia até uma rua escura. "Toot, boot, Toesei! Goodbye" pairava no ar, irrompendo das janelas abertas do bar.

Passou com ela pela nova estação ferroviária na periferia da cidade e continuou em direção a uma caminhonete Ford Model T novinha, com uma grande caçamba de madeira.

– Belo carro – disse Elsa.

– A colheita tem sido boa esses anos. Você gosta de passear de carro à noite?

– Claro.

Elsa subiu no banco do carona, e ele ligou o motor. A cabine sacolejava enquanto eles seguiam em direção ao norte.

Pouco mais de 1 quilômetro adiante, com Dalhart ainda no espelho retrovisor, já não se via mais nada. Nenhuma montanha, nenhum vale, nenhuma árvore, nenhum rio, só um céu estrelado tão grande que parecia ter engolido o mundo.

Continuaram pela estrada esburacada e bifurcada e viraram na entrada de um velho casarão abandonado. Outrora famoso em todo o condado pelo tamanho de seu celeiro, o lugar fora desabitado na última seca, e a casinha atrás do celeiro estava fechada com tapumes havia anos.

Pararam em frente ao celeiro vazio. Ele desligou o motor e ficou imóvel por um momento, olhando para a frente. O silêncio entre os dois só era interrompido pelos sons da respiração e os últimos estertores do motor desligando.

Ele desligou os faróis e abriu a porta do seu lado, depois deu a volta para abrir a dela.

Elsa olhou para ele, viu quando estendeu a mão e a ajudou a descer da caminhonete.

Ele poderia ter dado um passo para trás, mas não deu, e Elsa sentiu o cheiro de uísque no seu hálito e a lavanda que a mãe devia ter usado ao lavar ou passar sua camisa.

O jovem sorriu para ela, e Elsa retribuiu o sorriso, sentindo-se esperançosa. Ele estendeu duas mantas na carroceria de madeira do carro, e os dois subiram. Deitaram-se lado a lado, olhando para o imenso céu noturno salpicado de estrelas.

– Quantos anos você tem? – perguntou Elsa.

– Dezoito, mas minha mãe me trata como se eu fosse um garotinho. Tive que sair escondido hoje. Ela se preocupa muito com o que as pessoas falam. Você tem sorte.

– Sorte?

– Você pode andar por aí sozinha à noite, com esse vestido, sem um acompanhante.

– Meu pai não ficou nada contente com isso, pode acreditar.

– Mas você sai. Consegue espairecer. Já pensou que a vida deve ser maior do que o que vemos aqui, El?

– Já – respondeu ela.

– Quero dizer... lugares onde gente da nossa idade está tomando gim artesanal e dançando jazz. Mulheres fumando em público. – Deu um suspiro. – E nós estamos aqui.

– Eu acabei de cortar o cabelo – disse Elsa. – Se visse o jeito como meu pai reagiu, ia pensar que eu matei alguém.

– Os velhos são simplesmente velhos. Minha família chegou aqui vindo da Sicília com pouco dinheiro. Mas estão sempre me contando a história e mostrando a moeda da sorte deles. Como se fosse uma *sorte* ter acabado aqui.

– Você é homem, Raffaello. Pode fazer qualquer coisa, ir a qualquer lugar.

– Pode me chamar de Rafe. Minha mãe diz que soa mais americano. Mas se eles queriam tanto ser americanos, deviam ter me chamado de George. Ou Lincoln. – Ele suspirou. – É muito bom dizer essas coisas em voz alta, ao menos uma vez. Você é uma boa ouvinte, El.

– Obrigada... Rafe.

Rafe se virou para ela. Elsa sentiu o olhar dele e tentou continuar respirando normalmente.

– Posse te beijar, Elsa?

Ela mal conseguiu aquiescer.

Rafe abaixou-se e beijou seu rosto. Lábios suaves encostados em sua pele. Elsa sentiu-se reviver com aquele toque.

Rafe continuou beijando-a no pescoço, o que a fez ter vontade de tocá-lo, mas ela não se atreveu. Mulheres sérias certamente não faziam essas coisas.

– Posso… fazer mais, Elsa?

– Você diz…

– Fazer amor com você?

Elsa já tinha sonhado com um momento como aquele, rezado por ele, inspirada por trechos dos livros que lia, mas agora estava acontecendo. Era real. Um homem pedindo para fazer amor com ela.

– Pode – murmurou.

– Tem certeza?

Elsa assentiu.

Rafe se afastou, abriu a fivela do cinto e o jogou para o lado. A fivela bateu na lateral da carroceria enquanto ele tirava a calça.

Então deslizou o vestido de seda vermelho pelo corpo de Elsa, fazendo cócegas, deixando-a excitada. A jovem viu as próprias pernas nuas sob o luar quando ele baixou sua calçola. O ar tépido da noite a acariciava, fazendo-a estremecer. Manteve as pernas fechadas até Rafe abri-las devagar e se deitar em cima dela.

Meu Deus.

Elsa fechou os olhos, e ele a penetrou. Doeu tanto que ela gritou.

Elsa tapou a boca para ficar em silêncio.

Ele gemeu e estremeceu, e de repente relaxou em cima dela. Elsa sentiu a respiração pesada em seu pescoço.

Rafe rolou para o lado, mas continuou perto dela.

– Uau – falou.

Parecia haver um sorriso na voz dele, mas por quê? Ela devia ter feito algo errado. Não poderia ser… só isso.

– Você é incrível, Elsa – disse ele.

– Foi… bom? – ela teve a coragem de perguntar.

– Foi *ótimo*.

Elsa queria se virar para o lado e observar seu rosto. Beijá-lo. Aquelas estrelas ela já tinha visto um milhão de vezes. Ele era algo novo, e a desejava. O efeito daquilo era uma surpreendente reviravolta no seu mundo. Uma oportunidade que nunca havia imaginado. *Posso fazer amor com você?*, ele tinha perguntado. Talvez os dois adormecessem juntos e…

– Bom, acho melhor levar você para casa, El. Meu pai arranca meu couro se eu não estiver no trator ao amanhecer. Amanhã vamos arar mais 50 hectares para plantar trigo.

– Ah – disse Elsa. – Sim. É claro.

Elsa fechou a porta da caminhonete e olhou para Rafe pela janela aberta do carro. Ele sorriu, acenou devagar e partiu.

Que espécie de despedida foi aquela? Será que ele iria querer encontrá-la de novo?

Olhe só para ele. É claro que não.

Além disso, ele morava em Lonesome Tree. A 45 quilômetros de distância. Mesmo se o encontrasse por acaso em Dalhart, não daria em nada.

Era italiano. Católico. Jovem. Nada nele era aceitável na família dela.

Elsa abriu o portão e entrou no mundo de fragrâncias da mãe. A partir daquele dia, os jasmins se abrindo na noite sempre fariam Elsa se lembrar dele...

Na casa, abriu a porta e entrou no vestíbulo às escuras.

Enquanto fechava a porta, ouviu um rangido e parou. O luar penetrava pela janela. Viu o pai de pé perto da vitrola.

– Quem é você? – perguntou ele, aproximando-se.

O lenço de miçangas prateadas escorregou da cabeça de Elsa; ela colocou-o de volta.

– S-sua filha.

– Isso mesmo. Meu pai lutou para tornar o Texas parte dos Estados Unidos. Entrou para os Texas Rangers e lutou em Laredo, onde levou um tiro e quase morreu. Nosso sangue está neste solo.

– S-sim. Eu sei, mas...

Elsa só viu a mão do pai erguida quando já estava perto demais para se esquivar. O bofetão em seu rosto foi tão forte que ela perdeu o equilíbrio e caiu.

Arrastou-se até um canto para se afastar.

– Papai...

– Você é uma vergonha para nós. Suma da minha frente.

Elsa se levantou, subiu correndo a escada, entrou no quarto e bateu a porta.

Com as mãos trêmulas, acendeu o lampião na cabeceira da cama e se despiu.

Viu uma marca vermelha acima do seio (será que tinha sido Rafe?). Um hematoma começava a descolorir sua bochecha, e o cabelo estava uma bagunça por conta do ato de amor, se é que podia chamar assim.

Mas ela faria de novo se pudesse. Mesmo se o pai batesse nela, gritasse com ela, a difamasse ou a deserdasse.

Agora sabia o que não sabia antes, nem sequer imaginava: agora faria qualquer coisa, sofreria qualquer coisa, para ser amada, mesmo que só por uma noite.

No dia seguinte, Elsa acordou com a luz do sol entrando pela janela aberta. O vestido vermelho estava pendurado na porta do guarda-roupa. A dor no rosto a lembrou da noite anterior, bem como a dor latejante por ter feito amor com Rafe. Uma ela queria esquecer; a outra, queria lembrar.

Sua cama de ferro estava cheia de mantas que tinha feito, em geral costurando à luz do lampião nos meses frios do inverno. Ao pé da cama ficava o baú com seu enxoval, cheio de tecidos bordados, um lindo vestido branco e o véu de casamento que Elsa começara a coser aos 12 anos, antes de sua falta de atrativos ter se revelado não uma fase, mas algo permanente. Quando a menstruação veio, a mãe deixou de falar sobre o casamento de Elsa e parou de costurar seu vestido de noiva. Metade do vestido ficou dobrada entre outros cortes de tecidos.

Alguém bateu na porta.

Elsa se sentou.

– Pode entrar.

A mãe entrou no quarto, seus sapatos da moda silenciosos sobre o tapete que cobria a maior parte do piso de madeira. Era uma mulher alta, com ombros largos e uma postura severa; levava uma vida irrepreensível, presidia comitês da igreja, gerenciava a Liga de Embelezamento e mantinha a voz baixa mesmo quando estava zangada. Nada nem ninguém poderia fazer Minerva Wolcott perder a pose. Ela dizia ser um traço de família, herdado de seus antepassados que vieram para o Texas quando não se via nenhum outro cara-pálida num raio de seis dias a cavalo.

A mãe se sentou na beira da cama. O cabelo tingido de preto estava preso num coque que ressaltava a severidade de suas feições angulosas. Ela ergueu a mão e tocou o hematoma no rosto de Elsa.

– Meu pai teria feito muito pior comigo.

– Mas...

– Nada de *mas*, Elsinore. – A mãe inclinou-se para a frente e ajeitou uma mecha rebelde do cabelo curto e louro atrás da orelha da filha. – Imagino que vou ouvir fofocas hoje na cidade. *Fofocas*. Sobre uma das minhas filhas. – Deu um suspiro profundo. – Você teve algum problema?

– Não, mamãe.

– Então continua sendo uma boa moça?

Elsa assentiu, incapaz de mentir em voz alta.

A mãe deslizou o indicador até o queixo de Elsa e levantou seu rosto. Ficou examinando a filha por algum tempo, avaliando-a.

– Um vestido bonito não torna ninguém bonita, querida.

– Eu só queria…

– Não vamos falar sobre isso, e isso nunca mais vai acontecer.

A mãe se levantou, alisando a saia de crepe cor de lavanda, apesar de nenhuma ruga ter ousado se formar. A distância se interpôs entre as duas, sólida como uma cerca.

– Você não vai conseguir se casar, Elsinore, nem com todo o seu dinheiro e posição. Nenhum homem digno de nota quer uma esposa pouco atraente a seu lado. E mesmo se algum homem que não se importe com a sua fraqueza aparecesse, com certeza não ignoraria uma reputação manchada. Aprenda a ser feliz com a vida real. Jogue fora esses seus livros de romance.

A mãe levou o vestido de seda vermelha ao sair do quarto.

TRÊS

Nos anos seguintes à Grande Guerra, o patriotismo estava em alta em Dalhart. A combinação das chuvas com a alta dos preços do trigo dava bons motivos para comemorar o Quatro de Julho. Na cidade, as vitrines das lojas anunciavam promoções do Dia da Independência, com sininhos soando alegremente quando as pessoas entravam ou saíam das mercearias para comprar comes e bebes para as festividades.

Normalmente, Elsa estaria ansiosa para as comemorações, mas as últimas semanas tinham sido difíceis. Desde sua noite com Rafe, sentia-se enjaulada. Irrequieta. Infeliz.

Não que alguém da família prestasse alguma atenção nela para notar a diferença. Em vez de expressar seu descontentamento, Elsa o interiorizava e seguia em frente. Era só o que sabia fazer.

Mantinha a cabeça baixa e fingia que nada tinha mudado. Ficava no quarto tanto quanto podia, mesmo no calor sufocante do verão. Recebia livros da biblioteca em casa – livros apropriados – e os lia do início ao fim. Bordava fronhas e panos de prato. No jantar, ouvia a conversa dos pais e aquiescia quando necessário. Na igreja, usava um chapeuzinho para cobrir os cabelos escandalosamente curtos e dava a desculpa de não estar se sentindo bem para que a deixassem sozinha.

Nas poucas ocasiões em que se atrevia a erguer os olhos de um fascinante livro e olhar pela janela, via o futuro vazio da vida de uma solteirona se estendendo pelo horizonte plano e mais além.

Aceitar.

O hematoma no rosto tinha esmaecido. Ninguém – nem mesmo as irmãs – tinha falado algo a respeito. A vida voltara ao normal na casa dos Wolcotts.

Elsa se imaginava como a fictícia Lady de Shalott, uma mulher presa numa torre, amaldiçoada, incapaz de sair do quarto, condenada para sempre a olhar de longe a animação da vida lá fora. Se alguém chegou a notar seu súbito silêncio, nunca falou nada nem perguntou sobre a causa. Na verdade, não fazia tanta diferença. Ela já tinha aprendido a desaparecer havia muito tempo. Era como um desses animais cujo mecanismo de defesa é se mesclar com a paisagem para ficar invisível. Era seu jeito de lidar com a rejeição: não dizer nada e desaparecer. Nunca reagir. Se ficasse em silêncio por algum tempo, as pessoas acabavam esquecendo que ela estava lá e a deixavam em paz.

– Elsa! – gritou o pai, no pé da escada. – Está na hora de sair. Não nos faça chegar atrasados.

Elsa vestiu as luvas de pelica, exigidas até mesmo naquele calor terrível, e colocou o chapéu de palha na cabeça. Desceu a escada.

Parou no meio do caminho, incapaz de prosseguir. E se Rafe estivesse na festa?

O Quatro de Julho era um daqueles raros eventos que reunia toda a comunidade. Em geral, as cidades faziam suas celebrações nos próprios salões de festas, mas para essa comemoração as pessoas vinham de quilômetros de distância.

– Vamos logo – disse o pai. – Sua mãe detesta chegar atrasada.

Elsa seguiu a família até o Ford Modelo T Runabout verde-garrafa conversível novinho em folha. Entraram no carro, espremendo-se no banco forrado de couro. Apesar de morarem na cidade e o salão ser perto, havia um bocado de comida para transportar, e nem morta a mãe iria a pé a uma festa.

O Centro Comunitário de Dalhart estava decorado com bandeirolas vermelhas, brancas e azuis. Mais de dez carros estavam estacionados na frente, a maioria de fazendeiros que tinham prosperado nos anos recentes e de banqueiros que financiaram todo esse crescimento. As mulheres da Liga de Embelezamento tinham caprichado, deixando o gramado da entrada verde e viçoso. Flores cresciam em grande profusão ao longo dos degraus que levavam à porta de entrada. O lugar estava cheio de crianças brincando, dando risada, correndo. Elsa não viu nenhum adolescente, mas eles deviam estar por ali, provavelmente trocando beijos roubados em cantos escondidos.

O pai estacionou na rua e desligou o motor.

Elsa ouviu música. Sons festivos saíam das portas abertas: tagarelices, tosses, risos. Um duo de violinos tocava "Second Hand Rose" acompanhado de um banjo e um violão.

O pai abriu o porta-malas, mostrando os quitutes que Maria havia passado dias preparando. Pratos pelos quais a mãe receberia todo o crédito. Receitas de família, herdadas de seus antepassados pioneiros no Texas – bolos de melaço, o pão de gengibre temperado da tia Bertha, bolo de pêssego e o prato favorito de vovô Walt, pernil crocante ao molho pardo –, tudo pensado para ostentar para os moradores locais o lugar de destaque dos Wolcotts na história do Texas.

Elsa seguia atrás dos pais, levando uma caçarola ainda morna em direção à construção de madeira.

Lá dentro, mantas coloridas foram usadas para tudo, desde decoração a toalhas de mesa. Na parede do fundo, diversas mesas compridas exibiam iguarias: assados de leitão, molho madeira, travessas cheias de vagens cozidas em banha de porco. Sem dúvida haveria também saladas de galinha e de batata, linguiça, broas de milho, bolos e tortas de todos os tipos. Todo mundo no condado adorava uma festa e as mulheres trabalhavam arduamente para impressionar umas às outras. Havia presuntos defumados, embutidos de coelho, fatias de pão com manteiga recém-batida, ovos cozidos, tortas de frutas e bandejas cheias de salsichas. A mãe abriu caminho até a mesa do canto, onde as mulheres da Liga se ocupavam rearranjando os pratos que chegavam.

Elsa avistou as irmãs ao lado das mulheres da organização, Suzanna com uma blusa feita com a seda vermelha que Elsa tinha comprado, Charlotte com um lenço de seda vermelha no pescoço.

Ela congelou. Ver as irmãs usando a seda vermelha a deixava desolada.

O pai juntou-se aos homens que conversavam atrás do palanque.

Embora a Lei Seca tivesse proibido bebidas alcoólicas, havia muito o que beber para os homens que formavam um grupo forte e robusto de imigrantes da Rússia, Alemanha, Itália e Irlanda. Tinham chegado ali sem nada e enriqueceram com trabalho árduo, então não aceitavam que lhes dissessem como viver, nem os outros nem o governo, que mal parecia saber da existência das Grandes Planícies. Apesar de parecerem um pouco simplórios, muitos tinham uma considerável quantia de dinheiro no banco. Como o trigo era vendido por 1 dólar a arroba e seu cultivo custava apenas 40 centavos, todos na cidade estavam felizes. Se tivesse uma boa porção de terra, qualquer homem podia ficar rico.

– Dalhart está em franco crescimento – disse o pai, tão alto que podia ouvi-lo acima da música. – No ano que vem vou construir uma bela casa de ópera. Por que nós precisamos ir até Amarillo para ter um pouco de cultura?

– Nós precisamos de eletricidade nesta cidade. Isso é que vai fazer a diferença – acrescentou o Sr. Hurst.

A mãe continuava reorganizando os pratos, que na sua ausência nunca correspondiam aos seus padrões. Charlotte e Suzanna riam com as amigas bonitas e bem-vestidas, a maioria já jovens mães.

Elsa avistou Rafe num canto, junto com outras famílias italianas, perto de uma das mesas do bufê. Seu cabelo preto, desgrenhado no alto e caindo até as orelhas, precisava de um corte. A vaselina deixava os cabelos brilhosos, mas não os controlava. Ele usava uma camisa lisa, desgastada nos cotovelos, calça marrom, suspensórios de couro de sela e gravata-borboleta xadrez. Uma garota bonita, de cabelos escuros, estava de braço dado com ele.

Seu rosto estava mais bronzeado do que na primeira vez em que se viram, provavelmente pelas horas passadas na lavoura.

Olhe para cá, pensou Elsa, e logo depois: *Não, não olhe*.

Ele ia fingir que não a conhecia. Ou, pior, nem a reconheceria.

Elsa se forçou a dar uns passos à frente, ouvindo o barulho dos saltos na pista de dança de madeira.

Deixou a caçarola numa mesa forrada por uma toalha branca.

– Céus, Elsa. O pernil está no meio da mesa de sobremesas. Onde você está com a cabeça? – perguntou a mãe.

Elsa pegou a caçarola e a levou até a mesa ao lado. Cada passo a levava para mais perto de Rafe.

Pôs a caçarola na mesa o mais silenciosamente possível.

Rafe ergueu os olhos e a viu. Não sorriu; pior, olhou para a garota ao lado, com uma expressão preocupada.

Elsa imediatamente desviou o olhar. Não podia ficar ali parada daquele jeito. Era sufocante. E a última coisa que queria no mundo era ser ignorada a noite toda por Rafe.

– Mamãe? – chamou, aproximando-se. – Mamãe?

– Você não vê que estou conversando com a Sra. Tolliver?

– Sim. Desculpe. Eu só... – *Não olhe para ele*. – Eu não estou me sentindo bem.

– Deve ser por causa da agitação, imagino – disse a mãe, olhando de soslaio para a amiga.

– Acho melhor ir para casa – disse Elsa.

A mãe aquiesceu.

– É claro.

Tomando cuidado para não olhar na direção de Rafe, Elsa andou até a saída. Casais giravam ao seu redor na pista de dança.

Do lado de fora, foi recebida pelo entardecer quente e dourado. A porta bateu às suas costas, abafando os sons do violino e o ruído dos passos de dança.

Contornou os vários carros estacionados e passou pelas carroças puxadas a cavalo que traziam os fazendeiros menos bem-sucedidos à cidade para eventos como aquele.

A Avenida Principal agora estava tranquila, banhada pela luz alaranjada que logo se transformaria em noite. Subiu na passarela.

– El?

Ela parou e virou-se devagar.

– Desculpa, El – disse Rafe, parecendo constrangido.

– Pelo quê?

– Eu devia ter falado com você lá dentro. Acenado, sei lá.

– Ah.

Ele chegou mais perto, tão perto que Elsa sentiu o calor de seu corpo misturado a um leve cheiro de trigo.

– Eu entendo, Rafe. Ela é muito bonita.

– Gia Composto. Nossos pais decidiram que deveríamos nos casar antes de termos aprendido a andar.

Rafe chegou mais perto. Elsa sentiu seu hálito cálido na bochecha.

– Eu sonhei com você – falou ele, atropelando as palavras.

– S-sonhou?

Ele assentiu, parecendo um pouco envergonhado.

Elsa se viu na beira de um abismo; diante de uma queda que poderia fraturar seus ossos. Aquele rosto, aquela voz. Olhou em seus olhos, escuros como a noite, expressivos e só um pouco tristonhos, apesar de não conseguir imaginar uma possível razão para tal tristeza.

– Vamos nos encontrar hoje à noite – pediu Rafe. – À meia-noite. No celeiro do casarão abandonado.

Elsa estava na cama, totalmente vestida.

Ela não iria. Isso era óbvio. O hematoma em seu rosto tinha desaparecido, mas a marca continuava sob a superfície. Mulheres decentes não faziam o que Rafe estava lhe pedindo.

Ouviu os pais chegarem em casa, subirem a escada, abrirem e fecharem a porta do quarto no fim do corredor.

O relógio na cabeceira registrava 21h40.

Elsa continuou lá, com a respiração acelerada, enquanto a casa silenciava.

Esperando.

Não deveria ir.

Não importava a frequência com que dizia aquilo a si mesma, pois nem uma vez, nem por um momento, ela havia considerado seguir o próprio conselho.

Às 23h30, levantou-se. O quarto ainda estava quente e sufocante, mas a janela dava para o céu estrelado das Grandes Planícies. Seu portão para a aventura na infância. Quantas vezes tinha ficado naquela janela, mandando seus sonhos para aqueles universos desconhecidos?

Abriu a janela e desceu pela treliça de metal das flores. Parecia estar descendo em direção à luz das estrelas.

Quando pisou no gramado fofo, fez uma pausa, nervosa, com medo de ser percebida, mas nenhuma luz se acendeu lá dentro. Esgueirou-se pela lateral da casa, pegou uma das bicicletas da irmã e começou a pedalar pela estrada na direção da Avenida Principal e da saída da cidade.

O mundo à noite era grande e solitário, de uma forma a que os habitantes locais já tinham se acostumado, iluminado só pela luz das estrelas, pontos de luz brancos em um mundo escuro. Ali não havia casas, nada além da penumbra se estendendo por quilômetros.

Parou perto do velho celeiro e desmontou, deixando a bicicleta num tufo de grama ao lado da estrada.

Ele não viria.

Claro que não viria.

Elsa lembrava cada palavra que ele lhe dissera e todas as nuances de seu rosto enquanto falava. O jeito como seu sorriso começava de lado e meio que se espalhava lentamente pela boca. O risco pálido de uma cicatriz em torno do queixo, o jeito como um dos dentes despontava do lábio, só um pouquinho.

Eu sonhei com você.

Vamos nos encontrar hoje à noite.

Será que ela tinha respondido alguma coisa? Ou tinha ficado parada sem falar nada? Não conseguia lembrar.

Mas lá estava ela, sozinha em frente a um celeiro abandonado.

Como era boba.

Seria um pandemônio se soubessem o que estava fazendo.

Deu um passo à frente, os saltos do sapato oxford marrom esmagando as pedrinhas da estrada. O celeiro se impunha à sua frente, com o pico do teto parecendo fisgado pela lua em forma de anzol. Faltavam algumas telhas, algumas tábuas caídas espalhavam-se no chão.

Elsa abraçou a si mesma como se estivesse com frio, mas na verdade sentia um calor desconfortável.

Quanto tempo ela ficou ali? O suficiente para sentir um embrulho no estômago. Estava prestes a desistir quando ouviu o motor de um veículo. Virou-se, viu dois faróis vindo pela estrada.

Ficou tão atônita que não conseguiu se mexer.

Ele estava dirigindo depressa demais, sendo descuidado. Espalhando cascalho com os pneus. A buzina tocou: *biii.*

Rafe devia ter afundado o pé no freio, porque a caminhonete derrapou antes de parar, levantando poeira.

Ele saiu do carro depressa.

– El – falou, sorrindo, estendendo um buquê de flores roxas e cor-de-rosa.

– V-você me trouxe flores?

Rafe tirou uma garrafa do carro.

– E um pouco de gim!

Elsa não fazia ideia de como responder nem a uma coisa nem à outra.

Ele entregou as flores. Elsa o encarou e pensou: *É isso*. Ela pagaria qualquer preço por aquilo.

– Eu quero você, El – sussurrou ele.

Ela o seguiu até a traseira da caminhonete.

As mantas já estavam estendidas. Elsa ajeitou-as um pouco e se deitou. Só um fiapo de luz emanava da lua em forma de foice.

Rafe deitou-se ao seu lado.

Ela sentiu a pressão do corpo dele, seu hálito.

– Você pensou em mim? – perguntou ele.

– Pensei.

– Eu também. Quero dizer, pensei em você. E nisso...

Ele começou a desabotoar o corpete dela.

Rafe deixava uma trilha de fogo onde a tocava. Um arrebatamento. Não conseguia se aquietar, não conseguia esconder. Tirou o vestido pela cabeça, puxou as calçolas para baixo e sentiu o ar noturno na pele. Tudo a excitava, o ar na pele, sua própria nudez, a maneira como ele respirava.

Ansiava por tocá-lo, sentir seu gosto, dizer onde queria – precisava – ser tocada, mas o medo da humilhação a manteve em silêncio. Qualquer coisa que dissesse provavelmente seria errada, impróprio para uma senhorita, e ela queria muito fazê-lo feliz.

Antes que estivesse pronta, ele já estava dentro dela, arremetendo com força, gemendo. Segundos depois, desabou em cima dela, estremecendo, ofegante.

Murmurou alguma coisa ininteligível em seu ouvido. Elsa esperava ter sido algo romântico.

Tocou a barba rala que contornava seu queixo. O toque foi tão suave e tênue que achou que Rafe nem sentiu.

– Vou sentir sua falta, El – disse ele.

Elsa afastou a mão depressa.

– Para onde você vai?

Rafe abriu a garrafa de gim e deu um longo gole, em seguida a passou para ela.

– Minha família está me obrigando a ir para a faculdade.

Ele virou-se de lado, apoiou a cabeça numa das mãos e observou enquanto ela tomava um gole picante e abrasador, tapando a boca com a mão.

Ele tomou outro gole.

– Minha mãe quer que eu me forme na faculdade para me tornar um americano de verdade. Ou coisa do tipo.

– Faculdade – disse Elsa, desejosa.

– É. Bobagem, não? Eu não tenho nada a aprender com livros. Quero ver a Times Square, a Ponte do Brooklyn e Hollywood. Aprender *fazendo*. Conhecer o mundo. – Tomou outro gole. – Qual é o seu sonho, El?

Ela ficou tão surpresa com a pergunta que demorou algum tempo para responder.

– Ter um filho, acho. Talvez uma casa só minha.

Ele sorriu.

– Mas isso não conta. Uma mulher querer filhos é como uma semente querendo crescer. O que mais?

– Você vai rir de mim.

– Não vou, não. Prometo.

– Eu quero ser corajosa – disse Elsa, tão baixo que quase não dava para ouvir.

– Do que você tem medo?

– De tudo – respondeu ela. – Meu avô era um Texas Ranger. Ele me dizia para levantar e lutar. Mas pelo quê? Não sei. Parece bobagem quando eu falo em voz alta...

Elsa sentiu o olhar dele e torceu para que a noite favorecesse o rosto dela.

– Você é diferente de qualquer outra garota que conheço – disse Rafe, ajeitando uma mecha de cabelo atrás da orelha dela.

– Quando você vai embora?

– Em agosto. Ainda temos algum tempo. Se você quiser me ver de novo.

Elsa sorriu.

– Quero.

Ela desfrutaria o que pudesse de Rafe e pagaria qualquer preço por isso. Iria até para o inferno. Ele a fazia se sentir mais bonita em um minuto do que o resto do mundo em 25 anos.

QUATRO

Em meados de agosto, as flores nos poucos vasos pendurados ou nas jardineiras das janelas de Dalhart estavam queimadas e murchas. Poucos comerciantes conseguiam arranjar energia para podar ou regar com aquele calor, e, de qualquer forma, as flores não durariam muito. O Sr. Hurst acenou distraidamente para Elsa quando ela passou a caminho de casa, saindo da biblioteca.

Ao abrir o portão, foi atingida em cheio pelo aroma doce e enjoativo do jardim. Tapou a boca, mas não conseguiu deter o enjoo. Vomitou na roseira favorita da mãe.

Continuou vomitando até não ter mais nada no estômago. Por fim, limpou a boca e se endireitou, sentindo-se trêmula.

Ouviu um farfalhar atrás de si.

A mãe estava ajoelhada no jardim, com um chapéu de sol de palha e um avental por cima do vestido de algodão. Deixou de lado a tesoura de poda e se levantou. Os bolsos do avental estavam cheios de rosas recém-colhidas. Como os espinhos não a incomodavam?

– Elsa – disse a mãe, a voz surpreendentemente aguda. – Você não vomitou alguns dias atrás?

– Eu estou bem.

A mãe tirou as luvas, um dedo de cada vez, enquanto andava na direção da filha.

Encostou a mão na testa dela.

– Você não está com febre.

– Eu estou bem. É só um mal-estar.

Ela ficou esperando a mãe falar. Era óbvio que estava pensando alguma coisa; sua testa estava franzida, algo que ela evitava ao máximo. *Uma dama não demonstra emoções* era um dos seus adágios favoritos. Elsa ouvia isso todas as vezes que chorava de solidão ou implorava para ir a um baile.

A mãe examinou Elsa.

– Não pode ser.

– O quê?

– Você nos desonrou?

– O quê?

– Esteve com algum homem?

É *claro* que a mãe via seu segredo. Todos os livros que Elsa havia lido romantizavam a relação mãe-filha. Mesmo que a mãe nem sempre demonstrasse seu amor (pois a afeição era outra coisa que uma dama precisava sempre esconder), Elsa sabia que as duas tinham uma ligação forte.

Ela segurou as mãos da mãe, sentindo-a se contrair instintivamente.

– Eu queria contar. Queria mesmo. Tenho me sentido muito sozinha com esses sentimentos que me deixam confusa. E ele...

A mãe puxou as mãos.

Elsa ouviu o rangido do portão se abrindo e fechando no silêncio que pairava entre as duas.

– Meu Deus, o que vocês duas estão fazendo aqui fora nesse calor? – perguntou o pai. – Acho que um copo de chá gelado cairia muito bem.

– Sua filha está grávida – disse a mãe.

– Charlotte? Já era tempo. Eu achei...

– Não – replicou a mãe. – Elsinore.

– Eu? – disse Elsa. – *Grávida?*

Não podia ser verdade. Ela e Rafe só tinham se encontrado algumas poucas vezes. E sempre fora muito rápido. Quase terminavam antes de começar. Com certeza não poderia ter gerado um filho.

Mas o que ela sabia sobre essas coisas? As mães só falavam sobre sexo com as filhas no dia do casamento, e Elsa nunca tinha se casado, por isso a mãe nunca havia falado com ela sobre paixão ou ter filhos, tendo como pressuposto que Elsa jamais viveria nada disso. Tudo que Elsa sabia sobre sexo e procriação viera dos romances. E, francamente, os detalhes eram escassos.

– *Elsa?* – disse o pai.

– Sim – respondeu a mãe, baixinho.

O pai agarrou Elsa pelo braço e a puxou para perto.

– Quem desonrou você?

– Não, papai...

– Diga o nome dele já, senão, juro por Deus, vou bater de porta em porta e perguntar a todos os homens desta cidade se foi ele quem desonrou minha filha.

Elsa sentiu-se como uma Hester Prynne dos tempos modernos, imaginou o pai esmurrando as portas de todas as casas, perguntando a homens como o Sr. Hurst ou o Sr. McLaney: *Você desonrou esta mulher?*

Esgotadas as possibilidades, ela e o pai sairiam da cidade para inquirir nas fazendas...

Seu pai faria isso. Elsa sabia que faria. Não havia como detê-lo quando cismava com alguma coisa.

– Eu vou embora – disse ela. – Vou embora agora mesmo. Vou viver por conta própria.

– Deve ter sido... você sabe... um crime – disse a mãe. – Nenhum homem iria...

– Iria me querer? – interrompeu Elsa, virando-se para encarar a mãe. – Nenhum homem jamais poderia me desejar. Você disse isso para mim a vida toda. Todos vocês fizeram questão de me dizer que eu era feia e que ninguém me amaria, mas não é verdade. Rafe me quis! Ele...

– Martinelli – sibilou o pai, a voz cheia de nojo. – Um italiano. O pai dele comprou uma debulhadora comigo este ano. Deus do céu. Quando as pessoas souberem... – Ele empurrou Elsa para longe. – Vá para o seu quarto. Preciso pensar.

Elsa saiu cambaleando. Queria dizer alguma coisa, mas que palavras poderiam consertar aquilo? Subiu os degraus do alpendre e entrou na casa.

Maria estava na entrada arqueada da cozinha, com um candelabro de prata e um pano na mão.

– Srta. Wolcott, está tudo bem?

– Não, Maria, não está.

Elsa subiu correndo para o quarto. Sentiu lágrimas brotarem, mas negou a si mesmo o alívio que prometiam.

Tocou na barriga reta, quase côncava. Não conseguia imaginar um bebê dentro de si, crescendo em segredo. Com certeza uma mulher perceberia uma coisa dessas.

Uma hora se passou, depois outra. O que seus pais estariam falando? O que fariam com ela? Será que lhe dariam uma surra, a deixariam trancada, ou chamariam a polícia e prestariam queixa de um falso crime?

Ficou andando de um lado para outro. Sentou-se. Voltou a andar. Pela janela, viu a noite começar a cair.

Iam expulsá-la de casa, e ela ficaria vagando pelas Grandes Planícies, sem recursos e desonrada, até chegar a hora de dar à luz, quando estaria sozinha, na miséria, e seu corpo desistiria dela. Morreria no parto.

Assim como o bebê.

Pare com isso. Seus pais não fariam isso. Não seriam capazes. Eles a amavam.

Por fim, a porta do quarto se abriu. A mãe ficou na soleira, com uma expressão atipicamente desolada e perplexa.

– Faça as malas, Elsa.

– Para onde eu vou? Vai acontecer comigo o mesmo que aconteceu com Gertrude Renke? Ela ficou meses fora depois daquele escândalo com Theodore. Depois voltou para casa e ninguém nunca mais disse nada a respeito.

– Faça as malas.

Elsa se ajoelhou ao lado da cama e puxou sua valise. A última vez que a usara foi durante sua internação no hospital de Amarillo. Onze anos antes.

Tirou suas roupas do armário, sem pensar nem planejar, e as dobrou dentro da mala aberta.

Olhou para a estante cheia de livros, com livros no topo e empilhados no chão ao lado. Também havia livros na mesa de cabeceira. Pedir que escolhesse apenas alguns era como precisar escolher entre o ar e a água.

– Não vou ficar esperando o dia inteiro – disse a mãe.

Elsa pegou *O Mágico de Oz*, *Razão e sensibilidade*, *Jane Eyre* e *O morro dos ventos uivantes*. Deixou para trás *A época da inocência*, que de certa forma tinha começado tudo aquilo.

Elsa colocou os quatro livros na valise e a fechou.

– Nada da Bíblia, pelo que vejo – comentou a mãe. – Vamos, precisamos ir embora.

Elsa saiu da casa atrás da mãe. Passaram pelo jardim e se aproximaram do pai, de pé ao lado do automóvel.

– Temos que pensar na reputação da nossa família, Eugene – explicou a mãe. – Elsa vai ter que se casar com ele.

Elsa parou.

– Casar com Rafe? – Durante todas as horas em que tinha imaginado qual seria seu terrível destino, aquilo nunca lhe ocorrera. – Você não está falando sério. Ele só tem 18 anos.

A mãe fez um som de asco.

O pai abriu a porta do passageiro e ficou esperando, impaciente, até Elsa entrar no carro. Assim que ela se acomodou, ele bateu a porta, ocupou seu lugar ao volante e deu partida no motor.

– Você só precisa me levar até a estação ferroviária.

O pai acendeu os faróis.

– O que foi? Está com medo de seu italiano não querer você? Tarde demais, mocinha. Você não vai simplesmente sumir. Ah, não. Vai arcar com as consequências do seu pecado.

Passados poucos quilômetros de Dalhart, não se via nada a não ser os dois fachos de luz dos faróis. A cada minuto, a cada quilômetro, o medo de Elsa aumentava, até sentir que poderia simplesmente se despedaçar.

Lonesome Tree não era nada mais que uma cidadezinha encravada na fronteira com Oklahoma. Passaram por ela a 35 quilômetros por hora.

Três quilômetros adiante, os faróis iluminaram uma caixa de correio em que se lia: MARTINELLI. O pai pegou uma longa estradinha de terra, ladeada por álamos e uma cerca de arame farpado estacada por todos os tocos que os Martinellis conseguiram encontrar naquela região quase sem árvores.

O carro chegou a um quintal bem cuidado e parou em frente a uma casa de fazenda caiada com uma varanda coberta na frente e janelas com vista para a estrada.

O pai tocou a buzina. Alto. Uma. Duas. Três vezes.

Um homem saiu do celeiro com um machado casualmente apoiado no ombro. Quando ficou sob a luz, Elsa viu que usava roupas típicas de um fazendeiro local: um macacão remendado e camisa com as mangas arregaçadas.

Uma mulher saiu da casa e se juntou a ele. Era miúda, com os cabelos pretos presos num coque. Usava um vestido verde xadrez e um avental branco imaculado. Era tão bonita quanto o filho; tinham o mesmo rosto esculpido, maçãs do rosto altas e lábios cheios, a mesma pele morena.

O pai saiu do carro, andou até a porta do passageiro, abriu-a e puxou Elsa para fora.

– Eugene – cumprimentou o fazendeiro. – Meu pagamento pela debulhadora está em dia, não está?

O pai o ignorou, gritando:

– Rafe Martinelli!

Elsa queria que a terra se abrisse e a engolisse. Sabia o que o fazendeiro e a mulher viriam quando olhassem para ela: uma solteirona, magra como um graveto, mais alta que a maioria dos homens, cabelos mal cortados, o rosto e o queixo pontudos sem graça como um terreno baldio. Os lábios finos estavam rachados, cortados e sangrando de tanto que os mordera em seu nervosismo. A valise na sua mão esquerda era pequena, revelando que não possuía quase nada.

Rafe apareceu na porta.

– Em que posso ajudar, Eugene? – perguntou o Sr. Martinelli.

– O seu filho desonrou minha filha, Tony. Ela está grávida.

Elsa percebeu como a expressão do Sr. Martinelli mudou naquele momento, como seus olhos passaram da gentileza à desconfiança. Um olhar de avaliação e julgamento que condenava Elsa como uma mentirosa ou uma mulher fácil, ou ambas as coisas.

Era como as pessoas da cidade a veriam agora: a velha solteirona que seduziu um garoto e foi desonrada. Ela manteve a compostura por pura força de vontade, recusando-se a dar voz ao grito que enchia sua cabeça.

Vergonha.

Elsa achava que conhecia bem aquele sentimento, diria até que era o curso natural das coisas, mas agora via a diferença. Na família ela sentia vergonha por não ser atraente, não conseguir se casar. Deixou essa vergonha se tornar parte dela, deixou que se imiscuísse pelo seu corpo e pela sua mente, se transformasse em sua essência. Mas naquela vergonha ainda havia esperança de que um dia eles a vissem de verdade, vissem seu verdadeiro eu, a irmã/filha que habitava sua mente. Uma flor bem recolhida, esperando a luz do sol banhar suas pétalas dobradas, desesperada para desabrochar.

Aquela vergonha era diferente. Ela mesma a havia provocado e, pior, destruíra a vida daquele pobre jovem.

Rafe desceu os degraus do alpendre e ficou ao lado dos pais.

Iluminada pela luz dos faróis, a família Martinelli olhava para ela com uma expressão que só poderia ser definida como de horror.

– Seu filho se aproveitou da minha filha – acusou o pai.

O Sr. Martinelli fechou a cara.

– Como pode ter certeza?

– Papai – murmurou Elsa. – Por favor, não...

Rafe deu um passo adiante.

– El – falou. – Está tudo bem com você?

Elsa sentiu vontade de chorar com aquela pequena gentileza.

– Não pode ser verdade – disse a Sra. Martinelli. – Ele está noivo de Gia Composto.

– Noivo? – perguntou Elsa a Rafe.

Ele corou.

– Desde a semana passada.

Elsa engoliu em seco e aquiesceu bruscamente.

– Eu nunca pensei que... você sabe. Quero dizer, eu entendo. Vou embora. Isso é tudo culpa minha.

Deu um passo para trás.

– Ah, não, você não vai embora, mocinha. – O pai olhou para o Sr. Martinelli. – Os Wolcotts são uma boa família. Respeitada em Dalhart. Espero que seu filho faça a coisa certa. – Ele lançou a Elsa um último olhar de nojo. – De um jeito ou de outro, eu nunca mais quero ver você, Elsinore. Você não é mais minha filha.

Dito isso, voltou ao carro, cujo motor deixara ligado, e saiu dirigindo.

Elsa ficou ali parada, com a valise na mão.

– Raffaello – disse o Sr. Martinelli, olhando para o filho. – É verdade?

Rafe hesitou, incapaz de encarar o pai.

– É.

– *Madonna mia!* – exclamou a Sra. Martinelli, e continuou bradando em italiano.

Ela estava furiosa, foi tudo o que Elsa entendeu. Deu um tapa estalado na nuca de Rafe e começou a gritar sem parar:

– Mande essa mulher embora, Antonio. Essa *puttana*.

O Sr. Martinelli levou a mulher para um canto.

– Desculpe, Rafe – disse Elsa quando os dois ficaram sozinhos. Sentia-se tomada pela vergonha.

Ouviu a Sra. Martinelli gritar:

– Não! – E em seguida, mais uma vez: – *Puttana*.

Pouco tempo depois, o Sr. Martinelli voltou para perto de Elsa, parecendo mais velho do que quando se afastara. Tinha a pele áspera, o cenho protuberante, de sobrancelhas em tufos castanhos, o queixo quadrado; o arco irregular do nariz dava a impressão de ter sido quebrado mais de uma vez. Um antiquado bigode de vaqueiro cobria a maior parte do lábio superior. Todos os aspectos do clima do Texas transpareciam em seu rosto de pele curtida, com rugas na testa semelhantes aos anéis do tronco de uma árvore.

– Eu me chamo Tony – falou, e apontou para a esposa com a cabeça, a 3 metros de distância. – E minha esposa... Rose.

Elsa os cumprimentou com um aceno de cabeça. Sabia que ele era um dos muitos fazendeiros que compravam equipamentos do pai a crédito a cada estação e pagavam depois da colheita. Os dois se encontravam em algumas reuniões do condado, mas não muitas. Os Wolcotts não socializavam com gente como os Martinellis.

– Rafe – continuou Tony, olhando para o filho. – Apresente a sua garota de forma apropriada.

Sua garota.

Não sua meretriz, sua Jezebel.

Elsa nunca tinha sido a *garota* de ninguém. E já tinha muitos anos nas costas para ser uma garota.

– Papai, esta é Elsa Wolcott – disse Rafe, a voz trêmula.

– Não, não, não! – gritou a Sra. Martinelli. Ela apoiou as mãos na cintura. – Ele vai para a faculdade daqui a três dias, Tony. Já fizemos o depósito. Como podemos saber se essa mulher é de família? Pode ser mentira. Um filho...

– Muda tudo – emendou o Sr. Martinelli. Ele acrescentou alguma coisa em italiano, e suas palavras silenciaram a esposa.

– Você vai se casar com ela – disse o Sr. Martinelli a Rafe.

A Sra. Martinelli praguejou em voz alta, em italiano, ou ao menos foi o que pareceu.

Rafe concordou com o pai. Parecia tão assustado quanto Elsa.

– E o futuro dele, Tony? – perguntou a Sra. Martinelli. – Todos os nossos sonhos?

O Sr. Martinelli nem sequer olhou para a esposa.

– Agora está tudo acabado, Rose.

Elsa ficou em silêncio. O tempo pareceu desacelerar e se esticar enquanto Rafe olhava para ela. O silêncio ao redor seria total não fossem as galinhas cacarejando e um porco chafurdando preguiçosamente na lama.

– Vou arrumar um quarto para ela – disse a Sra. Martinelli com a voz tensa e uma expressão de desagrado. – Vocês vão terminar o trabalho.

Rafe e o Sr. Martinelli se afastaram sem dizer uma palavra.

Elsa pensou: *Vá embora. Simplesmente saia andando.* Era o que eles queriam que ela fizesse. Se fosse embora agora, aquela família continuaria sua vida normal.

Mas para onde ela iria?

Como iria viver?

Encostou a mão no ventre liso e pensou na vida crescendo dentro dela.

Um filho.

Como, em seu turbilhão de vergonha e arrependimento, ela havia deixado de pensar na única coisa que importava?

Ela ia ser mãe. *Mãe.* Teria um filho que a amaria, que seria amado por ela.

Um milagre.

Deu as costas à Sra. Martinelli e começou a andar pelo longo caminho de terra. Ouvia cada um de seus passos, com os álamos farfalhando na brisa.

– Espere!

Elsa parou. Virou-se.

A Sra. Martinelli estava bem atrás dela, com os punhos cerrados, os lábios comprimidos numa expressão severa. Era tão pequena que uma simples brisa poderia derrubá-la, mas a força que emanava dela era evidente.

– Aonde você está indo?

– Que diferença faz para a senhora? Estou indo embora.

– Os seus pais vão aceitar você de volta, desonrada?

– Dificilmente.

– E então...?

– Sinto muito – disse Elsa. – Eu não queria arruinar a vida do seu filho. Nem destruir suas esperanças para ele. Eu só... Bem, agora não tem mais importância.

Elsa sentia-se uma girafa diante daquela mulher miúda e de aparência exótica.

– Então é isso? Você simplesmente vai embora?

– Não é o que vocês querem que eu faça?

A Sra. Martinelli chegou mais perto e olhou para cima, examinando Elsa com atenção. Passaram-se longos e desconfortáveis instantes.

– Que idade você tem?

– Vinte e cinco.

A Sra. Martinelli pareceu não gostar da resposta.

– Você se converteria ao catolicismo?

Elsa demorou um pouco para entender o que estava acontecendo. Elas estavam negociando.

Católica.

Os pais ficariam mortificados. A família a deserdaria.

Mas eles já tinham feito isso. *Você não é mais minha filha.*

– Sim – respondeu Elsa.

O filho que esperava precisaria do consolo de uma fé, e os Martinellis seriam sua única família.

A Sra. Martinelli aquiesceu secamente.

– Certo. Então...

– A senhora vai amar essa criança? – perguntou Elsa. – Como amaria um filho nascido de Gia?

A Sra. Martinelli pareceu surpresa.

– Ou só vai tolerar o filho de uma *puttana*? – Elsa não sabia muito bem o que a palavra significava, mas sabia que não era um elogio. – Porque eu sei o que é crescer numa casa onde o amor é recusado. Não quero submeter meu filho a isso.

– Quando você for mãe, vai saber o que estou sentindo agora – disse, por fim, a Sra. Martinelli. – Os sonhos que temos para os filhos são tão... tão... – Parou, virou o rosto, e seus olhos se encheram de lágrimas antes de ela prosseguir: – Você não pode imaginar os sacrifícios que fizemos para Raffaello ter uma vida melhor que a que tivemos.

Elsa percebeu a dor que havia causado àquela mulher, e sua vergonha se intensificou. Era só o que podia sentir para não se desculpar mais uma vez.

– O filho, eu vou amar – disse a Sra. Martinelli, rompendo o silêncio. – Meu primeiro neto.

Elsa entendeu em alto e bom som o que deixou de ser dito: *Você, não vou amar*, mas só aquela palavra, *amar*, bastou para acalmar seu coração e amparar sua frágil resolução.

Ela conseguiria viver entre aqueles estranhos sem ser querida; já tinha aprendido a ser invisível. O importante agora era o bebê.

Levou a mão à barriga, pensando: *Você, você, pequenino, você vai ser amado por mim e retribuirá esse amor*.

Nada mais importava.

Eu vou ser mãe.

Por esse filho, Elsa se casaria com um homem que não a amava e viveria com uma família que não a queria. A partir daquele momento, todas as suas escolhas seriam feitas por ele.

Por seu filho.

– Onde posso pôr minhas coisas?

CINCO

A Sra. Martinelli andava tão depressa que era difícil acompanhá-la.

– Você quer comer alguma coisa? – perguntou a diminuta mulher enquanto as duas subiam a escada e passavam pelas cadeiras no alpendre, cada uma de um estilo diferente.

– Não, senhora, obrigada.

Rose entrou na casa, seguida por Elsa. No vestíbulo, viu móveis de madeira e uma mesinha de centro oval arranhada. Toalhinhas brancas de crochê pendiam dos encostos das cadeiras e havia grandes crucifixos afixados em duas das paredes.

Católica.

O que significava aquilo exatamente? O que Elsa tinha prometido se tornar?

A Sra. Martinelli atravessou a sala de estar e então um corredor estreito, passando por uma porta aberta com uma banheira de cobre e uma pia. Sem privada.

Sem encanamento interno?

No final do corredor, a Sra. Martinelli abriu uma porta.

Um quarto masculino, inclusive com troféus esportivos sobre o armário. Uma cama desfeita dava para uma grande janela, emoldurada por uma cortina de cambraia. Elsa viu uma foto de Gia Composto na mesa de cabeceira. Havia também uma mala em cima da cama – para a faculdade, sem dúvida.

A Sra. Martinelli recolheu a fotografia e enfiou a mala embaixo da cama.

– Você vai ficar aqui, sozinha, até o casamento. Rafe pode dormir no celeiro. Aliás, ele adora fazer isso nas noites mais quentes. – A Sra. Martinelli acendeu um lampião. – Vou falar com o padre Michael assim que puder. Não há razão para isso se arrastar. – Ela franziu a testa. – Também vou precisar falar com os Compostos.

– Talvez seja melhor que Rafe faça isso – opinou Elsa.

Rose ergueu o olhar. A mulher transbordava contradições: parecia frágil, com os movimentos rápidos e furtivos de um passarinho, mas Elsa se impressionou com sua força. Sua tenacidade. Lembrou-se da história da família: que Tony e Rose chegaram aos Estados Unidos vindos da Sicília com uns poucos dólares no bolso. Juntos, tinham encontrado aquela terra e sobrevivido dela, morando por anos numa cabana rudimentar construída por eles mesmos. Apenas mulheres tenazes sobreviviam nas fazendas do Texas.

– Acho que Rafe deve isso a ela – acrescentou Elsa.

– Vá se lavar. E guarde suas coisas – disse a Sra. Martinelli. – Vamos ver isso de manhã. Geralmente as coisas parecem melhores à luz do sol.

– Menos eu – respondeu Elsa.

A Sra. Martinelli ficou examinando Elsa por um momento agonizante, obviamente avaliando tudo o que faltava nela, então saiu e fechou a porta do quarto.

Elsa se sentou na beirada da cama, incapaz de recuperar o fôlego de imediato.

Ouviu uma leve batida na porta.

– Pode entrar – falou.

Rafe abriu a porta e ficou na soleira, o rosto empoeirado. Tirou a boina, retorceu-a nas mãos.

Então fechou a porta, bem devagar. Foi até ela e sentou-se na cama. As molas protestaram contra o peso adicional.

Elsa olhou de soslaio para ele, observando seu perfil perfeito. *Tão bonito.*

– Sinto muito – disse Elsa.

– Ah, El, eu não queria mesmo ir para a faculdade. – Rafe abriu um sorriso contido; a franja caía sobre um de seus olhos. – Também não queria ficar aqui, mas...

Os dois se olharam.

Por fim, ele segurou a mão dela.

– Vou tentar ser um bom marido – falou.

Elsa queria apertar a mão dele, demonstrar o quanto aquelas palavras significavam para ela, mas não se atreveu. Tinha medo de abraçá-lo e não conseguir mais largar. Agora ela precisaria ser cautelosa, tratar Rafe como se trata um gato arisco: cuidar para nunca se precipitar nem se mostrar muito carente.

Não disse nada, e depois de algum tempo Rafe soltou sua mão e a deixou no quarto que era dele, sentada na cama, sozinha.

No dia seguinte, Elsa acordou tarde. Tirou o cabelo da testa. Havia marcas de lágrimas nas suas bochechas; tinha chorado durante o sono.

Bom, melhor chorar à noite, quando ninguém podia ver. Não queria demonstrar sua fraqueza para essa nova família.

Foi até a pia e jogou uma água tépida no rosto, depois escovou os dentes e penteou o cabelo.

No dia anterior, enquanto desfazia a mala, percebera o quanto suas roupas eram inadequadas para a vida numa fazenda. O que uma garota da cidade como ela sabia da vida no campo? Só tinha trazido vestidos de crepe, meias de seda e sapatos de salto alto. Roupas para ir à igreja.

Escolheu seu vestido liso mais simples, cinza-grafite com botões perolados e um bordado no pescoço, calçou as meias e os mesmos sapatos que usara na noite anterior.

A casa cheirava a toucinho e café. Seu estômago roncou, lembrando-a de que não comia desde o almoço do dia anterior.

A cozinha – toda forrada de papel de parede amarelo, com cortinas vermelhas e piso de linóleo branco – estava vazia. Pratos secando na bancada atestavam que Elsa não tinha acordado a tempo para o desjejum. A que horas esse pessoal acordava? Eram só nove da manhã.

Saiu da casa e viu a fazenda dos Martinellis em plena luz do dia. Centenas de hectares de trigo ceifado espalhavam-se por todas as direções, um mar de hastes secas cortadas, com o terreno da casa ocupando uns poucos hectares no meio de tudo aquilo.

Uma trilha passava pelas plantações, um caminho de terra ladeado por álamos e uma cerca. A fazenda em si consistia em uma casa, um grande celeiro de madeira, um estábulo para os cavalos, um curral para as vacas, um chiqueiro, um galinheiro, vários anexos e um moinho. Atrás da casa havia um pomar, um pequeno vinhedo e uma horta cercada. A Sra. Martinelli trabalhava no jardim.

O Sr. Martinelli saiu do celeiro e veio na direção de Elsa.

– Bom dia – falou. – Venha comigo.

Ele a conduziu ao longo dos limites do campo de trigo. O trigo ceifado tinha ares de devastação. Mais ou menos como a própria Elsa. Uma brisa suave farfalhava o que ainda restava plantado, produzindo um som rumorejante.

– Você é uma garota da cidade – disse o Sr. Martinelli com um forte sotaque italiano.

– Acho que agora não sou mais.

– Boa resposta. – Abaixou-se e pegou um punhado de terra. – Minha terra pode contar sua história, se você souber ouvir. A história da nossa família. Nós plantamos, nós cuidamos, nós colhemos. Eu faço vinho das mudas de uvas que trouxe da Sicília, e o vinho que faço me lembra meu pai. Há gerações, esta terra nos une, nos liga uns aos outros. E agora ela vai ligar você à nossa família.

– Eu nunca plantei nada na vida.

Ele olhou para Elsa.

– Você quer mudar isso?

Elsa viu compaixão em seus olhos escuros, como se ele soubesse quanto medo ela já sentira na vida, mas talvez fosse só sua imaginação. Ele só sabia que agora Elsa estava ali e que arruinara o futuro do seu filho.

– Os começos são sempre assim, Elsa. Quando eu e Rosalba chegamos aqui, tínhamos 17 dólares e um sonho. Esse foi o nosso começo. Mas não foi isso o que nos proporcionou uma boa vida. Nós temos esta terra porque trabalhamos por ela, porque ficamos aqui, por mais que a vida fosse difícil. Esta terra provê para nós. E vai prover para você também, se você permitir.

Elsa nunca tinha pensado na terra daquela maneira, como algo que ancorasse uma pessoa, provesse uma vida. Aquela ideia, de ficar ali e encontrar uma vida boa e um lugar do qual fazer parte, a seduzia como nada jamais havia feito.

Daria o seu melhor para se tornar uma verdadeira Martinelli. Desejava fazer parte daquela história e então passá-la para o filho que carregava. Faria qualquer coisa, se tornaria qualquer pessoa, para assegurar que aquela família amasse incondicionalmente o seu filho.

– Este é o meu desejo, Sr. Martinelli – respondeu, afinal. – Eu quero pertencer a este lugar.

O Sr. Martinelli sorriu.

– Eu já tinha visto isso em você, Elsa.

Elsa começou a agradecer, mas foi interrompida pela Sra. Martinelli, chamando o marido e andando na direção deles com um cesto cheio de tomates maduros e verduras.

– Elsa – falou, parando. – Que bom ver você acordada.

– Eu... dormi demais.

A Sra. Martinelli assentiu.

– Venha comigo.

Chegando à cozinha, a Sra. Martinelli tirou os vegetais da cesta e os pôs em cima da mesa: tomates verdes e polpudos, cebolas, ervas frescas, cabeças de alho. Elsa nunca tinha visto tanto alho junto.

– O que você sabe fazer na cozinha? – perguntou a Elsa, amarrando o avental.

– C-café.

A Sra. Martinelli arregalou os olhos.

– Você não sabe cozinhar? Na sua idade?

– Desculpe, Sra. Martinelli. Não, mas...

– Você sabe fazer limpeza?

– Bem... posso aprender.

A Sra. Martinelli cruzou os braços.

– O que você sabe fazer?

– Costurar. Bordar. Remendar. Ler.

– Uma dama. *Madonna mia.* – Olhou ao redor, observando a cozinha imaculada. – Tudo bem. Então vou ensiná-la a cozinhar. Vamos começar com *arancini*. E pode me chamar de Rose.

O casamento foi um evento sigiloso, apressado e sem festividades. Rafe colocou uma aliança simples no dedo de Elsa e disse "Aceito", e foi basicamente isso. Ao longo da breve cerimônia, Rafe parecia sentir dor.

Na noite de núpcias, os dois se juntaram no escuro e selaram os votos com seus corpos, como já haviam feito com suas palavras, numa paixão tão silenciosa quanto a noite ao redor.

Nos dias, semanas e meses que se seguiram, Rafe tentou ser um bom marido e Elsa tentou ser uma boa esposa.

De início, ao menos aos olhos de Rose, Elsa parecia incapaz de fazer qualquer coisa direito. Cortava o dedo quando fatiava tomates e queimava o pulso ao tirar um pão fresco do forno. Não conseguia distinguir entre uma abóbora madura e uma verde. Rechear abobrinhas era quase impossível para alguém tão desajeitada como ela. Converteu-se ao catolicismo e assistia à missa em latim, sem entender uma palavra, mas sentindo um estranho consolo na beleza sonora da cerimônia; memorizou orações, aprendeu a rezar o terço e sempre mantinha um no bolso do avental. Fazia confissões em um quartinho escuro, contava seus pecados ao padre Michael, e ele rezava por ela e a perdoava. No começo, nada disso fazia muito sentido para ela, mas com o tempo tornou-se familiar e rotineiro, uma parte de sua nova vida, como não comer carne nas sextas-feiras ou a miríade de dias santos que celebravam.

Elsa aprendeu – para sua surpresa e da sogra – que não era de desistir. Acordava cedo todas as manhãs, bem antes do marido, e ia à cozinha a tempo de preparar o café. Aprendeu a cozinhar e a comer e saborear pratos de que nunca tinha ouvido falar, feitos com ingredientes que nunca vira – azeite de oliva, fettuccine, *arancini,* pancetta. Aprendeu como desaparecer numa fazenda: trabalhando mais arduamente que qualquer um sem se queixar.

Com o tempo, uma nova e inesperada sensação de pertencimento começou a crescer dentro dela. Passava horas no jardim, ajoelhada na terra, vendo as sementes que plantava brotarem, e cada uma delas parecia um novo começo. Uma promessa para o futuro. Aprendeu a colher as sumarentas uvas roxas Nero d'Avola e a transformá-las num vinho que Tony jurava ser tão bom quanto o que seu pai fazia. Aprendeu a paz que acompanhava a visão de um campo recém-lavrado e a esperança que esses campos inspiravam.

Ali, pensava às vezes, pisando na terra de que cuidava, *ali* seu filho iria florescer, correr, brincar e aprender as histórias contadas pelo solo, pelas uvas e pelo trigo.

Nevou durante todo o inverno, e todos se recolheram à casa da fazenda, estabelecendo uma nova rotina; as mulheres passavam muitas horas limpando, costurando, remendando e tricotando, enquanto os homens cuidavam dos animais e preparavam os equipamentos agrícolas para a primavera. Nas noites de nevasca eles se reuniam ao redor da lareira, quando Elsa lia histórias em voz alta e Tony tocava seu violino. Elsa aprendeu algumas coisinhas sobre o marido – que ele roncava alto e tinha um sono agitado, que às vezes despertava gritando no meio da noite, afligido por pesadelos.

Faz tanto silêncio neste lugar que é capaz de enlouquecer qualquer um, Rafe dizia às vezes, e Elsa tentava entender o que o marido queria dizer. Na maioria das vezes ela simplesmente o deixava falar e esperava que a procurasse, o que ele fazia, porém raramente e sempre no escuro. Elsa sabia que a visão de sua barriga crescendo o assustava. Quando Rafe falava com ela, em geral cheirava a vinho ou uísque; nesses momentos ele sorria, contava histórias de sua imaginação, às vezes sobre a vida em Hollywood ou em Nova York. Na verdade, Elsa nunca sabia ao certo o que dizer para aquele homem bonito e volátil com quem se casara, mas palavras nunca foram seu forte e ela não tinha coragem de dizer como se sentia, que tinha encontrado uma inesperada força em si mesma naquela fazenda, que seu amor pelo marido e pelos pais dele a tornara quase destemida. Preferia fazer o que sempre fizera ante uma dolorosa rejeição: desaparecia, continha a língua e aguardava – às vezes desesperadamente – que o marido visse a mulher que Elsa havia se tornado.

Em fevereiro, as chuvas chegaram às Grandes Planícies, nutrindo as sementes plantadas no solo. Em março, a terra vibrava com um crescimento verdejante estendendo-se por quilômetros. Tony ficava nas plantações até o final da tarde, vendo o trigo crescer.

Em um dia particularmente azul e ensolarado, Elsa abriu todas as janelas da casa. Uma brisa fresca circulou no recinto, trazendo junto o aroma da nova vida.

Ficou ao lado do fogão, dourando cascas de pão no delicioso e aromático azeite de oliva importado adquirido na mercearia. O aroma pungente do alho dourando no azeite quente enchia a cozinha. Eles usavam aquelas cascas de pão misturadas com queijo e salsinha em tudo, de legumes a massas.

Na mesa atrás dela, uma tigela de louça cheia de farinha moída, da abundante colheita do ano anterior, esperava para ser transformada em massa de pão. A vitrola na sala de estar tocava "Santa Lucia" tão alto que Elsa tinha vontade de cantar junto, apesar de não entender as letras.

Uma pontada de dor surgiu sem aviso, penetrando fundo em seu abdômen, fazendo-a ofegar. Tentou se manter firme, pôs as mãos na barriga, esperou.

Mas sentiu outra pontada, minutos depois, mais forte que a primeira.

– Rose!

A sogra entrou correndo na casa, os braços cheios de roupas para lavar.

– Eu...

A bolsa de Elsa rompeu, escorrendo pelas meias e formando uma poça no chão. A visão a deixou em pânico. Durante os últimos meses ela sentiu que ficava cada vez mais forte, mas agora, acometida pela dor, não conseguia pensar em nada além do médico dizendo tantos anos antes para ela não se cansar, não estressar o coração.

E se ele estivesse certo? Elsa ergueu o olhar com uma expressão de horror.

– Eu não estou pronta, Rose.

A sogra largou a roupa suja.

– Ninguém nunca está pronta.

Elsa não conseguia recuperar o fôlego. Sentiu outra pontada atravessar seu abdômen.

– Olhe para mim. – Rose segurou o rosto de Elsa com as mãos, ficando na ponta dos pés. – Isso é normal.

Ela pegou Elsa pela mão e a levou para o quarto, onde tirou a roupa de cama e estendeu as mantas e os lençóis no chão.

Rose tirou a roupa de Elsa, que deveria sentir vergonha por ser vista daquele jeito, com a barriga inchada e os membros disformes, mas a dor era tão grande que ela não se importou.

Aquela dor tinha *dentes*. Dentes que a abocanhavam, cuspiam-na para respirar por um instante e a mordiam de novo.

– Pode gritar – disse Rose, ajudando-a a se deitar.

Elsa perdeu a noção do tempo, de tudo, menos da dor. Gritou quando precisava e nos intervalos ofegava como um cão.

Rose posicionou Elsa como se ela fosse uma boneca e abriu suas pernas nuas.

– Estou vendo a cabeça, Elsa. Agora pode fazer força.

Elsa fez força, contraiu-se e gritou.

– Meu... meu coração vai parar – disse ela, ofegante. Deveria ter dito a eles que era doente, que não deveria ter filhos, que poderia morrer. – Se parar...

– Falar sobre essas coisas dá azar, Elsa. Força.

Elsa fez um último e desesperado esforço, sentiu uma grande onda de alívio e caiu sobre o travesseiro, exausta.

Um choro de bebê encheu o quarto.

– Uma linda garotinha com dois bons pulmões.

Rose cortou e amarrou o cordão umbilical, depois enrolou o bebê num dos muitos cobertores que tinha tricotado durante o longo inverno e entregou a criança a Elsa.

Elsa pegou a filha nos braços e olhou para ela com espanto. O amor a preencheu até transbordar em lágrimas. Nunca tinha sentido nada igual, uma combinação inebriante e emocionante de alegria e temor.

– Olá, garotinha.

A bebê se acalmou, piscando para ela.

Rose pegou a bolsinha de couro que usava pendurada no pescoço. Lá dentro, havia um *penny* americano. Ela beijou a moeda e mostrou-a para Elsa. Tinha dois ramos de trigo lavrados no verso.

– Tony achou esta moeda na frente da casa dos meus pais no dia em que pegamos o navio para cá. Você consegue imaginar que sorte foi isso? O trigo mostrou o nosso destino. *Um sinal*, dissemos um para o outro, e era verdade. A partir de agora, esta moeda vai ser a guardiã de uma nova geração – disse Rose, olhando para Elsa. – Minha linda netinha.

– Eu gostaria que ela se chamasse Loreda – disse Elsa. – Em homenagem ao meu avô, que nasceu em Laredo.

Rose repetiu em voz alta o nome um tanto estranho.

– Lo-re-da. Lindo! Bem americano, acho – falou, pondo seu *penny* na mão de Elsa. – Acredite em mim, Elsa, essa garotinha vai amar você como ninguém jamais amou... e deixará você louca e vai testar você. Em geral, tudo isso ao mesmo tempo.

Elsa viu no rosto radiante e lacrimoso de Rose um perfeito reflexo de suas próprias emoções e uma compreensão profunda daquela ligação – a maternidade – sentida pelas mulheres havia milênios.

Também viu mais afeição nos olhos da sogra do que nos da própria mãe.

– Bem-vinda à família – disse Rose com a voz embargada, e Elsa sabia que ela falava tanto para ela quanto para Loreda.

1934

Vejo um terço do país mal abrigado, malvestido e malnutrido. O teste do nosso progresso não é se acrescentamos mais à abundância dos que têm muito; é se podemos prover o suficiente para os que têm muito pouco.

– FRANKLIN D. ROOSEVELT,
PRESIDENTE AMERICANO

SEIS

Fazia tanto calor que de vez em quando um pássaro caía do céu, produzindo um pequeno ruído contra a terra compactada. As galinhas ficavam nos montinhos de poeira no chão, as cabeças caídas para a frente, e as últimas duas vacas estavam lado a lado, cansadas e com muito calor para se mover. Uma brisa apática passava pela fazenda, tangendo o varal vazio.

A entrada de terra da casa continuava ladeada por estacas improvisadas e arame farpado, mas em diversos pontos elas tinham caído. As árvores dos dois lados estavam esquálidas, quase mortas. A fazenda havia sido reconfigurada pelo vento e pela seca, transformada numa paisagem de mato seco e mosquitos famintos.

Anos de seca, combinados aos estragos econômicos da Grande Depressão, alquebraram as Grandes Planícies.

Havia anos a seca assolava a região de Panhandle, no Texas, mas, com o país inteiro devastado pela Crise de 1929 e doze milhões de desempregados, os jornais das cidades grandes não se davam ao trabalho de cobrir a estiagem. O governo não prestava nenhuma assistência, embora, de qualquer forma, os agricultores não a quisessem. Eram orgulhosos demais para viver de esmola. Só queriam que a chuva amaciasse a terra e fizesse brotar as sementes para o trigo e o milho voltarem a levantar seus braços dourados em direção ao céu.

As chuvas começaram a diminuir em 1931, e nos três anos anteriores não tinha chovido quase nada. Naquele ano, até agora, o volume de chuvas chegava a menos de 130 milímetros. Isso não era suficiente nem para encher um bule de chá, que dirá para aguar milhares de hectares de trigo.

Agora, em outro dia de final de agosto com recorde de calor, Elsa estava na boleia da velha carroça, as mãos suadas e comichando dentro das luvas de camurça segurando as rédeas. Não havia mais dinheiro para gasolina, por isso a caminhonete se transformara numa relíquia guardada no celeiro, junto com o trator e o arado.

Um chapéu de palha, outrora branco mas agora marrom de poeira, pendia sobre sua testa bronzeada pelo sol e Elsa usava um lenço azul no pescoço. A poeira a forçava a semicerrar os olhos enquanto ela estalava a língua nos dentes ao conduzir a carroça até a estrada principal. O ruído dos cascos de Milo ecoava na terra compactada. Pássaros pousavam nos fios telefônicos entre os postes.

Ainda não eram três horas da tarde quando ela chegou a Lonesome Tree. A cidade estava deserta, abatida pelo calor. Não se viam os moradores fazendo compras, nem mulheres reunidas na porta das lojas. Aqueles dias ficaram para trás, assim como os gramados verdes.

A loja de chapéus tinha fechado, bem como o boticário, a lanchonete e o restaurante. O Cine Rialto estava por um fio, só exibia uma sessão por semana, mas poucos tinham dinheiro para o ingresso. Pessoas em farrapos faziam fila para comer na igreja presbiteriana, colher e caneca de metal nas mãos. As crianças, sardentas e queimadas de sol, tão desalentadas quanto os pais, mantinham-se em silêncio.

A árvore solitária na Avenida Principal, um álamo das planícies que inspirou o nome da cidade, estava morrendo. Cada vez que Elsa vinha à cidade, parecia um pouco pior.

A carroça seguiu em frente, as rodas rangendo, passando pela fachada lacrada dos prédios de assistência social do condado (havia muitos necessitados e nenhuma verba), e a cadeia desbotada estava mais ocupada que nunca com andarilhos, vagabundos e passageiros clandestinos de trens. O consultório do médico continuava aberto, mas a padaria tinha falido. A maioria das construções era de um só andar e feita de madeira. Nos anos de chuva, eram repintadas anualmente. Agora estavam abandonadas e acinzentadas.

– Opa, Milo – disse Elsa, puxando as rédeas.

O cavalo e a carroça pararam. O animal sacudiu a cabeça e fungou, cansado. Ele também detestava sair nesse calor.

Elsa olhou para o Silo Saloon. O prédio quadrado, com metade da largura e o dobro do comprimento de qualquer outro na Avenida Principal, tinha duas janelas que davam para a rua. Uma tinha sido quebrada no ano anterior numa briga entre dois bêbados e nunca fora consertada. Faixas de pano sujo cobriam o retângulo aberto. O bar fora construído nos anos 1880 para os vaqueiros do Rancho XIT, de mais de 1 milhão de hectares, ao longo da fronteira entre o Texas e o Novo México. O rancho havia muito não existia mais e os vaqueiros tinham partido, mas o bar continuava lá.

Nos meses desde a revogação da Lei Seca, lugares como o Silo reabriram para o público, mas, com a Grande Depressão, cada vez menos homens tinham alguns tostões sobrando para uma cerveja.

Elsa amarrou o cavalo numa trave de madeira e alisou o tecido úmido do vestido de algodão. Ela mesma tinha feito o vestido com sacos velhos de farinha. Nesses dias, todo mundo fazia roupas com sacos de grãos e farinha. Os fabricantes de sacos começaram até a imprimir estampados vistosos no tecido. Coisas simples, motivos florais, mas qualquer coisa que tornasse uma mulher mais bonita nesses tempos difíceis valia seu peso em ouro. Elsa verificou se o vestido, antes justo no corpo e agora folgado no quadril e no busto mais magros, estava abotoado até o pescoço. Era um triste fato ela ser agora uma mulher de 38 anos, uma mulher adulta com dois filhos, e ainda detestar entrar num lugar como aquele. Apesar de não ver os pais fazia anos, percebeu que os conceitos incutidos por eles continuavam sendo uma voz intensa e insistente que ainda moldava e definia sua autoimagem.

Aprumou-se e abriu a porta. O salão comprido e estreito parecia tão monótono e malcuidado quanto a cidade. O ar esfumaçado cheirava a uísque e suor de homem. O balcão de mogno fora reduzido a uma superfície acetinada por cinquenta anos de homens bebendo sobre ele. Banquetas descoradas e rasgadas se alinhavam ao longo do balcão, a maioria vazia num dia quente de verão.

Rafe ocupava uma delas, acabrunhado, cotovelos no balcão, um copinho vazio diante de si, de cabeça baixa. Os cabelos pretos escondiam seu rosto. Vestia um macacão desbotado e remendado e uma camisa bege feita de um saco de farinha. Um cigarro amarronzado, enrolado à mão, queimava entre dois dedos sujos.

Nos fundos do salão, um velho deu risada.

– Cuidado, Rafe. O xerife tá na cidade. – A voz dele era ciciante, a boca quase invisível atrás dos tufos da barba grisalha.

O barman ergueu os olhos, um pano sujo pendurado no ombro.

– Olá, Elsa – falou. – Veio pagar a conta dele?

Perfeito. Sem dinheiro para comprar sapatos novos para as crianças nem para substituir seu último par de meias, o marido estava bebendo fiado.

Elsa se sentiu desajeitada e nada atraente em seu vestido largo de saco de farinha e meias grossas de algodão, com o couro esfiapado dos sapatos fazendo os pés parecerem ainda maiores.

– Rafe? – chamou baixinho, chegando por trás dele e pondo a mão no seu ombro, com a esperança de acalmá-lo com o toque, como se faz com um garanhão agitado.

– Eu só queria tomar uma – falou ele, soltando um suspiro entrecortado.

Elsa não conseguia contar o número de vezes que o marido começava uma frase com um *Eu só queria*. Nos primeiros anos do casamento, ele tentou. Elsa *entendeu* o quanto ele tentou amá-la, ser feliz, mas a estiagem ressecou seu marido junto com a terra. Nos últimos quatro anos, ele tinha parado de elaborar planos para o futuro. Três anos antes, haviam enterrado um filho, mas nem aquela perda o abateu tanto quanto a seca e a pobreza.

– Seu pai está contando com você para ajudar a plantar batatas hoje.

– Sei.

– As crianças precisam das batatas – continuou Elsa.

Rafe virou a cabeça, só o suficiente para enxergar a esposa através dos cabelos pretos e empoeirados.

– Você acha que eu não sei disso?

O que eu acho é que você está aqui bebendo o pouco dinheiro que nós temos, então como posso saber o que você sabe? Loreda precisa de um novo par de sapatos, pensou, mas não se atreveu a dizer isso em voz alta.

– Eu sou um péssimo pai, Elsa, e um marido pior ainda. Por que você continua comigo?

Porque eu amo você.

A expressão nos olhos escuros de Rafe partiu o coração dela mais uma vez. Elsa amava *mesmo* o marido, tão intensamente quanto amava os filhos, Loreda e Anthony, e tão intensamente quanto viera a amar os Martinellis e a terra. Tinha descoberto em si mesma uma capacidade de amar quase inesgotável. E era seu malfadado e inabalável amor por Rafe, mais do que qualquer outra coisa, que sempre a mantinha calada, que a fazia se calar para não parecer patética. Às vezes, sobretudo nas noites em que ele não ia para a cama, sentia que merecia mais do que aquilo e que talvez conseguisse se batesse o pé e exigisse mais. Mas logo se lembrava das coisas que os pais diziam sobre ela, da sua falta de atrativos que nunca mudara, e permanecia em silêncio.

– Vamos lá, Elsa, vamos para casa. Mal posso esperar para passar o resto do dia cavando a terra e plantando batatas que vão morrer sem chuva.

Elsa o apoiou enquanto ele cambaleava para fora do bar e o ajudou a subir na carroça. Pegou as rédeas e as estalou no lombo do cavalo. Milo resfolegou, cansado, e começou a longa e árdua jornada pela cidade, passando pelo centro comunitário abandonado, onde o Rotary Club e o Kiwanis Club organizavam suas reuniões.

Rafe encostou-se nela, pousando os longos dedos da mão de leve em sua coxa.

– Desculpa, El – falou, com sua fala mansa de quem sabe que fez algo errado.

– Tudo bem – respondeu ela, do fundo do coração.

Enquanto Rafe estivesse ao seu lado, estaria tudo bem. Ela sempre o perdoaria. Por menos que ele lhe desse, por mais débil que às vezes fosse sua afeição,

Elsa vivia com medo de perdê-la. De perder Rafe. Assim como temia perder o amor de sua geniosa filha adolescente.

Nos últimos tempos, seu medo vinha aumentando tanto que era difícil lidar com ele.

Assim que completou 12 anos, Loreda se tornou rebelde. Acabaram-se os dias de mãe e filha cuidando do jardim e lendo durante horas à noite, quando discutiam a personalidade de Heathcliff e a força de Jane Eyre. Loreda sempre foi a garotinha do papai, mas quando criança ainda tinha lugar no coração para a mãe. Para todos, na verdade. Loreda era a mais feliz de todas as crianças, sempre rindo, batendo palmas e exigindo atenção. Durante anos, só conseguia dormir se Elsa estivesse com ela na cama, afagando seus cabelos.

Isso tinha acabado.

Elsa lamentava todos os dias a perda daquela proximidade com a primogênita. De início, ainda tentou escalar as muralhas da rebeldia irracional e adolescente da filha retribuindo sempre com palavras de amor. Mas a crescente e contínua impaciência da menina fez mais do que deixar Elsa arrasada: ressuscitou todas as suas inseguranças de infância. A certa altura, Elsa começou a se afastar de Loreda, primeiro na esperança de que a filha superasse essas mudanças de humor, e depois – pior – acreditando que Loreda via na mãe as mesmas deficiências ressaltadas pelos seus pais.

Elsa sentia uma vergonha profunda e enraizada pela rejeição da filha. Em sua mágoa, fez o que sempre fazia: desapareceu. Mas, enquanto isso, esperava e rezava, desejando que tanto o marido quanto a filha algum dia vissem o quanto ela os amava e retribuíssem esse amor. Até então, não ousaria pressionar nem exigir demais. O preço poderia ser muito alto.

Havia algo que ela não sabia quando se casara e se tornara mãe mas que agora entendia: só é possível viver sem amor se você nunca foi amado.

No primeiro dia de aula, a única professora que continuava na cidade, Nicole Buslik, estava de pé ao lado do quadro-negro, giz na mão. Seus cabelos castanhos-avermelhados tinham se libertado de restrições e se tornaram uma nuvem difusa ao redor do rosto corado. O suor dava ao lenço no seu pescoço um tom mais escuro e Loreda tinha certeza de que a professora não levantava os braços para não mostrar as marcas de suor.

Aos 12 anos, Loreda ocupava sua carteira de cabeça baixa, sem prestar atenção na lição. Era mais uma conversa fiada sobre tudo o que havia dado errado. A Grande Depressão, a seca, blá-blá-blá.

Eram "tempos difíceis" desde que Loreda se entendia por gente. Ah, sabia que nos primeiros anos, dos quais não se lembrava, as chuvas caíam a cada estação, enriquecendo a terra. O pouco que Loreda recordava dos anos verdejantes era a visão das plantações de trigo do avô, as hastes douradas dançando sob um imenso céu azul. O som farfalhante. A imagem de tratores transitando 24 horas por dia, arando a terra, abrindo cada vez mais lavouras. Uma horda de insetos mecânicos mastigando o solo.

Quando exatamente começaram os dias ruins? Era difícil identificar. Havia tantas opções. A Crise de 1929, diriam alguns, mas não o pessoal dali. Loreda tinha 7 anos na época e se lembrava de alguma coisa daquele tempo. Gente fazendo fila na porta do banco. O vovô reclamando dos preços baixos do trigo. A vovó acendendo velas e murmurando orações com o terço nas mãos.

Aquilo tinha sido ruim, a quebra da Bolsa, mas a maioria das dificuldades atingiu cidades em que Loreda nunca estivera. O ano de 1929 fora um ano chuvoso, que resultou numa boa colheita sazonal e em dias prósperos para os Martinellis.

O avô continuou dirigindo seu trator e plantando trigo mesmo quando os preços despencaram por causa da Grande Depressão. Chegou até a comprar uma caminhonete Ford Modelo AA novinha. O pai sorria mais naquela época, contava histórias de terras longínquas enquanto a mãe cuidava dos afazeres.

A última boa colheita foi em 1930, quando Loreda fez 8 anos. Ela se lembrava do seu aniversário. Foi um lindo dia da primavera. Presentes. O tiramisù da vovó com velinhas na cobertura de chocolate em pó. Sua melhor amiga, Stella, dormindo na casa dela pela primeira vez. O pai ensinando a dançar o charleston com o avô acompanhando no violino.

Depois, as chuvas diminuíram e nunca mais voltaram. *A seca.*

Agora, os campos verdejantes tornaram-se uma memória longínqua, uma miragem da infância. Os adultos pareciam tão ressecados quanto o solo. O avô passava horas nas suas plantações de trigo mortas, pegando punhados de terra com as mãos calejadas, vendo-a escorrer entre os dedos. Lamentava por suas uvas moribundas e dizia a quem quisesse ouvir que tinha trazido da Itália as primeiras parreiras, guardadas nos bolsos. A avó montou altares por toda parte, dobrando o número de crucifixos nas paredes e fazendo todos rezarem aos domingos para que chovesse. Às vezes a cidade inteira se reunia na sede da escola para rezar pela chuva. Todas as religiões diferentes implorando a Deus por água: os presbiterianos, os batistas, os católicos irlandeses e italianos, cada um em seu banco. Os mexicanos tinham uma igreja própria, construída centenas de anos antes.

Todos falavam o tempo todo da seca e de quanto sentiam saudades dos bons e velhos tempos. Menos a mãe dela.

Loreda soltou um suspiro profundo.

Será que algum dia ela tinha visto a mãe alegre? Se vira, era mais uma das suas lembranças perdidas. Às vezes, quando estava na cama quase pegando no sono, imaginava lembranças da risada da mãe, de seu toque, até de um sussurrado *Seja corajosa* pouco antes do beijo de boa-noite.

Porém, cada vez mais essas lembranças pareciam manufaturadas, falsas. Loreda não conseguia recordar quando fora a última vez que tinha visto a mãe rir.

Tudo que a mãe fazia era trabalhar.

Trabalhar, trabalhar, trabalhar. Como se isso pudesse salvá-los.

Loreda não sabia dizer exatamente quando começara a ficar irritada com o... desaparecimento da mãe. Não havia outra palavra para isso. A mãe se levantava bem antes de o sol nascer para começar a trabalhar. Dia após dia. Hora após hora. O tempo todo advertindo para economizar comida, não sujar a roupa e não desperdiçar água.

Loreda não conseguia entender como seu pai, bonitão, charmoso e alegre, tinha se apaixonado por aquela mulher. Certa vez, a menina falara para o pai que a mãe parecia ter medo de sorrir. Ele respondeu "Não fale assim, Lolo", daquele jeito dele, com a cabeça inclinada e um sorriso demonstrando que não queria falar a respeito. Nunca se queixou da esposa, mas Loreda sabia o que ele sentia, e por isso se queixava pelo pai. Aquilo os aproximava, demonstrava o quanto os dois eram parecidos.

Como um par de ervilhas da mesma vagem. Todo mundo dizia isso.

Assim como o pai, Loreda via como a vida numa fazenda de trigo no Texas era limitada, por isso não tinha nenhuma intenção de seguir os passos da mãe. Não queria continuar naquele lugar moribundo pelo resto da vida, fenecendo sob um sol tão quente que derretia borracha. Não iria desperdiçar todas as suas orações pedindo chuva. De jeito nenhum.

Iria viajar pelo mundo e escrever sobre suas aventuras. Algum dia seria tão famosa quanto a jornalista e escritora Nellie Bly.

Algum dia.

A menina viu um rato do campo marrom andando pelo rodapé embaixo da janela. O animal parou na mesa da professora, lambeu uma mancha de tinta caída no chão. Olhou para cima, o nariz pintado de azul.

Loreda cutucou Stella Devereaux, que se sentava na carteira ao lado.

Stella ergueu os olhos, embaçados pelo calor.

Loreda apontou para o rato.

Stella quase sorriu.

O sinal tocou, e o rato fugiu e desapareceu no seu buraco.

Loreda se levantou, o vestido de saco de farinha encharcado de suor. Pegou a sacola de livros e saiu andando com Stella. Normalmente, elas conversavam o tempo todo na saída, sobre garotos ou livros, lugares que gostariam de conhecer ou filmes a serem exibidos no Cine Rialto, mas hoje estava quente demais para tanto esforço.

O irmão caçula de Loreda, Anthony, foi o primeiro a irromper pela porta, como sempre. Com 7 anos, Ant corria como um potro em disparada, todo desengonçado. Mais enérgico que qualquer outra criança, Ant parecia ter sempre uma mola nos pés. Usava um macacão desbotado, remendado e muito curto, com as bainhas esgarçadas mostrando tornozelos finos como um cabo de vassoura e sapatos com furos nos dedos. O rosto sardento e anguloso era tão queimado de sol que tinha a cor de couro de sela, com grandes marcas vermelhas nas bochechas. Um boné escondia os cabelos pretos e poeirentos. Já lá fora, viu os pais na carroça, acenou com gestos largos e começou a correr. Ant nunca tinha conhecido nada além da seca, e por isso ria e brincava como um garoto comum. A irmã caçula de Stella, Sophia, se esforçava para acompanhar seu ritmo.

– Como sua mãe consegue estar sempre tão tranquila neste calor? – perguntou Stella.

Ela era a única garota da classe com sapatos novos e vestido feito de algodão listrado. Os tempos não estavam tão difíceis para a família dos Devereaux, mas o avô de Loreda disse que todos os bancos estavam com problemas.

– Pode fazer o calor que for, ela nunca reclama.

– Minha mãe também não é de falar muito, mas você devia ver minha irmã. Desde que se casou, chora como um porco entalado reclamando do trabalho que dá ser casada.

– Eu não vou me casar – afirmou Loreda. – Eu e meu pai vamos pra Hollywood algum dia.

– E a sua mãe vai deixar?

Loreda deu de ombros. Quem sabia o que se passava na cabeça da mãe dela? E quem se importava?

Stella e Sophia viraram à esquerda e tomaram a direção de casa, do outro lado da cidade.

Ant corria para a carroça.

– Oi, mamãe – falou, o sorriso mostrando o buraco deixado pelo último dente de leite que perdera. – Oi, papai.

– Olá, filho – disse o pai. – Suba lá atrás.

– Quer ver o que eu desenhei na aula hoje? A professora Nicole disse que...

– Sobe logo na carroça, Anthony – retrucou o pai. – Eu vejo o seu desenho em casa, quando o sol se pôr e a gente não estiver com tanto calor.

A expressão de Ant foi de decepção.

Loreda odiava ver o pai tão triste e abatido. A seca o estava deixando ressecado. Ele e Loreda eram estrelas cintilantes que precisavam brilhar. O pai dizia isso o tempo todo.

– Vamos ao cinema amanhã, papai? – perguntou, com um olhar de adoração. – Está passando de novo *Dada em penhor*.

– Não temos dinheiro para isso, Loreda – disse a mãe. – Entre logo com seu irmão.

– E que tal...

– Vamos logo, Loreda – insistiu a mãe.

Loreda jogou a sacola de livros na carroça e subiu. Ela e Ant sentaram-se lado a lado na velha manta empoeirada que mantinham na parte de trás.

A mãe estalou as rédeas e eles partiram.

Loreda ficou observando a terra ressecada, sacolejando com o movimento da carroça. O ar cheirava a poeira e calor. Passaram pela carcaça apodrecida de um boi, com as costelas aparecendo, os chifres despontando da areia. Moscas enxameavam ao redor. Um corvo pousou na carcaça, marcou território com um pio e começou a bicar os ossos. Ao lado, havia um Modelo T abandonado, as portas abertas e os pneus enterrados até os eixos no solo ressecado.

À esquerda ela viu uma casinha de fazenda, sem árvores para fazer sombra, no meio da terra marrom, com duas tabuletas – EM LEILÃO e EXECUÇÃO HIPOTECÁRIA – pregadas na porta da frente.

No quintal, um calhambeque transbordando de gente e bugigangas e com uma pilha de baldes amarrada atrás, uma frigideira de ferro fundido e um engradado de madeira cheio de potes de barro e sacos de trigo. O motor em funcionamento soltava uma fumaça preta no ar e retinia na carroceria de metal. Havia panelas e caldeirões amarrados onde quer que coubessem. Duas crianças ocupavam os estribos enferrujados, e uma mulher com uma expressão triste e cabelos desgrenhados, o banco de passageiro, com um bebê no colo.

Will Bunting estava de pé perto da porta do motorista, de macacão e uma camisa com uma manga só. Um chapéu de vaqueiro surrado cobria seu rosto empoeirado.

– Opa! – disse a mãe, parando o cavalo e empurrando o chapéu de sol para trás.

– Oi, Rafe – disse Will, cuspindo tabaco mascado no chão aos seus pés. – Elsa.

Ele se afastou do carro sobrecarregado e andou devagar até a carroça. Quando chegou, parou, sem dizer nada, enfiando as mãos nos bolsos.

– Para onde estão indo? – perguntou o pai.

– Estamos arruinados – respondeu Will. – Você sabe que o meu filho, Kallson, morreu nesse verão? – Deu uma olhada para a esposa. – E agora tem esse outro. Não dá pra aguentar mais. A gente tá indo embora.

Loreda se aprumou. *Indo embora*?

– Mas e a sua terra… – começou a mãe.

– Agora minha terra é do banco. Não consegui pagar as prestações.

– Para onde vocês vão? – perguntou o pai.

Will tirou um folheto amassado do bolso de trás.

– Califórnia. Terra do leite e do mel, como dizem. Nem faço questão de mel. Só de algum trabalho.

– Como você sabe que isso é verdade? – perguntou o pai, pegando o folheto da mão dele.

Empregos para todos! Terra da oportunidade! Vá para o Oeste, vá para a Califórnia!

– Eu não sei.

– Você não pode simplesmente ir embora – disse a mãe.

– Para nós já é tarde. Minha família não aguenta enterrar mais ninguém. Mande nossas despedidas aos seus pais, Rafe.

Will deu meia-volta, indo em direção ao carro empoeirado, e sentou-se no banco do motorista. A porta fez um barulho metálico ao fechar.

A mãe estalou a língua e tocou as rédeas, e Milo recomeçou a andar. Loreda ficou olhando quando o calhambeque passou por eles numa nuvem de pó, subitamente incapaz de pensar em qualquer outra coisa. *Ir embora*. Eles podiam ir para um dos lugares de que ela e o pai tanto falavam: São Francisco, Hollywood ou Nova York.

– Glenn e Mary Lynn Mounger foram embora na semana passada – disse o pai. – Para a Califórnia, naquele velho Packard deles.

Passou-se um bom tempo até a mãe dizer:

– Lembra do noticiário que a gente viu no cinema? Filas de pão em Chicago. Gente morando em barracos e caixas de papelão no Central Park. Pelo menos aqui temos ovos e leite.

O pai suspirou. Loreda sentiu a dor daquele suspiro, a tristeza que o acompanhava. É *claro* que a mãe diria não.

– Sim, eu lembro. – Ele largou o folheto no piso da carroça. – Bom, meus pais jamais iriam embora.

– Jamais – concordou a mãe.

Naquela noite, Loreda se sentou no balanço do alpendre depois do jantar.

Ir embora.

O sol se punha lentamente na fazenda, a noite engolindo a terra plana, marrom e ressecada. Uma das vacas mugiu, pedindo água. Dali a pouco, quando escurecesse, o avô começaria a dar água aos animais, com baldes trazidos do poço, um de cada vez, enquanto a avó e a mãe regavam o jardim.

O rangido da corrente do balanço do alpendre era estrondoso naquele silêncio. Loreda ouviu o telefone tocar dentro da casa. Naqueles tempos, um telefonema nunca tinha graça nenhuma; todo mundo só falava da seca.

Menos o pai dela, que era bem diferente dos agricultores e comerciantes. Todos os outros pareciam viver ou morrer pela terra, pelo clima e pelas colheitas. Como seu avô.

Quando Loreda era mais nova e podia-se confiar na chuva, quando o trigo crescia alto e dourado, o vovô Tony sorria o tempo todo, tomava aguardente de milho nos fins de semana e tocava seu violino nas festas na cidade. Costumava pegar Loreda pela mão e andar com ela em meio ao trigo farfalhante dizendo que, se ela soubesse ouvir, aqueles ramos contavam histórias. Pegava um punhado de terra nas mãos grandes e calosas, exibia como se fosse um diamante e dizia: "Um dia isto vai ser seu, e passará para os seus filhos, e depois para os filhos dos seus filhos."

A terra. Ele falava do mesmo jeito que o padre Miguel falava de *Deus.*

E a avó e a mãe? Elas eram como todas as mulheres de agricultores de Lonesome Tree. Trabalhavam até as mãos ficarem em carne viva, raramente riam e mal conversavam. Quando falavam, nunca era sobre nada interessante.

O pai era o único que falava de ideias, de sonhos ou de outras opções. Falava sobre viagens e aventuras e de todas as vidas que uma pessoa poderia viver. Muitas vezes disse a ela que havia um mundo grande e lindo além da fazenda.

Loreda ouviu a porta se abrindo atrás dela. O aroma de tomates adocicados e pancetta frita com alho pairou no ar.

O pai saiu para o alpendre, fechando a porta sem fazer barulho. Acendeu um cigarro e se sentou ao lado dela no balanço. Loreda sentiu a doçura do vinho em seu hálito. Eles precisavam racionar tudo, mas o pai se recusava a abrir mão do vinho ou do uísque. Dizia que beber era a única coisa que o impedia de enlouquecer. Adorava misturar uma fatia doce e escorregadia de pêssego em conserva no vinho que tomava depois do jantar.

Loreda se encostou nele. O pai a abraçou, puxando-a para mais perto, com a rede balançando para a frente e para trás.

– Você anda muito calada, Loreda. Nem parece a minha filha.

A fazenda se transfigurava em um mundo escuro e cheio de sons: o martelar do moinho bombeando a preciosa água, galinhas ciscando, porcos chafurdando na lama.

– É a seca – disse Loreda, pronunciando a temível palavra como todos faziam por ali. *Seca*. Ficou em silêncio, escolhendo com cuidado o que dizer a seguir. – Ela está matando a terra.

– Está – concordou o pai, amassando o cigarro no vaso de flores mortas ao seu lado.

Loreda tirou o folheto do bolso e o desdobrou com cuidado. *Califórnia. Terra do leite e do mel.*

– A professora Nicole disse que há empregos na Califórnia. Dinheiro no meio da rua. Stella disse que o tio dela mandou um cartão-postal dizendo que tem trabalho no Oregon.

– Duvido que tenha dinheiro no meio da rua, Loreda. Essa Depressão está pior ainda nas cidades. Pelo que li, tem mais de treze milhões de pessoas desempregadas. Você vê os vagabundos que andam nos trens. Tem uma favela em Oklahoma City de fazer chorar. Famílias morando em carretas de maçã. Quando chegar o inverno, vão morrer de frio nos bancos dos parques.

– Ninguém morre de frio na Califórnia. Você poderia arranjar um emprego por lá. Talvez na ferrovia.

O pai suspirou, e Loreda sabia o que se passava na cabeça dele. Os dois estavam sempre sintonizados.

– Meus pais... e a sua mãe... nunca vão deixar esta terra.

– Mas...

– Vai chover – disse o pai, mas havia certa tristeza na maneira como falou, quase como se não quisesse que a chuva os salvasse.

– Você precisa ser agricultor?

O pai virou-se para ela. Loreda o viu franzir as sobrancelhas escuras.

– Eu nasci agricultor.

– Você sempre me diz que nós vivemos nos Estados Unidos. Que aqui as pessoas podem ser qualquer coisa.

– É, bem… Eu fiz uma escolha ruim alguns anos atrás e… bem… às vezes a vida faz as escolhas para você.

Depois disso, ele ficou em silêncio por um bom tempo.

– Que escolha ruim?

O pai não olhou para ela. O corpo dele continuava ao seu lado, mas seus pensamentos estavam em outro lugar.

– Eu não quero secar e morrer aqui – disse Loreda.

Por fim, o pai falou:

– Vai chover.

SETE

Mais um dia escaldante, e ainda não eram nem dez da manhã. Até o momento, setembro não aliviara em nada o calor.

Elsa estava ajoelhada no piso de linóleo da cozinha, esfregando com força. Já estava acordada havia horas. Era melhor cumprir os afazeres no relativo frescor do alvorecer.

Um som farfalhado chamou sua atenção. Viu uma tarântula, o corpo do tamanho de uma maçã, saindo de seu esconderijo num canto. Elsa levantou-se e usou o esfregão para espantá-la da casa. Era mais cruel mandar a aranha de volta ao calor do que esmagá-la com o sapato. Ademais, mal teria energia para pisar na aranha, muito menos força de vontade para tentar. Nos últimos tempos, tinha dificuldade para fazer qualquer coisa que não resultasse em água ou comida.

O essencial para viver naquele calor seco era economizar tudo: água, comida, emoções. Esta última era o maior desafio.

Sabia o quanto Rafe e Loreda estavam infelizes. Os dois, tão parecidos quanto dois grãos de areia, tinham mais problemas nesses dias que os demais. Não que houvesse alguém feliz na família. Como poderia haver? Mas Tony, Rose e Elsa eram o tipo de gente que já esperava que a vida fosse difícil e tinha endurecido para sobreviver. Seus sogros tinham trabalhado muitos anos – ele na ferrovia, ela, numa fábrica de roupas – para ganhar dinheiro e comprar aquela terra. O primeiro lugar em que moraram no Texas era uma cabana que eles construíram com as próprias mãos. Os dois podiam ter descido do navio como Anthony e Rosalba, mas o trabalho duro e a terra os transformaram em Tony e Rose. Americanos. Os dois morreriam de sede e de fome antes de abrirem mão daquela terra. E, apesar de Elsa não ter nascido numa fazenda, acabou se tornado agricultora.

Nós últimos treze anos, tinha aprendido a amar aquela terra e aquela fazenda mais do que jamais imaginaria. Nos bons tempos, a primavera era uma estação de alegria, quando via seu jardim florescer, e o outono era um momento de orgulho; ela adorava ver seu trabalho nas prateleiras do celeiro: potes cheios de frutas e legumes – tomates vermelhos, pêssegos cintilantes e maçãs temperadas com canela. Rolos de pancetta de barriga de porco em conserva e presuntos curados pendurados em ganchos no teto. Caixas transbordando de batatas, cebolas e alhos da horta.

Os Martinellis tinham acolhido Elsa, e ela retribuiu aquela inesperada generosidade com uma dedicação profunda, um amor intenso por eles e por seu modo de vida, mas, enquanto Elsa se mesclava cada vez mais à família, Rafe se distanciava. Sentia-se infeliz, já fazia alguns anos, e agora Loreda seguia os passos do pai. Claro. Era impossível não ser cativada pelo charme de Rafe, não se envolver em seus sonhos impossíveis. Seu sorriso era capaz de iluminar um ambiente. Ele alimentara a filha volátil e suscetível com uma dieta regular de sonhos quando ela era mais nova; agora transmitia a ela sua insatisfação. Elsa sabia o que Rafe dizia a Loreda, reclamava de coisas que não comentava nem com os pais nem com a esposa. Loreda era dona da maior parte do coração de Rafe desde seu primeiro choro.

Elsa voltou a esfregar o piso da cozinha, depois foi varrer o chão dos oito cômodos, tirando a poeira dos móveis e dos batentes das janelas. Quando terminou aquela tarefa, juntou os tapetes e os levou para pendurar lá fora e bater a poeira com um cabo de vassoura.

O vento aumentou, agitando seu vestido. Fez uma pausa, o suor escorrendo pelo rosto, pelo vão entre os seios, enxugou os olhos com a mão. Atrás da casa, um brilho pastoso e amarelado tomou o céu.

Elsa puxou o chapéu para trás, atentando para o tom de amarelo doentio do horizonte.

Tempestade de areia. O mais recente flagelo das Grandes Planícies.

O céu mudou de cor, tornando-se marrom-avermelhado.

O vento aumentou ainda mais, passando pela fazenda vindo do sul. Um cardo-selvagem acertou o seu rosto, cortando a pele da bochecha. Um arbusto ressecado espiralou ao seu redor. Uma tábua se desprendeu do galinheiro e acertou a lateral da casa.

Rafe e Tony saíram correndo do celeiro.

Elsa tapou a boca e o nariz com o lenço que usava no pescoço.

As vacas mugiram zangadas, empurrando-se umas contra as outras, virando as ancas ossudas para a tempestade de areia. A eletricidade estática fazia seus rabos ficarem arrepiados. Uma flotilha de pássaros passou voando por eles, batendo as asas com força, piando e guinchando, fugindo da poeira.

O chapéu de vaqueiro de Rafe saiu voando e quicando em direção à cerca de arame farpado e lá ficou preso.

– Entrem na casa! – gritou. – Eu cuido dos animais.

– As crianças!

– A professora sabe o que fazer. Entrem logo.

Os filhos dela. *Expostos àquilo.*

Agora o vento uivava, fustigando-os, empurrando-os. Elsa inclinou-se e lutou para andar até a casa, enfrentando o vento e a poeira.

Subiu devagar os degraus irregulares, atravessou o alpendre e agarrou a maçaneta de metal. Uma corrente de eletricidade estática a derrubou. Ficou deitada um segundo, atordoada, tossindo, tentando respirar.

A porta se abriu.

Rose a levantou e a puxou para dentro da casa, que uivava e estremecia.

Elsa e Rose correram de janela em janela, prendendo os jornais e trapos que cobriam o vidro e os batentes. A poeira escorria do teto, penetrava pelas rachaduras infinitesimais dos batentes das janelas e das paredes. As velas do altar improvisado se apagaram. Centopeias saíram das paredes, centenas, arrastando-se pelo chão em busca de um lugar para se esconder.

Uma forte lufada de vento atingiu a casa, com tanta força que parecia capaz de arrancar o teto.

E o *barulho.*

Era como uma locomotiva arremetendo contra eles, os motores rugindo. A casa estremecia, como que ofegante; um vento fantasmagórico uivava, louco como o inferno.

A porta se abriu, e Tony e Rafe entraram cambaleando. Tony bateu a porta e passou a tranca. Um crucifixo caiu no chão.

Elsa encostou-se numa parede que estremecia.

Conseguia ouvir a voz rouca e ofegante da sogra, que rezava.

Elsa segurou a mão dela.

Rafe ficou ao lado da esposa. Ela sabia que os dois estavam pensando a mesma coisa: e se as crianças estivessem fora, no parquinho? A tempestade tinha chegado *depressa.* Com tudo morrendo naqueles dias, não havia raízes fortes para ancorar o solo à terra. Um vento como aquele podia derrubar fazendas inteiras. Ao menos essa era a sensação.

– Eles estão bem – disse Rafe, a areia o fazendo tossir.

– Como você sabe? – perguntou Elsa aos gritos, para ser ouvida acima da tempestade.

O desespero nos olhos do marido foi a única resposta.

Loreda estava sentada no chão da escola, tremendo, o irmão encolhido ao seu lado, os dois com lenços tapando a boca e o nariz, como assaltantes mascarados. Ant tentava ser corajoso, mas se assustava cada vez que uma lufada de vento mais feroz atingia a construção e estremecia os vidros.

Chovia areia do teto, e Loreda a sentia se acumular no cabelo e nos ombros. O vento sacudia as paredes de madeira, uivando alto, como um grito quase humano. Pássaros em pânico não paravam de se chocar contra as janelas.

Quando a tempestade começou, a professora Nicole fez todos entrarem e se sentarem juntos no canto mais distante das janelas. Chegou a tentar contar uma história, mas ninguém conseguia se concentrar, e depois de algum tempo ninguém ouvia sua voz, então ela desistiu e fechou o livro.

Houvera pelo menos dez daquelas tempestades de areia no último ano. Em um dia de primavera, o vento e a poeira tinham fustigado por doze horas seguidas, tanto tempo que eles tiveram de cozinhar, comer e cuidar dos afazeres em meio à fúria da tempestade.

A avó e a mãe disseram que era preciso rezar.

Rezar.

Como se acender velas e se ajoelhar pudessem fazer aquilo tudo parar. Sinceramente, se Deus estivesse vendo quem vivia nas Grandes Planícies, Ele queria que todos saíssem de lá ou morressem.

Quando a tempestade finalmente passou e o silêncio pairou na sala de aula, as crianças continuaram sentadas, traumatizadas, de olhos arregalados e cobertas de poeira.

A professora Nicole levantou-se devagar do chão. Quando ficou de pé, uma chuva de poeira caiu do seu colo. Os contornos do seu corpo ficaram desenhados no piso, como uma silhueta. Foi até a porta, abriu, e lá fora o céu estava lindo e azul.

Loreda viu a professora suspirar aliviada. A exaltação a fez tossir.

– Tudo bem, crianças – disse, rouca. – Acabou.

Ant olhou para Loreda. O rosto sardento dele estava marrom de terra, pois o lenço só cobrira a boca e o nariz. O irmão esfregou os olhos e ficou parecendo um quati. As lágrimas se mantinham teimosamente presas nos cílios, parecendo miçangas de areia.

Loreda baixou o lenço.

– Vamos, Ant – falou. Sua voz soou fraca e rouca.

Loreda, Stella e Ant recolheram seus livros e suas lancheiras vazias e saíram da escola. Sophia seguiu atrás deles, de cabeça baixa.

Loreda segurou firme a mão do irmão ao saírem do prédio.

A cidade era uma catástrofe silenciosa. Os arcos de carbureto dos postes de iluminação – grande fonte de orgulho quatro anos antes, quando foram instalados – estavam acesos, porque as pessoas, os carros e os animais precisaram de luz para buscar abrigo.

Os três saíram andando pela Avenida Principal. Arbustos secos arrancados se espalhavam pela calçada. As janelas estavam lacradas com tábuas, tanto por conta da Depressão como das tempestades de areia.

Quando se aproximaram da estação ferroviária, Stella disse em voz baixa, como que com medo de que sua voz chegasse à casa dos pais:

– Está ficando ruim, Lolo.

Loreda não tinha resposta para aquilo. Na casa dos Martinellis, estava ficando ruim havia anos. Ela viu Stella se afastando, os ombros caídos como que se protegendo de qualquer vicissitude à sua espera; subiu por uma nova duna de areia acumulada na cidade, virou a esquina e tomou o caminho de casa. Sophia foi atrás da irmã.

Loreda e Ant continuaram andando. Era como se fossem as duas últimas pessoas restantes no mundo.

Passaram por vários cartazes de VENDE-SE nas cercas, e depois não havia mais nada. Nenhuma casa, nenhum animal, nenhum moinho. Apenas infindáveis montes e dunas formados pela terra marrom e dourada. A areia se empilhava na base dos postes telefônicos. Um dos postes tinha caído.

Loreda foi a primeira a ouvir o lento e abafado ruído de cascos.

– Mamãe! – gritou Ant.

Loreda ergueu os olhos.

A mãe vinha com a carroça na direção deles, tensa e ereta, como se quisesse que Milo andasse mais depressa, mais depressa, mas o pobre e velho cavalo estava tão exausto e sedento quanto todo mundo.

Ant se desvencilhou da irmã e começou a correr.

A mãe deteve o cavalo e desceu da carroça. Correu até eles, o rosto amarronzado de poeira, o vestido em tiras esfiapadas da cintura para baixo, o avental esvoaçando, o cabelo louro-claro também marrom.

A mãe ergueu Ant e girou com ele nos braços, como se tivesse pensado que nunca mais o veria, cobrindo de beijos seu rosto sujo.

Loreda se lembrava daqueles beijos, dos bons tempos, quando a mãe cheirava a sabonete de lavanda e talco.

Não mais. Loreda recordava a última vez que deixara a mãe beijá-la. Não queria mais esse tipo de amor, que tanto a restringia. Queria que a deixassem voar alto, ser qualquer coisa e ir a qualquer lugar – queria as coisas que o pai desejava. Um dia ainda ia fumar e frequentar clubes de jazz, teria um emprego. Seria *moderna*.

A ideia que a mãe tinha do lugar de uma mulher era triste demais.

A mãe ajudou Ant a subir na boleia da carroça, depois foi falar com a filha.

– Tudo bem, Loreda? – perguntou, ajeitando uma mecha de cabelo atrás da orelha da filha, deixando os dedos ali.

– Sim. Estou ótima – respondeu a menina, ouvindo a irritação na própria voz.

Sabia que era errado ficar irritada com a mãe – o clima não era culpa dela –, mas não conseguia evitar. Estava furiosa com o mundo, e de alguma forma isso significava acima de tudo estar furiosa com a mãe.

– Parece que o Ant andou chorando.

– Ele ficou assustado.

– Ainda bem que ele estava com a irmã mais velha.

Como a mãe conseguia sorrir num momento daqueles? Era irritante.

– Sabia que os seus dentes estão marrons de terra? – disse Loreda.

A mãe hesitou e na mesma hora seu sorriso morreu.

Loreda tinha magoado a mãe. De novo.

De repente sentiu vontade de chorar. Antes que a mãe visse aquela emoção, encaminhou-se para a traseira da carroça.

– Você pode ficar aqui com a gente – disse a mãe.

– Ver pra onde estamos indo *né* nada melhor do que ver o lugar onde estamos. A paisagem não muda.

– *Não é* nada melhor – corrigiu a mãe automaticamente.

– Ah, tá – replicou Loreda. – Uma boa educação é o mais importante.

Enquanto voltavam para casa, Loreda ficou observando aquela terra plana, muito plana.

Todas as árvores que ladeavam a entrada da casa estavam morrendo. Os anos quentes e secos as deixaram num tom marrom-acinzentado doentio; as folhas viraram confetes quebradiços e enegrecidos levados pelo vento. Só três delas ainda continuavam firmes. O solo empoeirado se empilhava em forma de dunas na base de todas as estacas da cerca. Nada crescia ou florescia naquela paisagem. Não havia uma folha de grama em lugar algum. O cardo-selvagem – os arbustos rolantes – e a iúca eram as únicas plantas vivas que se viam. O corpo apodrecido de algum animal, talvez um coelho, jazia num monte de areia; corvos o bicavam.

A mãe parou a carroça no quintal. Milo bateu os cascos na terra.

– Loreda, você cuida do Milo – falou. – Vou pegar os limões em conserva e fazer uma limonada.

– Tudo bem – respondeu Loreda num resmungo.

A menina subiu na carroça, pegou as velhas rédeas e conduziu o cavalo e a carroça em direção ao celeiro.

O pobre Milo andava tão devagar que Loreda não conseguia deixar de sentir pena daquele cavalo baio que já fora seu melhor amigo no mundo.

– Tudo bem, garoto. Estamos todos nos sentindo assim.

Ela afagou seu focinho aveludado, lembrando o dia em que o pai a ensinara a cavalgar. Era um dia azul e ensolarado, com um mar de trigo dourado que se estendia por toda a volta. Ela sentiu medo, muito medo de subir naquela sela de adultos.

O pai a ajudou a montar, murmurando "Não se preocupe", e ficou ao lado da mãe, que parecia tão nervosa quanto ela.

Loreda não caiu nenhuma vez. O pai disse que ela tinha um talento inato e comentou com a família durante o jantar que a filha era a melhor amazona que já tinha visto.

Loreda se deleitou com o elogio e se esforçou para merecê-lo. Desde aquele dia, durante anos, ela e Milo se tornaram inseparáveis. Ela fazia seus deveres de casa no estábulo sempre que podia, os dois mastigando cenouras colhidas da horta.

– Eu sinto sua falta, garoto – disse Loreda, afagando a cabeça do cavalo.

Milo fungou, espirrando um muco úmido e poeirento no braço dela.

– Eca.

Loreda abriu as portas duplas do celeiro, que já fora o grande orgulho e alegria do avô. O celeiro tinha uma ilha central onde o trator e a caminhonete ficavam estacionados, com duas baias de cada lado, que se abriam para os currais. Dois para os cavalos e dois para as vacas. Um mezanino que antes era cheio de fardos de feno verde cheirosos se esvaziava rapidamente. Todo mundo sabia que aquele mezanino era o esconderijo favorito do pai dela; ele adorava ficar lá fumando, tomando uísque e sonhando seus grandes sonhos. Atualmente, ele passava cada vez mais tempo lá.

Enquanto destrelava o cavalo, Loreda sentiu o cheiro de borracha dos pneus e o aroma metálico do motor, misturado com as aconchegantes fragrâncias do feno doce e do esterco. Na outra baia, o outro cavalo, Bruno, fungou um cumprimento delicado, batendo o focinho na porta do estábulo.

– Vou pegar um pouco de água pra vocês – disse Loreda, tirando o freio babado da boca de Milo. Ela o guiou para sua baia, cujo fundo abria-se para o curral.

Assim que fechou a porta da baia e passou a trava, ouviu um barulho.

O que poderia ser?

Saiu do celeiro e olhou ao redor.

Lá estava mais uma vez. Um rugido surdo. Não de trovão. Não havia uma nuvem no céu.

O chão tremeu sob seus pés, emitindo um som pedregoso e quebradiço.

Uma fenda se abriu na terra, um grande zigue-zague serpenteante.

Bum.

A poeira subiu do chão, a terra desceu pela fenda aberta, os lados desmoronaram. Uma parte da cerca de arame farpado tombou. Novas rachaduras se alastraram a partir da primeira, como os galhos de uma árvore.

Um zigue-zague de 15 metros se abriu no quintal. Raízes mortas se projetaram da terra que desmoronava como mãos esqueléticas.

Loreda ficou horrorizada. Já tinha ouvido histórias sobre isso, da terra se abrindo de tão ressecada, mas achou que fosse um mito.

Agora não eram só as pessoas e os animais que estavam secando. A própria terra estava morrendo.

Loreda e o pai estavam em seu local favorito: sentados lado a lado na plataforma embaixo das gigantescas lâminas do moinho de vento. Enquanto o céu se avermelhava nos últimos momentos antes do cair da noite, ela podia ver até o fim do mundo que conhecia, e imaginava o que haveria além.

– Eu quero ver o mar – falou Loreda.

Aquele era um jogo que os dois faziam, imaginar outras vidas que poderiam ter algum dia. Loreda não lembrava quando começaram, só sabia que parecia mais importante nos tempos atuais, por causa da recente tristeza do pai. Ou, pelo menos, parecia recente. Às vezes ela se perguntava se aquela tristeza sempre estivera ali se teve de crescer o suficiente para que a percebesse.

– Você ainda vai ver, Lolo.

Normalmente, ele dizia: *Ainda vamos ver.*

Rafe jogou o corpo para a frente, apoiando os braços nas coxas. O cabelo preto e grosso caía em cachos desgrenhados na testa larga; era aparado e curto dos lados, mas a mãe não tinha tempo para cuidar dele direito, então as pontas estavam irregulares.

– Você quer ver a Ponte do Brooklyn, lembra? – disse Loreda.

Ela se sentia amedrontada ao pensar na infelicidade do pai, mas vinha conseguindo passar algum tempo com ele ultimamente e o adorava mais do que tudo no mundo. Ele, que a fazia se sentir uma garota especial, com um grande futuro pela frente. O pai a ensinara a sonhar. Era o contrário da mãe, taciturna e sempre trabalhando, que só cuidava dos afazeres e nunca se divertia. Os dois até eram fisicamente parecidos, Loreda e o pai. Todo mundo dizia isso. Os mesmos cabelos pretos e grossos e o rosto fino, os mesmos lábios cheios. A única coisa que Loreda tinha herdado da mãe eram os olhos azuis. Mas, apesar de ter os olhos da mãe, Loreda enxergava as coisas como o pai.

– É claro, Lolo. Como poderia esquecer? Nós dois vamos ver o mundo juntos algum dia. Vamos subir no topo do Empire State Building e assistiremos à estreia de um filme no Hollywood Boulevard. Que diabos, podemos até...

– Rafe!

A mãe estava na plataforma do moinho, olhando para cima. Com seu lenço marrom, vestido de saco de farinha e meias folgadas, parecia quase tão velha quanto a vovó. Como sempre, rígida e ereta como um cabo de vassoura. Tinha aperfeiçoado uma postura irredutível e indefectível: ombros para trás, coluna reta, queixo erguido. Fios de cabelos louros cor de milho pálido escapavam do lenço na cabeça.

– Oi, Elsa. Você nos encontrou. – O pai abriu um sorriso conspiratório para a filha.

– Seu pai precisa de ajuda para regar as plantas enquanto ainda está fresco – disse a mãe. – E eu conheço uma garota que tem tarefas para fazer.

O pai lançou mais um olhar para Loreda e começou a descer do moinho. As tábuas rangiam e balançavam sob seu peso. Pulou os últimos degraus, parando ao lado da esposa.

Loreda desceu logo atrás, mas não tão depressa. Quando chegou ao chão, o pai já estava a caminho do celeiro.

– Por que você não deixa ninguém se divertir? – perguntou à mãe.

– Eu gosto de ver você e seu pai se divertindo, Loreda, mas temos um longo dia pela frente e preciso da sua ajuda para guardar a roupa lavada.

– Você é tão *mesquinha* – disse Loreda.

– Eu não sou mesquinha, Loreda.

Loreda percebeu a mágoa na voz da mãe, mas não se incomodou. Aquela raiva que sentia, sempre tão perto da superfície, era incontrolável.

– Você não se importa de ver o papai infeliz?

– A vida é dura, Loreda. Você precisa ser mais forte se não quiser ser virada do avesso, como o seu pai.

– Não é a vida que deixa o meu pai infeliz.

– Ah, não? Então me diga, com toda a sua experiência de vida, o que é que deixa seu pai tão infeliz?

– Você.

OITO

Quarenta e dois graus à sombra, e o poço secando. A água da cisterna precisava ser cuidadosamente conservada, levada em baldes até a casa. À noite, eles davam o que podiam aos animais.

Os legumes que Elsa e Rose cultivaram com tanto carinho tinham morrido. Com o vento e a poeira do dia anterior e o sol inclemente, todas as plantas foram arrancadas pela raiz ou ressecaram e morreram.

Elsa ouviu Rose parar ao seu lado.

– Não adianta mais regar – disse Elsa.

– É verdade.

Elsa ouvia a tristeza de partir o coração na voz da sogra e gostaria de dizer alguma coisa que a consolasse.

– Você está muito calada hoje – disse Rose.

– Diferente da minha tagarelice normal – comentou Elsa, para evitar uma conversa que não queria ter.

Rose cutucou a nora com o ombro.

– Diga qual é o problema. Além do óbvio, é claro.

– Loreda está brava comigo. O tempo todo. Juro, antes de eu falar qualquer coisa, ela já fica brava com o que vou dizer.

– Ela está naquela idade.

– É mais do que isso, acho.

Rose olhou para os campos arrasados.

– Meu filho – falou. – *Stupido.* Fica enchendo a cabeça dela de sonhos.

– Rafe está infeliz.

Rose estalou a língua, sem paciência.

– E quem não está? Olhe só o que está acontecendo.

– Meus pais, minha família – disse Elsa em voz baixa.

Ela raramente falava sobre isso; era uma dor profunda demais para ser expressa em palavras, principalmente quando palavras não mudavam nada. A visão que Loreda tinha de Elsa trazia de volta toda aquela tristeza da infância.

Elsa lembrou-se do dia em que levou Loreda, toda vestida de rosa, à casa dos pais, com a esperança de que seu casamento os fizesse aceitá-la de novo. Trabalhou semanas para fazer um lindo vestido cor-de-rosa para a bebê, cheio de lacinhos. Tricotou uma touca para combinar. Por fim, pegou a caminhonete emprestada e dirigiu até Dalhart sozinha, estacionando no portão traseiro. Recordava-se de cada movimento em detalhes: *Subindo pelo caminho; o perfume de rosas. Tudo florido. Um céu claro e azul. Abelhas zumbindo ao redor das rosas.*

Sentia-se ao mesmo tempo nervosa e orgulhosa. Agora era uma mulher casada, com uma filhinha tão bonita que até estranhos comentavam.

Batendo na porta. O som de passos na madeira. A mãe abrindo a porta, vestida para ir à igreja, com um colar de pérolas. O pai com um terno marrom.

– Olhem – disse Elsa, com um sorriso inseguro, os olhos cheios de lágrimas indesejáveis. – Esta é minha filha, Loreda.

A mãe esticando o pescoço, examinando o rostinho perfeito de Loreda.

– Eugene, veja como a pele dela é escura. Leve a sua desgraça daqui, Elsinore.

A porta batendo com violência.

Elsa prometeu a si mesma nunca mais ver nem falar com os pais, mas mesmo assim aquela ausência provocava uma dor que não passava.

Aparentemente, era impossível deixar de amar algumas pessoas, ou de precisar do amor delas, mesmo quando havia razões para isso.

– Sim? – disse Rose, olhando para ela.

– Eles não me amavam, nunca soube por quê. Mas agora Loreda é tão ríspida comigo que me pergunto se ela me vê do mesmo jeito que eles me viam. Aos olhos deles eu também não fazia nada direito.

– Você se lembra do que eu disse no dia em que Loreda nasceu?

Elsa quase sorriu.

– Que ela iria me amar como ninguém jamais amou, que me deixaria louca e testaria você?

– *Sì*. E agora você vê como eu tinha razão?

– Em parte, acho que sim. Mas ela me magoa demais.

– Sim, eu também fui um desafio para a minha pobre *mamma*. O amor vem no começo da vida dela e no fim da sua. Deus é cruel nesse sentido. O seu coração está magoado demais para amar?

– É claro que não.

– Então siga em frente. – Deu de ombros, como que dizendo: *Isso é ser mãe.* – Que outra escolha nós temos?

– É que... dói.

Rose ficou em silêncio por algum tempo, então falou:

– Sim, dói.

No campo, ao longe, Tony e Rafe trabalhavam arduamente, plantando trigo de inverno num solo poeirento como farinha na superfície e duro mais abaixo. Já fazia três anos que eles plantavam trigo e rezavam por chuva, mas o resultado costumava ser muito pouco ou nenhuma colheita.

– Essa estação vai ser melhor – disse Rose.

– Ainda temos leite e ovos para vender. E sabonete.

Coisas pequenas, mas importantes. Elsa e Rose combinaram o otimismo de cada uma numa esperança comunal, mais forte e mais durável por ser partilhada.

Rose a abraçou pela cintura, e Elsa recostou-se na mulher mais baixa. Desde o momento em que Loreda nascera, e em todos os anos posteriores, Rose tinha se tornado a mãe de Elsa de todas as formas que realmente importavam. Mesmo que não falassem sobre esse amor ou compartilhassem seus sentimentos em conversas sentimentais, a ligação existia. E era forte. Suas vidas se entrelaçavam de forma silenciosa, envolvendo duas mulheres não acostumadas a conversar. Dia após dia, as duas trabalhavam juntas, rezavam juntas, mantinham a família unida em meio às vicissitudes da vida numa fazenda. Quando Elsa perdeu seu terceiro filho – um filho que nem chegou a respirar –, foi Rose quem a abraçou e a deixou chorar, dizendo: *Há vidas às quais não nos cabe nos apegar. Deus faz Suas escolhas sem nos consultar.* Foi quando Rose falou pela primeira vez sobre os filhos que perdera, mostrando a Elsa que eventualmente haveria tristeza, e ela precisava ser suportada.

– Vou dar água aos animais – disse Elsa.

Rose aquiesceu.

– Vou ver o que temos para comer.

Elsa pegou um balde de metal no alpendre e limpou a areia do fundo. Na bomba d'água, vestiu as luvas para proteger a mão do metal quente e retirou um balde de água.

Levou o balde com cuidado, sem querer desperdiçar uma preciosa gota sequer, e ia se aproximando do celeiro quando ouviu um som, como uma lâmina raspando metal.

Reduziu o passo, tentando ouvir melhor.

Pôs o balde no chão, contornou o estábulo e viu Rafe de pé em frente à nova rachadura, os braços apoiados no cabo de um ancinho, o chapéu cobrindo o rosto.

Chorando.

Elsa foi até ele, ficou ao seu lado em silêncio. Palavras não eram algo que lhe vinha com facilidade, não quando se tratava do marido. Sempre tinha medo de dizer a coisa errada, de afastá-lo quando queria estar mais perto. Ele era como Loreda, com um humor instável e dado a acessos de raiva. Aqueles acessos a deixavam assustada, pois era algo que não conseguia nem aplacar nem entender. Por isso ficou calada.

– Não sei mais quanto tempo vou aguentar isso – disse Rafe.

– Logo vai chover. Você vai ver.

– Como você consegue se manter tão firme? – perguntou, enxugando os olhos com as costas da mão.

Elsa não sabia como responder. Eles tinham filhos. Precisavam se manter fortes por eles. Ou será que ele se referia a outra coisa?

– Porque as crianças precisam de nós.

Rafe soltou um suspiro, e Elsa percebeu que tinha falado a coisa errada.

Naquele setembro, o calor castigou as Grandes Planícies, dia após dia, semana após semana, queimando tudo que havia sobrevivido ao verão.

Elsa passou a dormir mal, na verdade quase não dormia. Era atormentada por pesadelos com crianças emaciadas e colheitas morrendo. Os animais – dois cavalos e duas vacas, magros e ossudos – sobreviviam comendo o espinhoso cardo-selvagem. O pouco que tinham colhido estava quase no fim. Os animais ficavam imóveis horas a fio, como se tivessem medo de que um passo os matasse. No período mais quente do dia, quando a temperatura chegava a mais de 46 graus, seus olhos ficavam vidrados e desfocados. Quando podia, a família levava baldes de água ao curral, mas era sempre muito pouco. Cada gota d'água que saía do poço precisava ser cuidadosamente preservada. As galinhas mal se mexiam, de tão letárgicas; aninhavam-se como montes de penas no chão, sem nem ao menos cacarejar quando eram perturbadas. Ainda punham ovos, mas cada um era uma pepita de ouro, e Elsa sempre temia que fosse o último.

Naquele dia, como em quase todos os outros, despertou antes de o galo cantar.

Ficou na cama, tentando não pensar no jardim morto, no solo ressecado ou no inverno vindouro. Quando a luz do sol começou a entrar pela janela, sentou-se e leu um capítulo de *Jane Eyre*, deixando-se acalmar e consolar pelas palavras já conhecidas. Pouco depois, deixou o romance de lado e saiu da cama, tomando cuidado para não acordar Rafe. Vestiu-se, ficou um momento olhando para o marido adormecido. Ele tinha ficado no celeiro até tarde da noite, até finalmente vir para a cama cambaleando, cheirando a uísque.

Elsa também se sentia inquieta, mas nenhum dos dois tentou consolar o outro. Não sabiam como, ela imaginou; nunca aprenderam a fazer isso. Ou talvez ninguém pudesse consolar ninguém quando a vida estava tão ruim.

O que Elsa sabia era que a tênue ligação que tinha com o marido estava se desfazendo a cada dia que passava. Nas últimas semanas, já tinha notado que ele vinha preferindo ficar longe dela. Teria sido desde que as tempestades de areia arruinaram as lavouras e triplicaram o trabalho? Ou desde o dia em que ele plantara o trigo de inverno com o pai?

Ficava acordado até tarde, lendo jornais como se fossem romances de aventuras, olhando pela janela, estudando mapas. Quando afinal ia se deitar, virava-se para longe dela e caía num sono tão profundo que às vezes Elsa temia que tivesse morrido durante a noite.

Na noite anterior, como quase sempre acontecia, quando finalmente foi se deitar, Elsa ficou no escuro, desejando dolorosamente que ele se virasse para ela, que a tocasse. Mas, mesmo que ele fizesse isso, os dois continuariam insatisfeitos. Rafe nunca falava nos momentos de intimidade, nem revelava seus desejos; apressava-se para concluir o ato, como se houvesse se arrependido antes de ter começado. Às vezes Elsa se sentia mais solitária ao fim do que antes de ter começado. Rafe dizia que preferia ficar longe porque ela engravidava com muita facilidade, mas Elsa sabia que a verdade era mais sombria. Como sempre, reduzia-se à sua falta de atrativos. É claro que ele tinha dificuldades em desejá-la. E claramente ela não era boa na cama, por isso o marido era tão apressado.

Nos primeiros anos, Elsa chegou a sonhar em abordá-lo com mais ousadia, mudando a maneira como os dois se acariciavam, explorando o corpo dele com as mãos e a boca; depois, ao acordar, se sentia frustrada e intumescida por um desejo que não conseguia expressar nem compartilhar. Ficou esperando anos para que ele a visse, que a procurasse.

Agora, porém, isso era um sonho longínquo. Ou talvez estivesse cansada e abatida demais para acreditar nele.

Ela saiu do quarto e seguiu pelo corredor. Parou na porta dos quartos dos filhos e deu uma espiada. A placidez daqueles rostos adormecidos apertou seu coração. Em momentos como aquele, ela se lembrava de Loreda ainda pequena e feliz, sempre rindo, os braços abertos para um abraço. Quando Elsa era a pessoa de quem Loreda mais gostava no mundo.

Entrou na cozinha, que cheirava a toucinho e pão no forno. Os sogros dela também não dormiam mais. Assim como Elsa, os dois se apegavam à improvável esperança de que o trabalho poderia salvá-los.

Serviu-se de uma xícara de café puro, tomou depressa e lavou a xícara, antes de calçar os sapatos marrons – com os saltos muito desgastados – e pegar o chapéu de sol.

Ao sair, franziu os olhos ao sol, protegendo-os com a mão enluvada.

Tony já estava trabalhando, aproveitando o relativo frescor da manhã. Empilhava feno – o pouco que havia –, com medo de que o calor da tarde matasse os cavalos, que se moviam mais lentamente a cada dia. Às vezes, seus gemidos de fome eram o suficiente para fazer Elsa chorar.

Ela acenou para o sogro, que retribuiu o cumprimento. Amarrou o chapéu na cabeça e fez uma rápida parada para encher um balde de água para lavar a roupa. Não tinha mais sentido regar a horta ou o jardim. Depois de carregar o balde de água, seus braços doíam e ela estava suando. Por fim, foi ao seu jardinzinho. Era um quadrado de terra logo abaixo da janela da cozinha, numa estreita faixa de sombra matinal, muito pequeno para plantar alguma coisa de valor, e por isso Elsa tinha semeado algumas flores. Só queria um pouco de verde, quem sabe até um toque colorido.

Ajoelhou-se na terra empoeirada e reorganizou as pedras que alinhara num semicírculo para delinear o jardim. A última ventania tinha tirado algumas pedras do lugar. No centro, ainda resistindo, viu seu precioso áster-de-chita, com ramos marrons e suas folhas verdes desafiadoras.

– Se você conseguir resistir a esta onda de calor, logo vai ficar mais fresco – disse, jogando algumas preciosas gotas de água na terra, vendo como escureciam instantaneamente. – Eu sei que você quer dar flores.

– Falando com sua amiguinha de novo?

Elsa deu um passo para trás e ergueu os olhos, piscando por um momento sob o brilho do sol.

Viu Rafe envolto em um halo de luz amarela. Nos últimos tempos ele raramente se barbeava, por isso a metade inferior do rosto estava coberta por uma barba escura e cerrada.

Apoiou-se num joelho ao lado dela e pôs a mão no seu ombro. Elsa sentiu a suave umidade da palma da mão, os tremores causados pela bebedeira da noite passada.

Não conseguiu deixar de apreciar seu toque.

– Desculpe se te acordei quando cheguei ontem à noite – disse Rafe.

Elsa se virou. A aba do seu chapéu encostou na aba do dele, fazendo um som arranhado.

– Tudo bem.

– Não sei como você consegue aguentar tudo isso.

– Tudo isso?

– A nossa vida. Vivendo de sobras. Com fome. Com nossos filhos tão magros.

– Nós temos mais do que muita gente.

– Você se contenta com pouco, Elsa.

– Você diz isso como se fosse algo ruim.

– Você é uma boa mulher.

Rafe fazia aquilo soar como algo ruim. Elsa não soube o que responder, e no silêncio de sua desorientação ele se levantou devagar, parecendo cansado.

Elsa ficou diante dele, erguendo o queixo. Sabia que o marido via nela uma mulher alta e sem atrativos, queimada de sol, com a pele descascando e lábios finos demais, com olhos que pareciam ter bebido todas as cores que Deus permitia.

– Eu preciso ir trabalhar – disse Rafe. – Já está tão quente que quase não dá para respirar.

Elsa o acompanhou com o olhar, pensando *Olhe para trás, sorria*, mas ele não fez nada disso, e finalmente ela parou de esperar e saiu para começar a lavar roupa.

As primeiras comemorações do Dia dos Pioneiros datavam de 1905, no tempo em que Lonesome Tree era uma vasta planície de relva verde e o Rancho XIT empregava mil vaqueiros. Os pioneiros foram atraídos para aquelas paragens por brochuras que prometiam repolhos do tamanho de berços e trigo. Tudo sem irrigação. Agricultura sem água, como era chamada, foi o que prometeram ali.

Quem iria imaginar...

Loreda tinha certeza de que na verdade a festa servia para os homens se autocongratularem.

– Você está linda – disse a mãe, entrando no quarto de Loreda sem bater na porta.

A menina sentiu uma onda de irritação com aquela invasão. Engoliu uma observação agressiva sobre privacidade.

A mãe postou-se ao seu lado, as duas faces refletidas juntas no espelho acima da pia. Ao lado da pele bronzeada e do cabelo preto e mal cortado de Loreda, a palidez da mãe era notável. Por que a pele da mãe nunca bronzeava, só avermelhava e descascava? Tampouco ela fazia alguma coisa com o cabelo além de prendê-lo num coque. A mãe de Stella sempre usava maquiagem e escovava o cabelo, mesmo naqueles tempos difíceis.

A mãe nem sequer *tentava* melhorar a aparência. A roupa que usava – um vestido caseiro de saco de farinha estampado e corpete de abotoar – era pelo menos dois números maior e só ressaltava sua altura e magreza.

– Desculpe por não ter feito um vestido novo e nem ao menos comprado um par de meias. Fica para o ano que vem. Quando chover.

Loreda não conseguia imaginar como a mãe ainda conseguia dizer aquilo. Ela se afastou, ajeitando o cabelo ondulado à altura do queixo e afofando as mechas.

– Cadê o papai?

– Preparando a carroça.

Loreda olhou para a mãe.

– Stella pode passar a noite aqui depois?

– Claro – concordou Elsa. – Mas você vai ter que cumprir suas tarefas da manhã.

Loreda ficou tão contente que chegou a abraçá-la, mas a mãe estragou tudo apertando-a demais e prolongando o abraço.

A menina se libertou.

Elsa ficou triste.

– Pode descer – falou. – Vá ajudar a vovó com a comida.

Loreda saiu correndo do quarto e foi depressa até a cozinha, onde a avó já estava ocupada embrulhando um caldeirão de sopa minestrone. Uma bandeja com seu cannoli recheado com ricota adocicada esperava na mesa. Só as famílias italianas comiam aqueles dois pratos.

Loreda cobriu com um pano de prato a travessa com a sobremesa e a levou para a carroça. Subiu na traseira e sentou-se ao lado do pai, que a abraçou e a puxou para mais perto. A avó e o avô ocuparam seus lugares na frente. A mãe foi a última a subir.

Ant se enfiou ao lado da mãe e não parava de falar, a voz aguda soando ainda mais alta de entusiasmo quando se aproximaram da cidade. O pai, ela percebeu, estava atipicamente calado.

Lonesome Tree surgiu no horizonte, uma cidade esquálida e achatada, num planalto liso como uma mesa, sem nada ao redor.

Só a torre da caixa d'água se destacava no céu azul e sem nuvens.

Antigamente, o patriotismo era forte na cidade. Loreda se lembrava de como os homens mais velhos falavam sobre a Grande Guerra em todas as reuniões da comunidade. Quem tinha lutado, quem tinha morrido, quem plantava o trigo para alimentar os soldados. Naquela época, o Dia dos Pioneiros era uma manifestação do orgulho dos agricultores e uma celebração de seu árduo trabalho.

Americanos! Prósperos! As pessoas enfeitavam as lojas da Avenida Principal de vermelho, branco e azul, prendiam bandeiras dos Estados Unidos nas jardineiras e pintavam slogans patrióticos nas janelas. Os homens se reuniam para beber, fumar e se congratular por terem vencido a guerra e transformado pastagens em lavouras. Tomavam uísque artesanal e tocavam música nos violinos e violões enquanto as mulheres faziam todo o trabalho.

Ou ao menos era como Loreda via tudo aquilo. Na semana que antecedia a comemoração, a mãe e a avó cozinhavam mais, faziam mais macarrão, lavavam mais roupas e precisavam cerzir ou costurar todas as roupas que estivessem mais surradas. Mesmo que os tempos andassem difíceis e o dinheiro, apertado, a mãe queria que os filhos parecessem apresentáveis.

Naquele dia não se viam bandeiras (fazia muito calor para isso, imaginou, ou então alguma mulher finalmente tinha falado *Para que se dar ao trabalho?*), nem flores ou bandeirinhas nas jardineiras, nenhum slogan patriótico. Em vez disso, Loreda viu vagabundos errantes reunidos perto da estação de trem, vestidos em farrapos, os bolsos traseiros virados do avesso, que, em homenagem ao presidente Hoover, eram chamados de bandeiras Hoover. E os sapatos furados eram os sapatos Hoover. Todo mundo sabia a quem culpar pela Depressão, mas não como acabar com ela.

Clop-clop-clop pela Avenida Principal. Só dois automóveis estacionados ali. Os dois de banqueiros. Bandidos, como eram chamados naqueles dias, por enganarem os agricultores para roubar suas terras, fechar suas portas e ficar com o dinheiro que as pessoas pensavam estar a salvo.

O avô conduziu a carroça até o prédio da escola e parou.

Loreda ouviu música saindo pelas portas abertas e o som de pés batendo no chão. Desceu depressa da carroça e correu para a escola.

A festa já tinha começado. Uma banda improvisada tocava num canto e alguns casais dançavam.

À direita ficavam as mesas de comida. Não era muito, mas depois de anos de seca Loreda sabia que as mulheres tinham se sacrificado e trabalhado muito por aquela festa.

– Loreda!

Viu Stella vindo em sua direção. Como de hábito, ela e a irmã mais nova, Sophia, eram as únicas garotas no salão com vestido de festa.

Loreda sentiu uma pontada de inveja, mas afastou o sentimento. Stella era sua melhor amiga. Quem se importava com vestidos?

As duas se abraçaram como sempre faziam, dando-se as mãos e aproximando a cabeça uma da outra.

– Diga lá, o que você me diz, minha perdiz? – perguntou, tentando um jogo de palavras.

– Eu continuo na mesma – respondeu Stella.

Os pais de Stella se aproximaram das filhas e pararam para falar com os Martinellis.

Loreda ouviu o Sr. Devereaux dizer:

– Recebi outro cartão-postal do meu cunhado. Tem trabalho na ferrovia no Oregon. Vocês deveriam pensar sobre isso, Tony. Rafe.

Como se as mulheres não tivessem opinião.

E a resposta do avô:

– Eu não culpo ninguém por ir embora, Ralph, mas não é para nós. Essa terra...

Ah, de novo, não. A terra.

Loreda puxou Stella para longe dos adultos.

Ant passou correndo por elas, com uma máscara contra gases que o fazia parecer um inseto. Esbarrou em Loreda, deu uma risadinha e continuou correndo, os braços abertos como se estivesse voando.

– A Cruz Vermelha doou uma caixa grande de máscaras de gás ao banco... para as crianças usarem nas tempestades de areia. Minha mãe vai distribuir hoje à noite.

– Máscaras de gás – repetiu Loreda, balançando a cabeça. – Cruz-credo.

– Meu pai disse que está piorando.

– Não vamos falar sobre máscaras de gás. Isto é uma festa, pelo amor de Deus – disse Loreda, pegando Stella pela mão. – Minha mãe deixou você passar a noite lá em casa hoje. Eu peguei umas revistas na biblioteca. Tem uma fotografia do Clark Gable que vai fazer você desmaiar.

Stella deu um passo para trás e desviou o olhar.

– Qual é o problema?

– O banco vai fechar – respondeu.

– Ah.

– Meu tio Jimmy... aquele de Portland, no Oregon, sabe? Ele mandou um cartão-postal ao meu pai. Diz que a ferrovia tá contratando e que lá não tem tempestades de areia.

Loreda deu um passo para trás. Não queria ouvir o que vinha a seguir.

– Nós vamos embora.

NOVE

Loreda debruçou-se na janela do quarto e gritou de frustração. Lá embaixo, as galinhas cacarejaram em resposta.

– Voem pra longe, aves idiotas. Não veem que estamos morrendo aqui?

Stella estava indo embora.

Sua melhor – e única – amiga em Lonesome Tree estava indo embora.

O quarto parecia imprensá-la com suas paredes, ficando tão pequeno que a menina não conseguia respirar. Desceu a escada. A casa estava estagnada, nenhum vento passando pelas rachaduras, nenhuma viga abalando suas fundações.

Movimentou-se com facilidade no escuro. No mês anterior, eles tinham desligado o telefone (não havia dinheiro para pagar) e agora estavam realmente isolados. Tateou até chegar à porta e saiu. A lua brilhava no céu, banhando o telhado do celeiro com sua luz prateada.

Sentiu o cheiro de terra causticada, um toque de cocô de galinha e... fumaça de cigarro? Seguindo o cheiro, andou ao longo da parede lateral da casa.

Embaixo do moinho de vento, viu o a ponta avermelhada de um cigarro subir e descer. *Papai*. Então ele também não conseguia dormir.

Quando se aproximou, viu seus olhos vermelhos e marcas de lágrimas nas bochechas. Estava sozinho lá fora, no escuro, fumando e chorando.

– Pai?

– Ei, boneca. Você me pegou desprevenido.

Tentou soar casual, mas o fingimento óbvio a fez se sentir ainda pior. Se havia uma pessoa em quem ela confiava que lhe dissesse a verdade, era o seu pai. Mas agora estava tudo tão ruim que ele estava *chorando*.

– Você soube que os Devereaux estão indo embora?

– Sinto muito, Lolo.

– Eu já estou cansada de ouvir isso – disse Loreda. – Nós também podíamos ir. Como os Devereaux, os Moungers e os Mulls. Simplesmente ir embora.

– Todos falaram sobre ir embora na festa. Mas a maioria deles é como os seus avós. Eles preferem morrer aqui a ir embora.

– E eles sabem que a gente realmente pode *morrer* aqui?

– Ah, sabem, sim, pode acreditar. Hoje o seu avô disse... Nas palavras dele: *Podem me enterrar aqui, rapazes. Eu não vou embora.* – Soltou uma baforada. – Eles dizem que estão fazendo isso para o nosso futuro. Como se este pedaço de terra fosse a única coisa que pudéssemos querer.

– Será que a gente não podia convencê-los a ir embora?

O pai deu risada.

– E quem sabe Milo possa criar asas e sair voando.

– A gente não poderia ir sem eles? Muita gente tá indo. Você sempre diz que nós moramos nos Estados Unidos, a terra onde tudo é possível. A gente podia ir pra Califórnia. Ou você podia arranjar um emprego na ferrovia, no Oregon.

Loreda ouviu passos. Pouco depois, a mãe apareceu, de botas e com seu roupão velho e surrado, o cabelo solto.

– Rafe – falou, aliviada, como se achasse que ele poderia ter fugido. Era patético como a mãe vigiava o pai. Vigiava todos. Era mais uma policial do que alguém da família, e tirava a graça de tudo. – Não vi você quando acordei. Achei que...

– Eu estou aqui – disse o pai.

O sorriso da mãe foi tenso, como tudo nela.

– Vamos entrar. Os dois. Já está tarde.

– Claro, El – concordou o pai.

Loreda detestava ver o pai abatido daquela forma, como se seu brilho se apagasse perto da mãe. Ela sugava a vida de todo mundo com seus olhares de sofrimento.

– Isso tudo é culpa sua.

– Do que eu sou culpada, Loreda? – replicou a mãe. – Da seca? Da Depressão?

O pai tocou o braço de Loreda e balançou a cabeça. *Não.*

A mãe esperou um momento para Loreda responder, mas acabou se virando e tomou a direção da casa.

O pai a seguiu.

– Nós poderíamos ir embora – disse Loreda ao pai, que continuou andando como se não tivesse ouvido. – Tudo é possível.

No dia seguinte, Elsa acordou bem antes do amanhecer e viu o lado da cama de Rafe vazio. Ele tinha dormido no celeiro de novo. Ultimamente, Rafe preferia isso a estar com ela. Soltou um suspiro, se vestiu e saiu do quarto.

Na cozinha ainda escura, Rose estava diante da pia, as mãos na água que tinha tirado do poço. Uma tigela grande e rachada secava ao seu lado sobre as toalhas na bancada. Toalhas que Elsa tinha bordado à mão, à noite, à luz de velas, com as cores favoritas de Rafe. Acreditava que organizar um lar perfeito era o caminho para formar um casamento perfeito. Lençóis limpos cheirando a lavanda, fronhas bordadas, cachecóis tricotados à mão. Passava horas realizando essas tarefas, despejando seu corpo e sua alma nelas, usando fios e agulhas para dizer o que não conseguia expressar em palavras.

O bule de café em cima do fogão emanava um aroma agradável. Uma bandeja retangular de *panelle* de grão-de-bico na mesa e um fio de azeite borbulhava numa frigideira de ferro batido no fogão. Ao lado, o mingau de aveia fervia numa panela.

– Bom dia – disse Elsa.

Ela tirou a espátula da gaveta e pôs duas *panelle* no óleo quente. Aquilo seria a refeição do meio do dia, ingerida como um sanduíche, temperada com preciosas gotas de limão em conserva.

– Você parece cansada – comentou Rose, solidária.

– Rafe não tem dormido bem.

– Ajudaria se ele parasse de beber no celeiro à noite.

Elsa se serviu de uma xícara de café e se recostou na parede, coberta por papel cor-de-rosa. Notou o canto do piso onde o linóleo estava se soltando. Em seguida foi virar as *panelle*, observando a crosta marrom e crocante.

Elsa começou a desmontar a batedeira de manteiga. As peças precisavam ser lavadas, escaldadas e remontadas numa ordem precisa e sequencial para a batedeira ser guardada e usada de novo. Era o trabalho perfeito para manter a cabeça ocupada.

Uma centopeia saiu de seu esconderijo e caiu na bancada. Elsa pegou duas facas e a fatiou em pedaços. Coabitar com centopeias, aranhas e outros insetos tinha se tornado um lugar-comum. Todas as coisas vivas das Grandes Planícies procuravam abrigo das tempestades de areia.

As duas mulheres trabalharam num silêncio cúmplice até o sol nascer e as crianças saírem da cama.

– Eu sirvo o desjejum para eles – disse Rose. – Por que não leva um café para o Rafe?

Elsa apreciou a gentileza da sogra.

– Obrigada – disse, sorrindo.

Ela serviu uma xícara de café para o marido e saiu.

O sol brilhava amarelo num céu sem nuvens, azul como as flores do trigo.

Em vez de se concentrar nos recentes rastros de destruição do quintal – estacas da cerca quebradas, o moinho danificado, pilhas de areia aumentando –, Elsa preferiu pensar em coisas boas. Se agisse depressa, conseguiria lavar toda a roupa e deixar tudo para quarar até ficar bem branco. Algo em lençóis limpos pendurados no varal a animava. Talvez fosse a simples visão de ter realizado algo que melhorava a vida da família, mesmo que ninguém percebesse.

Tony estava no moinho, consertando uma pá quebrada. O *pam-pam-pam* do martelo ecoava pela infindável planície amarronzada.

Elsa encontrou Rafe no último lugar do mundo em que esperava encontrá-lo: no cemitério da família. Um pequeno lote de terra marrom delineada por uma cerca meio tombada. Antigamente incluía um lindo jardim, com flores-da-manhã róseas subindo pela cerca e um carpete de relva azul-esverdeada. Elsa costumava passar uma hora lá todos os domingos, com chuva, calor ou neve, mas agora não ia mais com tanta frequência. Como sempre, as lápides a lembraram do filho perdido, dos sonhos que tecera para ele enquanto estava em seu útero e da dor que havia suavizado com o tempo, porém nunca passado por completo.

Abriu o portão, que pendia torto numa dobradiça quebrada. Dezenas de pedaços de cerca brancos espalhavam-se pelo chão, alguns quebrados, outros arrancados do solo pelo vento inclemente.

Quatro lápides cinzentas projetavam-se da terra. Três dos filhos de Rose e Tony (todas meninas) e a de Lorenzo...

Rafe estava ajoelhado em frente à lápide do filho, *Lorenzo Walter Martinelli, 1931-1931*.

Elsa ajoelhou-se ao lado dele, colocando a mão em seu ombro.

Rafe virou-se para ela. Elsa nunca tinha visto tanta dor nos olhos do marido, nem mesmo quando enterraram o filho recém-nascido. Rafe só tinha 28 anos quando segurou o filho morto no colo e chorou sua perda. Até onde Elsa sabia, ele nunca tinha ido ali, nem se ajoelhado diante do túmulo.

– Eu também sinto muito a morte dele – falou Elsa, tropeçando um pouco nas palavras.

– Esta semana, o velho Orloff matou o último bezerro que tinha. O coitado estava com a barriga cheia de terra.

– Eu sei. – Elsa estranhou a súbita mudança de assunto.

– Ant me perguntou por que o estômago dele dói o tempo todo. Como eu vou dizer a ele que a terra o está matando? – Rafe se levantou, pegou Elsa pela mão e a ajudou a se erguer e ficar ao seu lado. – Vamos embora daqui.

– Ir embora?

– Para o Oeste. Para a Califórnia. As pessoas estão saindo daqui todos os dias. Ouvi falar que há empregos na ferrovia. E talvez eu me qualifique para esse programa do presidente Roosevelt. O Corpo de Conservação.

– Nós não temos dinheiro para a gasolina.

– Podemos ir andando. Pegar trens. Pegar caronas. A gente consegue chegar lá. As crianças são fortes.

– *Fortes?* – Elsa largou a mão do marido e deu um passo para trás. – Eles não têm sequer sapatos que sirvam. Nós não temos dinheiro. Nem comida. Você viu as fotos das favelas, é isso o que tem por aí. Anthony tem 7 anos. Até onde você acha que ele consegue andar? Você quer que ele suba num trem em movimento?

– Na Califórnia é diferente – retrucou Rafe, teimosamente. – Lá tem empregos.

– Os seus pais não vão sair daqui. Você sabe disso.

– Não podemos ir sem eles? – Foi uma pergunta, não uma afirmação, e Elsa percebeu o quanto ele se envergonhava por ter feito aquele questionamento.

– Ir sem eles?

Rafe passou a mão nos cabelos e olhou para a paisagem morta e para os túmulos já existentes na sua terra.

– Esse vento maldito e essa seca vão matar os dois. E a nós. Eu não aguento mais. Não consigo.

– Rafe... você não pode estar falando sério.

Aquela terra era a herança dele, o futuro deles, o futuro dos filhos. As crianças iriam crescer naquela terra, sempre sabendo da sua história, sabendo quem eram e de onde vieram. Aprenderiam o orgulho que acompanhava um bom dia de trabalho. Eles *pertenceriam* a algum lugar. Rafe não sabia o que era não ter raízes, a dor que isso significava, mas Elsa sabia, e jamais infligiria esse sofrimento aos filhos. Ali era o *lar* deles. Rafe precisava saber que os tempos difíceis um dia terminavam. A terra resistiria. A família resistiria. Como ele podia pensar em deixar Tony e Rose ali sozinhos? Era impensável, inconcebível.

– Quando chover...

– Meu Deus, como eu odeio essa frase – interrompeu Rafe, expressando uma amargura que Elsa nunca tinha visto no marido.

Ela viu a agonia nos olhos dele, a desilusão, a raiva.

Elsa queria tocá-lo, mas não se atreveu. As palavras *Eu te amo* queimavam em sua garganta ressecada.

– Eu só acho que...

– Eu sei o que você acha.

Rafe saiu andando sem olhar para trás.

Ir embora. Abandonar aquela terra e sair andando sem nada.

Sair *andando*, literalmente. Ainda pensava sobre isso horas depois, bem após o anoitecer.

Não conseguia se imaginar acompanhando uma horda de desempregados errantes, sem-teto e migrantes que se dirigiam para o Oeste. Ouvira falar que era perigoso subir naqueles trens, que as gigantescas rodas de ferro podiam decepar pernas e pés, cortar corpos pela metade. E havia também a criminalidade, homens maus que abandonaram a própria consciência junto com suas famílias. Elsa não era uma mulher corajosa.

Mas...

Ela amava o marido. A quem havia jurado amar, honrar e obedecer. Com certeza "seguir" estava implícito nisso.

Será que deveria ter concordado em ir para a Califórnia? Ao menos conversado a respeito? Talvez na primavera, se chovesse e houvesse uma colheita, eles tivessem dinheiro para a gasolina.

E Deus sabia que Rafe estava infeliz ali. Assim como Loreda.

Talvez eles pudessem ir – todos eles – e voltar quando a estiagem terminasse.

Por que não?

A terra estaria esperando por eles.

Ela poderia ao menos discutir isso com Rafe, fazê-lo entender que era sua esposa e que formavam um time, e que se ele desejava tanto isso, ela concordaria. Deixaria aquela terra que passara a amar, o único lar que já tivera.

Por Rafe.

Jogou um xale por cima da camisola surrada, calçou as botas de borracha na porta de casa e saiu.

Onde ele estava? Provavelmente no moinho, sozinho, ruminando sua frustração. Ou tinha pegado carona numa carroça e ido até o Silo para tomar uísque no balcão?

Eram quase nove da noite e a fazenda estava em silêncio.

A única luz da casa vinha da janela do quarto de Loreda, no segundo andar. A filha estava lendo na cama, como Elsa fazia na idade dela. Andou pelo quintal. As galinhas se agitaram de forma letárgica quando ela passou, mas logo se acalmaram. Ouviu música vindo do quarto dos sogros. Tony tocando o seu violino. Elsa sabia que a música era o modo dele de falar com Rose naqueles tempos difíceis, como os dois se recordavam de seu passado e de seu futuro em comum, a maneira de ele dizer *Eu te amo*.

Encontrou Rafe no escuro, perto do curral, uma silhueta difusa contra o fundo das tábuas do curral, tudo banhado pela luz prateada da lua minguante. A ponta alaranjada de um cigarro.

Rafe ouviu seus passos, Elsa percebeu.

O marido afastou-se do curral, apagou o cigarro e guardou o que restava no bolso da camisa. A canção de amor de Tony chegava ondulante até eles.

Elsa parou na frente do marido. Bastaria um pequeno movimento para tocar o ombro dele. Sabia que a cambraia azul desbotada da camisa estaria tépida depois daquele longo dia de calor. Era ela quem lavava, remendava e dobrava todas as roupas dele, e conhecia a sensação de tocar em cada uma delas.

Como era possível Elsa estar tão perto a ponto de sentir o calor emanando dele, o cheiro de uísque e cigarro de seu hálito, e ainda assim sentir como se um oceano se agitasse entre os dois?

Ele a surpreendeu ao segurar sua mão e abraçá-la.

– Você se lembra daquela nossa primeira noite, na caminhonete em frente ao casarão abandonado?

Elsa aquiesceu, hesitante. Eles não costumavam falar sobre aquilo.

– Você disse que queria ser corajosa. E eu só queria... estar em outro lugar.

Elsa olhou para ele, viu sua dor, que também doía nela.

– Ah, Rafe...

Ele a beijou, longa, lenta e profundamente, sentindo o gosto de sua língua.

– Você foi o meu primeiro beijo – murmurou, recuando um pouco para olhar para ela. – Lembra de mim naquela época?

Era a coisa mais romântica que ele já lhe dissera, e aquilo a encheu de esperança.

– Sempre – respondeu, num sussurro.

A música de Tony parou, deixando um silêncio pesado no ar. Insetos entoavam suas canções em *staccato*. Os cavalos se movimentaram casualmente no curral, empurrando a cerca com o focinho, sinalizando que estavam com fome.

A noite estava escura, o grande céu brilhando com estrelas. Talvez fossem outros universos o que Elsa via lá em cima.

Foi uma sensação linda e romântica, e naquele momento os dois poderiam estar sozinhos no planeta, só na presença daqueles sons noturnos.

– Você está pensando na Califórnia – falou Elsa, tentando encontrar as palavras certas para iniciar uma nova conversa.

– É. Ant andando mais de mil quilômetros com sapatos furados. Nós todos numa fila de pão em algum lugar. Você tem razão. Não dá para fazer isso.

– Talvez na primavera...

Rafe silenciou-a com um beijo.

– Vá dormir – murmurou. – Eu vou mais tarde.

Elsa sentiu-o se desvencilhando, soltando-a.

– Rafe, acho que a gente deveria conversar sobre...

– Não se aflija, El. Eu já vou me deitar. Aí nós conversamos. Só preciso dar água aos animais.

Elsa queria detê-lo e fazê-lo escutar, mas tal ousadia estava além dela. No fundo, ela sempre teve medo do quanto sua ligação com Rafe era tênue. Não podia forçar demais.

Mas naquela noite ela o procuraria, iria tocá-lo com a intimidade com que tanto sonhava. Superaria o que pudesse haver de errado com ela e finalmente o agradaria.

Faria isso. E quando tivessem acabado de fazer amor, ela falaria sobre ir embora, seriamente. E, o mais importante, ele ouviria.

Elsa voltou ao quarto e ficou andando de um lado para outro. Por fim, foi até a janela e abriu os trapos encrostados de pó e os jornais que cobriam o vidro e as esquadrias.

Conseguia ver o moinho, um borrão de linhas escuras, uma flor no fundo do céu estrelado.

Rafe estava lá, encostado no moinho, quase indistinguível. Fumando.

Deitou-se, cobriu-se com a manta e ficou à espera do marido.

Quando deu por si, já era dia, e sentiu cheiro de café. O aroma intenso e amargo a tirou do conforto da cama. Penteou os cabelos com os dedos e vestiu um traje caseiro, tentando não se sentir magoada por Rafe mais uma vez não ter dormido no quarto deles naquela noite.

Juntou os cabelos e os prendeu na nuca com uma fivela antes de cobrir a cabeça com um lenço.

Deu uma olhada nos filhos – deixando-os dormir até mais tarde naquela manhã de sábado – e tomou a direção da cozinha, onde um pote cheio da água de batata da noite tinha sido reservado para fazer pão.

O desjejum se resumia a flocos de trigo, e Elsa começou a comer. Graças a Deus uma das vacas continuava produzindo leite.

Loreda foi a primeira a sair da cama. Seus cabelos eram um ninho de ratos, com as mechas cheias de nós. As queimaduras de sol descascavam no seu nariz.

– Flocos de trigo. Oba – falou, andando até a caixa de gelo. Abriu-a, pegou o jarro de louça amarelado contendo uma pequena e preciosa porção de creme e levou-o à mesa forrada com uma toalha de plástico, onde os pratos e as tigelas rachados já estavam no lugar, emborcados para evitar a poeira. Loreda desvirou três pratos.

Ant chegou logo depois, sentando-se na cadeira ao lado da irmã.

– Eu quero panqueca – resmungou.

– Vou pôr um pouco de melaço nos seus flocos – disse Elsa.

Serviu os flocos de trigo, gotejou com creme, acrescentou um pouco de melaço de milho nas cuias, junto com dois copos de leite fresco.

Enquanto os filhos comiam em silêncio, Elsa foi até o celeiro. O vento e a areia tinham mais uma vez mudado a paisagem durante a noite, preenchendo uma boa parte da gigantesca rachadura que se abrira no terreno.

Ao passar pela pocilga, viu o único porco restante esparramado na terra socada, e a semeadora puxada a cavalo, agora sem uso, meio enterrada na areia. Mais à frente, viu Rose procurando maçãs no solo rachado do pomar.

No curral, as duas vacas estavam lado a lado, cabeça baixa, mugindo de forma comovente. As costelas eram visíveis, os ventres encolhidos, as laterais salpicadas de feridas. Elsa lembrou-se de alguns anos antes, quando a vaca mais nova, Bella, nascera. Elsa a alimentara com uma mamadeira, pois a mãe não tinha sobrevivido ao parto. Rose ensinara Elsa a preparar a mamadeira e fazer a inquieta novilha tomá-la. Às vezes Bella ainda seguia Elsa pelo quintal, como um bicho de estimação.

– Oi, Bella – disse Elsa, acariciando o focinho ossudo da vaca.

Bella levantou a cabeça, os grandes olhos castanhos cobertos de poeira, e deu um mugido pungente.

– Eu sei – respondeu ela, pegando um balde pendurado na cerca.

Levou Bella para o relativo frescor do curral, amarrou-a à estaca central e puxou o banquinho de ordenha. Não conseguiu deixar de olhar para o palheiro – já quase sem feno. Tinha quase certeza de que Rafe dormira lá. De novo.

Elsa sempre adorou aquele trabalho. Demorou muito tempo para aprender; ouviu Rose se irritar várias vezes enquanto ela tentava dominar a técnica, mas agora já sabia o que fazer, e aquela era uma de suas tarefas prediletas. Adorava estar com Bella, adorava o cheiro adocicado do leite fresco, o ruído metálico do primeiro jorro no balde. Adorava até o que vinha a seguir: levar o balde de leite ainda morno até a casa, despejar num separador, girar a manivela da máquina, recolher o creme espesso e amarelado, reservar o leite integral para alimentar a família e reservar o soro para os animais.

Elsa viu o úbere quase flácido da vaca e segurou as tetas com delicadeza.

A vaca mugiu de dor.

– Desculpe, Bella… – disse.

Tentou mais uma vez, apertando com a maior delicadeza possível, bem devagar.

Um fluxo de leite amarronzado espirrou, o cheiro pungente. A cada dia parecia que o leite demorava mais para embranquecer, para se tornar utilizável. Os primeiros jorros eram sempre sujos daquele jeito. Elsa jogou fora o líquido marrom, limpou o balde e tentou novamente. Ela nunca desistia, por mais que Bella mugisse ou por mais que demorasse para o leite sair limpo.

Quando terminou, tendo conseguido menos do que o necessário, voltou com a pobre vaca para o curral.

Ao passar pelo estábulo, notou que Milo e Bruno fungavam alto e mordiam a porta, tentando comer a madeira.

Quando fechou a porta do curral depois de sair, ouviu um tiro.

O que é isso agora?

Elsa se virou e viu o sogro no chiqueiro, abaixando a escopeta enquanto o último porco tombava de lado, imóvel.

– Graças a Deus – murmurou Elsa.

Carne para as crianças.

Fez um aceno enquanto ele punha o leitão morto num carrinho de mão e tomava a direção do celeiro para separar as partes.

Um arbusto seco rolou preguiçosamente perto dela, soprado por uma brisa leve. Seu olhar acompanhou a linha da cerca, onde os cardos-selvagens sobreviviam contra todas as probabilidades, crescendo teimosamente até mesmo na seca, contra o vento. As vacas os comiam quando não havia mais nada. Assim como os cavalos.

Levou o leite para casa e saiu novamente, atravessando o terreno entre o celeiro e a cerca. O vento agitou o lenço na sua cabeça, como se tentasse detê-la.

Os cardos formavam um emaranhado de espinhos e galhos quase verdes. Rígidos. Resistentes. Com espinhos pontiagudos como alfinetes.

Tirou as luvas do bolso do avental e as vestiu. Fazendo uma concha com o avental, passou a mão pelos espinhos cortantes e colheu um broto verde.

Sentiu o gosto.

Não era tão ruim. Talvez pudessem ser cozidos lentamente em azeite, vinho, alho e ervas. Será que poderiam ficar com gosto de alcachofra? Tony adorava alcachofras. Talvez aproveitá-los fosse a resposta…

Amanhã ela convocaria todos para uma colheita e encontraria um jeito de prepará-los.

Ao meio-dia, quando já tinha colhido o máximo que cabia no seu avental, voltou para a casa.

Encontrou Tony e as crianças já sentados à mesa para o almoço.

– Eu achei umas uvas – disse Ant, balançando-se na cadeira, alegre pela sua contribuição.

Elsa passou a mão no cabelo dele, sentindo sua textura.

– Hoje à noite um garotinho que eu conheço vai tomar banho.

– Preciso mesmo?

Elsa sorriu.

– Estou sentindo o cheiro daqui. Eca.

Tony tirou o chapéu, mostrando uma faixa de pele mais clara na testa, e se sentou. Tomou um copo inteiro de chá em dois goles, depois enxugou a boca com as costas da mão.

Rose entrou na cozinha e serviu um copo de vinho ao marido.

Tony mergulhou na sua porção de *arancini*. Era o prato favorito da família: bolinhos de arroz recheados com queijo cremoso, nadando em um molho de tomate temperado com alho e pancetta.

Elsa pôs sua pilha de cardos numa tigela perto da pia.

– O que é isso? – perguntou Rose, enxugando as mãos no avental.

– Cardos. Acho que consigo dar um jeito de deixar isso comível. Têm gosto de alcachofra.

Rose soltou um suspiro.

– A que ponto chegamos. Italianos comendo comida de cavalo. *Madonna mia*.

– Cadê o Rafe? – perguntou Elsa, olhando ao redor. – Preciso falar com ele.

– Eu não vi o papai o dia inteiro – respondeu Ant. – Até procurei.

Elsa saiu para o quintal, tocou o sino chamando para o almoço e ficou esperando, observando a fazenda.

Os cavalos e a carroça estavam lá, então ele não tinha ido para a cidade.

Talvez estivesse no quarto.

Voltou para a casa e subiu. A luz do sol dava às paredes brancas do quarto um tom dourado. Um grande retrato de Jesus a encarava.

O quarto estava vazio – só viu a cama e o gaveteiro que dividia com o marido e a pia com seu espelho oval. Tudo como sempre, exceto...

Havia marcas no chão, saindo debaixo da cama, como se alguma coisa tivesse sido posta ou tirada de lá.

Elsa levantou a colcha e olhou embaixo da cama. Viu sua mala, a que havia trazido para o seu casamento, e a caixa de roupas de bebê que guardava por precaução.

Faltava alguma coisa. O quê?

Ficou de joelhos para enxergar melhor. O que estava faltando?

A mala de Rafe. A que ele tinha preparado para ir à faculdade, tantos anos antes. A que desfez quando o pai de Elsa a deixou ali.

Ela olhou para os lados. As roupas do marido não estavam nos cabides perto da porta nem seu chapéu.

Levantou-se devagar e foi até a cômoda, abriu a primeira gaveta.

A gaveta dele.

Só restava uma camisa azul de cambraia.

DEZ

Elsa não conseguia acreditar que Rafe tinha partido no meio da noite, sem dizer uma palavra.

Treze anos morando com ele, dividindo a cama, cuidando dos seus filhos. Sabia que ele nunca fora apaixonado por ela, mas... *isso*?

Saiu do quarto, viu a família – a família dela, a família deles – sentada à mesa, conversando. Ant contando de novo a história das uvas.

Rose ergueu o olhar.

– Elsa?

Ela queria dar a Rose aquela notícia terrível, para ter algum apoio, mas antes precisava ter certeza. Talvez ele tivesse ido a pé até a cidade para... alguma coisa.

Com todos os seus pertences.

– Eu... tenho que fazer uma coisa – disse Elsa, percebendo o ceticismo de Rose.

Saiu correndo da casa e pegou a bicicleta de Loreda, pedalando pela areia grossa que recobria a entrada, forçando as pernas. Mais de uma vez teve que se desviar de galhos mortos de árvores caídas, expostas à última tempestade de areia. Parou na caixa de correio, examinou lá dentro. Nada.

No caminho para a cidade, não viu nenhum automóvel ou carroça na estrada. Os pássaros se congregavam nos fios telefônicos, chilreando para ela. Vários corvos e cavalos vagavam à solta, gemendo, suplicando por água e comida. Incapazes de cuidar dos animais ou matá-los, alguns agricultores os soltavam para que se virassem sozinhos.

Quando chegou a Lonesome Tree, parou. Um arbusto passou rolando, arranhando seu tornozelo descoberto. Lonesome Tree jazia anestesiada à sua frente, as lojas cobertas por tapumes, sem nenhum verde, o álamo que dava nome à cidade quase morto, parte das tábuas da calçada arrancadas pelo vento.

Pedalou na direção da estação ferroviária.

Talvez ele ainda estivesse lá.

Só viu um salão cheio de bancos vazios. Um chão poeirento. Um bebedouro.

Seguiu até a bilheteria. Atrás de uma pequena abertura arqueada viu um homem com a camisa branca empoeirada e braçadeiras pretas no cotovelo.

– Olá, Sr. McElvaine.

– Olá, Sra. Martinelli.

– Meu marido esteve aqui recentemente? Comprou alguma passagem?

O homem desviou o olhar para os papéis sobre sua mesa.

– Por favor. Não me faça perguntar de novo. Isso já é humilhante demais para mim, concorda?

– Ele não tinha dinheiro.

– Ele disse para onde queria ir?

– Talvez seja melhor a senhora não saber.

– Eu quero saber.

O homem suspirou e olhou para Elsa.

– Ele disse: "Qualquer lugar menos aqui."

– Ele disse isso?

– Se servir de consolo, ele estava quase chorando.

O homem pegou um envelope amassado e passou pelas barras de ferro do guichê.

– Ele pediu para entregar isto à senhora.

– Ele sabia que eu viria?

– As mulheres sempre vêm.

Elsa deu um suspiro entrecortado.

– Então, se ele não tinha dinheiro, talvez…

– Ele fez o que todos fazem.

– Todos?

– Homens de todo o condado estão deixando as famílias. Abandonando os filhos e parentes. Nunca vi nada igual. Um homem de Cimarron matou a família inteira antes de ir embora.

– Para onde eles vão sem dinheiro?

– Para o Oeste, senhora. A maioria. Pulam no primeiro trem que passar pela cidade.

– Talvez ele volte.

O homem deu um suspiro.

– Ainda não vi nenhum voltar.

Elsa ficou em frente à estação. Abriu a carta de Rafe bem devagar, como se fosse pegar fogo. O papel estava amarrotado e poeirento e parecia úmido. Seriam lágrimas?

Elsa.

Desculpe. Sei que palavras não fazem diferença, mas talvez sejam melhores do que nada.

Eu estou morrendo aqui, é só o que sei. Mais um dia nessa fazenda e sou capaz de dar um tiro em minha própria cabeça. Eu sou fraco. Você é forte. Você ama essa terra e essa vida de um jeito que jamais consegui amar.

Diga aos meus pais e aos meus filhos que eu amo todos eles. Vocês vão ficar melhor sem mim. Por favor, não me procure. Não quero ser encontrado. Aliás, nem sei para onde estou indo.

Elsa nem sequer conseguiu chorar.

O sofrimento já fazia parte da sua vida havia tanto tempo que se tornara tão familiar quanto a cor dos seus cabelos ou a leve curvatura da coluna. Às vezes eram as lentes pelas quais via seu mundo, outras vezes era a venda que usava para não ver nada. Mas estava sempre ali. Elsa sabia que era sua culpa, por alguma razão, por alguma coisa que fizera. Mas, apesar de todas as suas desesperadas cogitações sobre as razões de tudo aquilo, ela nunca conseguira ver uma deficiência em si mesma que se mostrasse tão crucial. Seus pais tinham visto. O pai, com certeza. E as irmãs mais novas e mais bonitas também. Todos tinham percebido o que faltava em Elsa. Loreda com certeza também via.

Todos – inclusive Elsa – tinham pressuposto que ela viveria a vida se desculpando, perdida entre as necessidades de pessoas mais vibrantes. A cuidadora, a zeladora, a mulher deixada para trás.

Então ela conhecera Rafe.

Seu marido bonitão, charmoso e instável.

– Cabeça erguida – disse em voz alta.

Era preciso pensar nos filhos. Dois filhos pequenos que precisavam ser consolados pela traição do pai.

Filhos que cresceriam sabendo que o pai os havia abandonado na tenra idade.

Filhos que, como Elsa, seriam moldados pelo sofrimento.

Quando voltou à fazenda, Elsa se sentia como uma máquina se quebrando lentamente. A família estava em casa, tocando a vida. Rose e Loreda na cozinha, fazendo massa, e Ant e Tony na sala, engraxando os arreios de couro.

A vida das crianças nunca mais seria a mesma. Suas opiniões sobre todas as coisas mudariam, mas principalmente suas opiniões sobre si mesmas, sobre a durabilidade do amor e sobre a sua família. Sempre saberiam que o pai não amava a mãe deles – nem os próprios filhos – o suficiente para se manter ao seu lado em tempos difíceis.

O que faria uma boa mãe nessas circunstâncias? Diria a verdade nua e crua?

Ou uma mentira seria melhor?

Se Elsa mentisse para proteger os filhos do egoísmo de Rafe e para proteger o marido do ressentimento que provocara, poderia se passar muito tempo até a verdade vir à tona – se viesse.

Ela passou por Tony e Ant na sala e entrou na cozinha, onde a filha preparava massa de macarrão na mesa enfarinhada. Apertou o ombro da filha. Foi só o que pôde fazer para não tentar dar um abraço bem apertado nela. Mas Elsa não conseguiria aguentar mais uma rejeição naquele momento.

Loreda se desvencilhou.

– Cadê o papai?

– É, cadê ele? – perguntou Ant, na sala. – Eu quero mostrar pra ele a ponta de flecha que eu e o vovô encontramos.

Rose estava no fogão, pondo sal num caldeirão cheio de água. Ela olhou para Elsa e desligou o fogo.

– Você andou chorando? – perguntou Loreda.

– Não, meus olhos estão lacrimejando por causa da poeira – respondeu Elsa, forçando um sorriso. – Você e seu irmão não podem procurar umas batatas? Eu preciso falar com a vovó e o vovô.

– Agora? – reclamou Loreda. – Eu detesto fazer isso.

– Agora – respondeu Elsa. – E leve o seu irmão.

– Vamos lá, Ant – chamou Loreda, largando a massa na mesa –, vamos escavacar como porquinhos sujos.

Ant deu uma risadinha.

– Eu gosto de ser um porquinho.

– Deve gostar mesmo.

As crianças saíram correndo da casa e bateram a porta.

Rose olhou para Elsa.

– Você está me deixando preocupada.

Elsa foi para a sala, direto para a garrafa de uísque de milho de Tony, e se serviu de uma dose.

Tinha um gosto tão ruim que ela serviu uma segunda dose e bebeu.

– *Madonna mia* – disse Rose em voz baixa. – Em todos esses anos eu nunca vi você beber, e agora uma dose dupla.

Rose chegou por trás de Elsa e pôs a mão em seu ombro.

– Elsa – disse Tony, deixando o arreio de lado e se levantando. – O que aconteceu?

– É o Rafe.

– Rafe? – repetiu Rose, franzindo a testa.

– Ele foi embora.

– Rafe foi embora? – indagou Tony. – Para onde? Foi de novo para aquela maldita taverna? Eu já disse pra ele...

– Não – retrucou Elsa. – Ele foi embora de Lonesome Tree. De trem. Pelo menos foi o que me disseram.

Rose a encarou.

– Foi *embora*? Ele não faria isso. Eu sei que ele anda infeliz, mas...

– Pelo amor de Deus, Rose! – interrompeu Tony. – Nós todos estamos infelizes. Só cai areia do céu. As árvores estão tombando mortas. Os animais estão morrendo. Todos estamos infelizes.

– Ele queria ir para a Califórnia – disse Elsa. – Eu disse que não. Foi um erro. Eu ia conversar com ele a respeito, mas...

Ela tirou a carta do bolso e a entregou aos sogros.

Rose pegou a carta com as mãos trêmulas e a leu, os lábios pronunciando as palavras em silêncio. Quando ergueu os olhos, estavam cheios de lágrimas.

– Filho da mãe – disse Tony, amassando a carta. – Isso é que dá mimar um filho.

Rose parecia em choque.

– Ele vai voltar – falou.

Os três se entreolharam. Aparentemente, uma ausência podia transbordar de uma sala.

A porta da frente se abriu ruidosamente. Loreda e Ant voltaram com as mãos e as caras sujas e três batatinhas.

– Quase não dá para comer. – Loreda parou de repente. – Qual é o problema? Alguém morreu?

Elsa pôs o copo na mesa.

– Eu preciso falar com vocês dois.

Rose levou a mão à boca. Elsa entendeu. Dizer aquelas palavras em voz alta mudaria a vida das crianças.

Rose puxou Elsa e a abraçou com força, depois a soltou.

Elsa virou-se para os filhos.

Ficou abalada ao ver seus rostos. Os dois eram parecidíssimos com o pai. Foi até eles, abraçou os dois de uma vez. Ant retribuiu o abraço com alegria, Loreda lutou para se desvencilhar.

– Você tá me amassando – reclamou.

Elsa soltou Loreda.

– Cadê o papai? – perguntou Ant.

Elsa afastou o cabelo do filho do rosto sardento.

– Venham comigo.

Ela levou os dois para o alpendre, onde se sentaram no banco de balanço. Elsa pôs Ant no colo para abrir espaço.

– O que deu errado agora? – perguntou Loreda, parecendo irritada.

Elsa respirou fundo, deu um impulso com os pés e deixou o banco balançando para a frente e para trás. Deus, como ela queria que seu avô estivesse ali para dizer *Seja corajosa* e lhe dar um pequeno empurrão.

– O pai de vocês foi embora...

Loreda pareceu impaciente.

– Ah, é? E para onde ele foi?

E lá estava. O momento de mentir ou dizer a verdade.

Ele arranjou um emprego fora da cidade, para nos salvar. Seria fácil falar, mas difícil provar quando não recebessem nem dinheiro nem cartas, quando o pai não voltasse para casa depois de meses e mais meses. Mas ao menos eles não dormiriam chorando.

Só Elsa faria isso.

– Mamãe – disse Loreda rispidamente. – Para onde o papai foi?

– Eu não sei – respondeu Elsa. – Ele nos deixou.

– Espera aí. *O quê?* – Loreda pulou do balanço. – Você tá dizendo...

– Ele foi embora, Lolo – disse Elsa. – Parece que pulou num trem.

– NÃO ME CHAME ASSIM! Só ele pode me chamar assim! – gritou Loreda.

Elsa se sentiu tão frágil que teve medo de estar com lágrimas nos olhos.

– Sinto muito.

– A culpa disso é toda *sua*! – disse Loreda.

– Eu sei.

– EU TE ODEIO!

Loreda desceu correndo os degraus do alpendre e desapareceu pela lateral da casa.

Ant se contorceu para encarar a mãe. A desorientação do menino era de partir o coração.

– Quando ele vai voltar?

– Acho que ele não vai voltar, Ant.

– Mas... a gente precisa dele.

– Eu sei, querido. É difícil.

Elsa tirou o cabelo do rosto dele.

Seus olhos estavam cheios de lágrimas, e ver aquilo fez os olhos de Elsa arderem, mas ela se recusava a chorar na frente de Ant.

– Eu quero o meu pai. Eu quero o meu pai...

Elsa abraçou o filho e deixou-o chorar.

– Eu sei, querido. Eu sei...

Não conseguiu pensar em mais nada a dizer.

Loreda subiu no moinho e sentou-se na plataforma embaixo das gigantescas pás. Sentiu a madeira quente embaixo de si, aquecida pelo sol.

Como o pai pudera fazer aquilo? Como pudera deixar a família na fazenda, sem colheita e sem água? Como pudera partir...

Sem mim.

Doía tanto que ela nem conseguia respirar.

– Volta! – gritou.

O céu azul e claro das Grandes Planícies engoliu seu grito débil e a deixou ali, sozinha, se sentindo pequena e solitária.

Como pôde abandoná-la, sabendo o quanto ela queria ir embora daquela fazenda? Ela era como o pai, não como a mãe, a avó e o avô. Loreda não queria ser agricultora; queria sair pelo mundo, ser escritora e escrever alguma coisa importante. Não queria ficar no Texas.

Ela sentiu o moinho estremecer e pensou: *Maravilha, agora minha mãe vai subir aqui, cheia de pena, e tentar me consolar.* A mãe era a última pessoa que Loreda queria ver naquele momento.

– Vai embora! – gritou, enxugando os olhos. – Isso tudo é culpa sua.

A mãe suspirou. Parecia pálida, quase frágil, mas aquilo era ridículo. A mãe era tão frágil quanto uma raiz de iúca.

Elsa continuou subindo, chegou à plataforma e sentou-se ao lado da filha, no lugar que o pai sempre ocupava, o que deixou Loreda subitamente furiosa.

– Esse lugar não é seu! – falou. – Aqui é... – Não conseguiu falar mais.

A mãe pôs a mão na perna de Loreda.

– Querida...

– Não. *Não.* – Loreda se desvencilhou. – Não quero ouvir você mentindo e dizendo que vai ficar tudo bem. Nada nunca mais vai ficar bem. Você fez o meu pai ir embora.

– Eu amo o seu pai, Loreda – disse Elsa numa voz tão baixa que Loreda mal conseguiu ouvir. A menina viu lágrimas cintilando nos olhos da mãe e pensou: *Eu não vou ver você chorar.*

– Ele nunca me deixaria aqui.

As palavras pareceram estar sendo arrancadas de Loreda. A menina desceu do moinho e saiu correndo, cega pelas lágrimas, voltando para casa, onde o vovô e a vovó estavam no sofá, de mãos dadas, chocados, parecendo dois sobreviventes de um tornado.

– Loreda – disse a avó. – Volte aqui...

Loreda correu para o seu quarto e encontrou Ant encolhido como uma bolinha na cama dela, chupando o polegar.

A visão do irmão chorando finalmente fez Loreda desmoronar. Sentiu as próprias lágrimas queimando, rolando.

– Ele deixou a gente aqui? – perguntou Ant. – De verdade?

– Não nós dois. Ela. Provavelmente está esperando a gente em algum lugar.

Ant se sentou.

– Como numa aventura?

– Isso. – Loreda enxugou os olhos, pensando: *É claro.* – Como numa aventura.

Elsa continuou na plataforma, olhando para a frente, sem ver nada. A ideia de descer e voltar para casa, para o seu quarto – para a cama – era mais do que conseguia suportar. Por isso continuou lá, pensando em todas as coisas que tinha feito de errado que levaram àquele momento, perguntando-se como seria sua vida dali para a frente.

Sentiu uma lufada de vento nos cabelos. Estava tão perdida na própria dor que quase não percebeu.

Eu deveria tentar falar com Loreda.

Mas não estava pronta para encarar a fúria e o ressentimento da filha. Ainda não.

Deveria ter concordado com Rafe em ir para o Oeste. Tudo teria sido diferente se ela simplesmente tivesse dito *Claro, Rafe, vamos*. Ele teria ficado. Talvez convencessem Tony e Rose a irem junto.

Não.

Isso era uma mentira que nem agora conseguia dizer a si mesma. E como Elsa e Rafe poderiam deixar os dois para trás? Como poderiam ir para o Oeste sem carro e sem dinheiro?

O vento arrancou o lenço da cabeça dela.

Elsa viu o lenço voando ao vento. A plataforma balançou, as pás rangeram e começaram a girar.

Lá vem a tempestade.

Desceu da trepidante plataforma. Quando pisou no chão, uma lufada varreu o solo arenoso e levantou uma grande nuvem de poeira, que atingiu o rosto de Elsa como caquinhos de vidro.

Rose saiu correndo da casa, gritando:

– Tempestade! Vem logo!

Elsa correu na direção da sogra.

– E as crianças?

– Estão lá dentro.

As duas deram-se as mãos e correram para a casa, trancando a porta assim que entraram. Lá dentro, as paredes trepidavam. Chovia poeira do teto. Uma lufada de vento bateu forte, estremecendo tudo.

Rose enfiou mais pedaços de pano e jornais velhos nas esquadrias.

– Meninos! – gritou Elsa.

Ant entrou correndo na sala, parecendo assustado.

– Mamãe! – falou, agarrando-se a ela.

Elsa o abraçou.

– Ponha a máscara de gás – disse.

– Não. Eu não consigo respirar direito com ela – choramingou Ant.

– Ponha a máscara, Anthony. E fique embaixo da mesa da cozinha. Onde está sua irmã?

– Hein?

– Vá buscar a Loreda. Diga a ela para pôr a máscara.

– Hã... Não dá.

– Não dá? Por que não?

A expressão de Ant entristeceu.

– Eu prometi que não ia contar.

Elsa ajoelhou-se para olhar para ele, sob uma chuva de poeira.

– Anthony, onde está a sua irmã?

– Ela fugiu.

– O quê?

Ant assentiu, triste.

– Eu disse para ela que era uma ideia idiota.

Elsa correu até o quarto de Loreda e abriu a porta.

Não viu a filha.

Viu uma coisa branca através da poeira que caía do teto.

Um bilhete na penteadeira.

Eu vou encontrar o meu pai.

Elsa desceu a escada correndo e gritando para Rose e Tony:

– Loreda fugiu de casa! Vou pegar a caminhonete. Ainda tem gasolina no tanque?

– Um pouco – respondeu Tony. – Mas você não pode sair no meio dessa tempestade.

– Eu preciso achar a minha filha.

Na cozinha, Elsa pegou as chaves havia muito não usadas e saiu na violenta e pedregosa tempestade de areia. Levantou o lenço para tapar a boca e o nariz e franziu os olhos para se proteger.

O vento fazia redemoinhos à sua frente. A eletricidade estática deixava seus cabelos em pé. No lugar onde a cerca costumava ficar, viu faíscas azuladas cintilando no arame farpado.

Tateando o caminho pela tempestade, encontrou a linha que tinham estendido entre a casa e o celeiro.

Seguiu a corda áspera e abriu a porta na outra ponta com tudo. O vento invadiu, arrancando tábuas, aterrorizando os cavalos.

Bruno saiu do estábulo por uma tábua quebrada e ficou parado no corredor, as narinas infladas, em pânico. Fungou para Elsa e saiu correndo tempestade adentro.

Elsa tirou a coberta da caminhonete; o vento arrancou a lona das suas mãos e a mandou voando para o palheiro como uma vela de barco. Milo relinchava no estábulo, aterrorizado.

Elsa subiu no banco do motorista, enfiou a chave na ignição e a girou. O motor tossiu e ligou, relutante. *Por favor, que tenha gasolina suficiente para encontrar Loreda.*

Saiu do celeiro para a tempestade, as mãos agarradas ao volante enquanto o vento tentava empurrá-la para o acostamento. Uma corrente amarrada ao eixo tilintava atrás dela, aterrando a caminhonete para evitar um curto-circuito.

À sua frente, a areia marrom atravessava a pista, os faróis penetravam a obscuridade. Ao chegar à estrada, pensou: *Para que lado?*

Para a cidade.

Loreda jamais tomaria a outra direção. Não havia nada até a fronteira com Oklahoma.

Elsa forçou o volante para fazer a curva. Agora o vento batia atrás do carro, empurrando-o para a frente. Ela aproximou o rosto do vidro, tentando enxergar. Não conseguia passar de 15 quilômetros por hora.

Na cidade, os postes de iluminação estavam acesos por causa da tempestade. As janelas foram lacradas com tapumes e as portas, trancadas. Areia e poeira, terra e arbustos secos passavam pelas ruas.

Elsa viu Loreda na estação ferroviária, encolhida perto da porta fechada, segurando uma mala que a tempestade tentava arrancar da sua mão.

Elsa estacionou a caminhonete e saiu. Halos tênues de luz dourada brilhavam na rua, pontos de luz em meio à escuridão amarronzada.

– Loreda! – gritou, com uma voz aguda e estridente.

– Mãe!

Elsa saiu pela tempestade, que rasgou seu vestido e arranhou o seu rosto, deixando-a quase cega. Cambaleou pelos degraus da estação e abraçou Loreda, segurando-a tão forte que por um segundo não havia tempestade, nem as garras do vento nem as agulhadas da areia, só as duas abraçadas.

Obrigada, meu Deus.

– Precisamos entrar na estação – falou.

– A porta está trancada.

Uma janela explodiu perto delas. Elsa soltou Loreda e se arrastou até a janela quebrada, passando pelos cacos do parapeito, sentindo as pontas cortantes espetarem sua pele.

Lá dentro, destrancou a porta da frente, puxou Loreda para dentro e bateu a porta.

A estação estremecia ao redor delas; outra janela se quebrou. Elsa foi até o bebedouro, pegou um pouco de água morna e levou para Loreda, que bebeu avidamente.

Elsa desabou ao lado da filha. Os olhos ardiam tanto que mal conseguia enxergar.

– Me desculpe, Loreda.

– Ele queria ir para o Oeste, não é?

As paredes da estação estremeciam e faziam barulho. Parecia que o mundo ia desabar.

– Sim.

– E por que você não quis ir?

Elsa deu um suspiro.

– Seu irmão não tem sapatos. Nós não temos dinheiro para a gasolina. Não temos dinheiro para nada. Seus avós não iriam junto. Eu só vi razões para não ir.

– Eu cheguei até aqui e não soube para onde ele foi. Ele não queria que eu soubesse.

– Eu sei.

Elsa passou a mão nas costas da filha.

Loreda rejeitou o seu toque.

Elsa recolheu a mão e ficou ali sentada, sabendo que não havia nada que pudesse dizer para transpor aquele abismo entre elas. Rafe tinha deixado as duas, abandonado os filhos e suas responsabilidades, e ainda assim era *Elsa* quem Loreda culpava.

Naquela noite, depois de a tempestade amainar, Elsa voltou à fazenda com Loreda. De alguma forma, conseguiu encontrar forças para comer e alimentar as crianças, e finalmente se enfiou na cama. Tudo sem chorar na frente de ninguém. Sentiu como se fosse um grande triunfo. Nas horas seguintes ao abandono de Rafe, a tristeza de Rose tinha se transformado numa raiva que se expressava em imprecações em italiano. O desamparo de Loreda a deixou calada durante o jantar, e a confusão de Ant era dolorosa de se ver. Tony não olhou nos olhos de ninguém.

Ocorreu a Elsa quando entrou no quarto – finalmente – que ela não falava havia muito tempo, nem sequer respondia quando se dirigiam a ela. A dor da partida de Rafe continuava se expandindo por dentro, ocupando cada vez mais e mais espaço.

Agora não ventava lá fora, nenhuma força da natureza tentava derrubar as paredes. Havia apenas o silêncio, o ocasional uivo de um coiote, e de vez em quando o arranhar das patas de algum inseto passando pelo assoalho, mas nada além disso.

Elsa foi até a cômoda perto da janela. Abriu a gaveta de Rafe e viu a única camisa que restava. Era tudo o que tinha dele agora.

Pegou a camisa de cambraia azul-claro e colchetes de metal. Ela tinha feito aquela camisa para ele no Natal. Ainda havia uma marca avermelhada do sangue dela num dos punhos, de quando Elsa tinha se espetado durante a costura.

Elsa enrolou a camisa no pescoço como se fosse uma echarpe e saiu sem rumo na noite estrelada, sem destino. Talvez começasse a andar e não parasse mais... ou nunca mais tirasse aquela echarpe, e um dia, quando estivesse velha e grisalha, alguma criança perguntaria sobre aquela mulher louca que usava uma camisa como echarpe e ela diria que não conseguia se lembrar de quando começara a usá-la ou de quem era a camisa.

Ao se aproximar da caixa de correio, viu Bruno, o cavalo deles, morto, emaranhado em galhos secos de árvores caídas, com a boca cheia de poeira. Amanhã eles teriam que cavar aquela terra dura e ressecada para enterrar o animal. Outra tarefa horrível, mais uma despedida.

Ela soltou um suspiro e começou a voltar para casa. Foi se deitar. O colchão pareceu grande demais para ela sozinha, mesmo esticando os braços e as pernas. Cruzou os braços como se fosse um cadáver sendo lavado para o enterro, olhando para o teto empoeirado.

Todos aqueles anos, todas aquelas preces, toda a sua esperança de que algum dia seria amada, de que algum dia seu marido olharia para ela e a veria... tudo aquilo tinha acabado.

Os pais tinham razão o tempo todo.

ONZE

Loreda sabia que não podia culpar a mãe pelo abandono do pai, pelo menos não totalmente. Essa foi a dolorosa e triste conclusão a que chegou depois de uma longa noite insone.

O pai tinha abandonado a todos. Assim que entendeu esse fato, não pôde mais desconsiderá-lo. Ele tinha enchido a cabeça de Loreda de sonhos e dito que a amava, mas acabou deixando-a para trás.

Pela primeira vez na vida, ela se viu sem esperanças.

No dia seguinte, quando se levantou e viu o céu azul pela janela, vestiu as mesmas roupas sujas com que havia fugido e nem se deu ao trabalho de escovar os dentes ou pentear o cabelo. Que diferença faria? Nunca sairia daquela fazenda, e, se saísse, quem se importaria com sua aparência?

Encontrou vovó Rose na cozinha, preparando um mingau de flocos de trigo para o café. A avó parecia... paralisada. Não havia outra palavra para descrevê-la. Continuava falando sozinha em italiano, língua que se recusara a ensinar aos netos por querer que fossem americanos.

Ant vagava pela cozinha, pisando nos centímetros de pó acumulado no piso. Loreda puxou uma cadeira para ele. Sobre a toalha de plástico repousavam as tigelas, emborcadas e cobertas de mais poeira.

Loreda desvirou as tigelas e as limpou antes de se sentar ao lado do irmão, cujos ombros curvados o faziam parecer ainda mais novo. Comeram aqueles flocos insossos que nem o leite conseguia tornar palatáveis.

Vovô entrou na cozinha, afivelando o macacão roto e remendado.

– O café está cheiroso, Rose.

Ele passou a mão no cabelo sujo de Ant.

O menino começou a chorar. Terminou num acesso de tosse. Loreda segurou a mão dele, com vontade de chorar também.

– Como ele pôde deixar os filhos? – perguntou o homem.

– *Silenzio* – ciciou a avó, com uma expressão de choque. – Falar não vai mudar as coisas.

O avô soltou um suspiro pesado, que terminou com uma tosse. Levou a mão ao peito, como se a poeira do dia anterior tivesse se acumulado ali.

Vovó Rose pegou a vassoura e o espanador. Loreda gemeu alto, prevendo que iam passar o dia inteiro limpando a sujeira da tempestade: batendo tapetes, espanando as esquadrias, tirando tudo da despensa para depois recolocar no lugar, de cabeça para baixo. E continuariam varrendo.

Alguém bateu na porta.

– Pai! – gritou Loreda, levantando-se depressa.

Ela foi correndo abrir a porta.

O homem lá fora vestia trapos e tinha o rosto imundo.

Ele tirou o boné surrado, retorcendo-o nas mãos sujas.

Fome. Como todos os desempregados errantes que paravam ali a caminho de "lá".

Era aquilo que o pai queria? Passar fome sozinho, bater na porta de estranhos para pedir comida? Era *melhor* do que ter ficado?

A avó foi até a porta e parou ao lado de Loreda.

– Eu estou com fome, senhora – disse o homem desconhecido. – Se tiver qualquer migalha para me dar, agradeço muito. – A camisa dele estava tão descolorida pela sujeira e pelo suor que era impossível determinar a cor. Azul, talvez. Ou cinza. Ele usava um macacão com um cinto. – Posso fazer algum trabalho, com prazer.

– Temos flocos de trigo – disse o avô. – E o alpendre está precisando ser varrido.

Já estavam acostumados a esses viandantes que chegavam na hora das refeições, mendigando comida ou se oferecendo para trabalhar por uma fatia de pão. Nesses tempos difíceis, as pessoas faziam o que podiam pelos mais desafortunados. A maioria cumpria uma ou duas tarefas e seguia seu caminho. Um deles tinha desenhado um símbolo no celeiro da fazenda. Uma mensagem para outros viandantes. Supostamente, queria dizer: *Parem aqui. Boa gente.*

O avô observou o andarilho.

– De onde você é, filho?

– Arkansas, senhor.

– E tem quantos anos?

– Tenho 22, senhor.

– Há quanto tempo está na estrada?

– Tempo suficiente pra chegar aonde eu estava indo, se eu soubesse onde é.

– O que faz um homem sair andando sem rumo? – perguntou o avô. – Você pode me explicar?

Todos olharam para o andarilho, que parecia surpreso com a pergunta.

– Bem, acho que a gente vai embora quando não consegue mais aguentar a vida no lugar onde está.

– E quanto à família que você deixou para trás? – perguntou a avó rispidamente. – Um homem pode não se importar com o que acontece com a esposa e os filhos?

– Se ele se importasse, ficaria – respondeu o andarilho.

– Isso não é verdade – retrucou Loreda.

– Vamos pegar os flocos de trigo – disse a avó. – Não adianta perder o dia falando sobre isso.

– Loreda – chamou Ant, puxando a manga da irmã. – Tem alguma coisa errada com a mamãe.

Loreda tirou o cabelo emaranhado dos olhos e se apoiou na vassoura. Suava de tanto varrer.

– Como assim?

– Ela não tá acordando.

– Que bobagem. A vovó disse pra gente deixar a mamãe dormir.

Ant deu de ombros.

– Eu sabia que você não ia acreditar em mim.

– Tá bom.

Loreda foi atrás de Ant até o quarto dos pais. Geralmente o quartinho estava muito bem arrumado, mas agora havia sujeira em toda parte, até na cama. Era um lembrete cortante de que o pai os havia abandonado. A mãe nem sequer tinha varrido o quarto antes de se deitar. E a mãe era obcecada por limpeza.

– Mãe?

A mãe estava deitada na cama de casal, o corpo posicionado o mais à direita possível, de forma a deixar um grande espaço vazio à esquerda. Usava um lenço sujo na cabeça, uma camisola tão velha que o tecido mostrava sua pele em alguns lugares e uma camisa de cambraia azul – do pai – enrolada no pescoço. O rosto estava quase tão pálido quanto o lençol, ressaltando os malares pronunciados no rosto magro.

A mãe sempre estava pálida. Mesmo sob o sol do verão, ela avermelhava e descascava. Nunca se bronzeava. Mas não tanto…

Loreda a tocou de leve no ombro.

– Acorda, mãe.

Nada.

– Vá buscar a vovó – disse Loreda a Ant. – Ela está ordenhando a Bella.

Loreda cutucou o braço da mãe, dessa vez não tão de leve.

– Acorda, mãe. Isso não tem graça.

A menina examinou a mulher que sempre pareceu indomável, inquebrantável, sem senso de humor. Agora via o quanto a mãe era delicada, como era magra e pálida. Deitada na cama, usando a camisa do pai como uma echarpe, ela parecia tão frágil.

Era assustador.

– Acorda, mãe. Vamos.

A avó entrou no quarto, trazendo um balde de metal vazio.

– Qual é o problema?

Ant veio logo atrás e ficou por perto.

– A mamãe não tá acordando.

A avó deixou o balde no chão e levantou a toalha de saco de cimento que cobria o jarro de porcelana trincado na mesa de cabeceira. Uma poeira fina escorreu para o chão. Molhou um pano na água, torceu o excesso na pia e pôs o pano na testa da nora.

– Ela não está com febre – disse a avó. – Elsa?

A mãe não respondeu.

A avó arrastou uma cadeira para mais perto e se sentou ao lado da cama. Ficou um longo tempo sem dizer nada, só sentada ali. Então, por fim, soltou um suspiro.

– Ele também nos abandonou, Elsa. Não foi só você. Ele abandonou todos que disse que amava. Nunca vou perdoá-lo por isso.

– Não diga isso! – disparou Loreda.

– *Silenzio* – retrucou a avó. – Uma mulher pode morrer por um amor perdido. Não torne isso pior.

– É culpa dela ele ter ido embora. Ela não quis ir pra Califórnia.

– E você chegou a essa conclusão a partir da sua vasta experiência com homens e com o amor. Obrigada pela sua inteligência, Loreda. Com certeza vai ser um consolo para sua mãe.

A avó passou o pano fresco e úmido na testa da nora.

– Eu sei o quanto está doendo agora, Elsa. Não se pode deixar de amar alguém, por mais que se queira, mesmo quando ele parte o seu coração. Eu entendo que não queira acordar. Meu Deus, com essa vida que temos, quem poderia culpar você? Mas sua filha precisa de você, principalmente agora. Ela é tão tola quanto o pai. Ant também me preocupa. – A avó chegou mais perto, sussurrando: – Lembre-se da primeira vez que você segurou Loreda no colo e nós duas choramos. Lembre-se da risada do seu filho e do abraço apertado dele. São seus filhos, Elsa. Pense na Loreda… no Anthony…

Elsa soltou um suspiro forte e entrecortado e se sentou de repente, como se tivesse sido arrastada pelo mar a uma praia. Rose a acalmou, abraçando-a.

Loreda nunca tinha ouvido ninguém soluçar daquele jeito. Achou que a mãe fosse se partir ao meio com a força do choro. Quando finalmente conseguiu respirar sem soluçar, a mãe se afastou, parecendo arrasada. Não havia outra palavra para descrever.

– Loreda, Ant, por favor, nos deixem a sós – pediu a avó.

– O que ela tem? – perguntou Loreda.

– A paixão tem seu lado obscuro. Se o seu pai tivesse amadurecido, teria falado com você sobre isso, em vez de encher sua cabeça de bobagem.

– Paixão? O que isso tem a ver com o que está acontecendo?

– Ela é nova demais para entender, Rose – disse Elsa.

Loreda detestava quando alguém dizia que ela era nova demais para qualquer coisa.

– Não sou, não. Paixão é uma coisa boa. Ótima. É tudo que eu quero *sentir*.

A avó fez um gesto impaciente.

– Paixão é como uma tempestade, ela vem e passa. Alimenta, *sì*, mas também afoga. Nossa terra vai proteger e salvar você. Isso é uma coisa que o seu pai nunca aprendeu. Seja mais esperta que o seu pai tolo e egoísta. Case-se com um homem da terra, alguém verdadeiro e confiável. Um homem que mantenha você segura.

De novo aquele assunto de casamento. A resposta da avó para todas as perguntas. Como se ser bem casada significasse ter uma boa vida.

– E se eu simplesmente arranjar um cachorro? Parece tão empolgante quanto a vida que a senhora quer pra mim.

– Meu filho te estragou, Loreda, deixou você ler muitos livros românticos. Isso vai ser a sua ruína.

– Por ter lido? Duvido.

– Fora! – disse a avó, indicando a porta. – Já.

– Eu não quero mesmo ficar aqui – retrucou Loreda. – Vamos, Ant.

– Ótimo – disse a avó. – É dia de lavar roupa. Vá buscar água no poço.

Loreda já estava longe.

– Ele nunca me amou – disse Elsa. – Como poderia amar?

– Ah, querida... – Rose chegou mais perto, pôs a mão áspera e avermelhada pelo trabalho sobre a de Elsa. – Você sabe que eu perdi três filhas. Três. Duas que nem chegaram a respirar o ar deste mundo e uma que respirou. Mas na verdade nós nunca falamos sobre isso. – Rose deu um suspiro profundo. – Eu me permiti um breve luto para cada uma. Consegui me convencer de que Deus tinha um plano para mim. Fui à igreja, acendi velas e rezei. Nunca tive tanto medo na vida como quando estava com Raffaello no meu útero. Ele se agitava *tanto* lá dentro! Aquilo só podia ser um sinal de que ele era saudável, e comecei a ter medo da minha esperança. Se visse um gato preto, rompia em lágrimas. Se derramasse azeite, era capaz de correr para a igreja para espantar a má sorte. Não tricotei nenhum sapatinho nem cobertor, nem costurei um véu de batismo. Só conseguia imaginar como ele seria. Rafe se tornou real para mim de uma forma que as meninas não foram. Quando ele finalmente nasceu... tão robusto e sadio, e tão lindo... eu sabia que Deus tinha me perdoado por qual fosse o pecado que tinha cometido que custou a vida de minhas filhas. Eu o amava tanto... que não consegui impor nenhuma disciplina, não consegui negar nada a ele. Tony dizia que eu o estava mimando, mas eu pensava: que mal há nisso? Ele era uma estrela cadente e me cegou com sua luz. Eu... queria tanto para ele. Queria que soubesse o que é o amor e a prosperidade e que fosse um americano.

– E aí eu apareci.

Rose ficou quieta por um momento.

– Eu me lembro de cada minuto daquele dia. Rafe já tinha feito as malas para a faculdade. *Faculdade*. Um Martinelli. Eu estava tão orgulhosa que contei para todo mundo.

– E aí eu apareci...

– Magricela como um caniço. O cabelo precisando de um trato. Parecia que não sabia sorrir. E também achei você velha demais para ele.

– Eu era tudo isso.

– Demorou alguns meses para eu perceber que você era uma mulher mais capaz de amar e de se comprometer que qualquer outra. Você é a melhor coisa que já aconteceu para o meu filho. Ele é um idiota por não ter percebido isso.

– Muito gentil da sua parte.

– Mas você não consegue acreditar. – Rose deu um suspiro. – Receio que o prejuízo que causei em amar demais Raffaello foi o mesmo que seus pais causaram amando você muito pouco.

– Eles tentaram me amar. Assim como Rafe.

– Tentaram mesmo? – perguntou Rose.

– Eu fui uma criança doente. Tive uma febre na adolescência que me deixou debilitada. Disseram aos meus pais que eu ia morrer jovem e que tinha um problema no coração.

– E você acreditou neles.

– É claro.

– Elsa, eu não sei sobre a sua infância, sua doença ou o que os seus pais disseram ou fizeram, mas sei o seguinte: você tem um coração de leão. Não acredite em ninguém que diga o contrário. Eu sou testemunha. Meu filho é um idiota.

– A última coisa que ele me disse antes de partir foi: "Lembre-se de mim." Achei que estava sendo romântico.

– Imagino que isso vai nos deixar magoados por um bom tempo, mas eu, a Loreda e o Ant precisamos de você. Loreda precisa entender que é esta terra que vai salvá-la, não os sonhos loucos do pai.

– Eu gostaria que ela fosse para a faculdade, Rose. Para ser corajosa e viver aventuras.

– Uma garota? – Rose deu risada. – Quem vai para a faculdade é o Ant. Loreda vai se acomodar. Você vai ver.

– Não sei se quero que ela se acomode, Rose. Eu me espanto com o ardor dela. Mesmo quando sou eu que me queimo. Eu só quero... que ela seja feliz. Parte meu coração ver Loreda infeliz como o pai.

– Você se culpa, mas os culpados são eles. – Rose lançou a Elsa um olhar firme e reconfortante. – Lembre-se, querida, tempos difíceis não duram para sempre. A terra e a família, sim.

DOZE

Em novembro, a primeira tempestade de inverno os atingiu vinda do norte, deixando na esteira uma fina camada de neve. Limpa, branca e cintilante, salpicando as pás ásperas do moinho, o galinheiro, o couro das vacas e a própria terra.

A neve era um bom sinal. Significava água. Água significava colheita. Colheita significava comida na mesa.

Naquele dia particularmente frio, Elsa estava na mesa da cozinha, fazendo almôndegas com as mãos rosadas e inchadas, cheias de bolhas. Frieiras eram uma coisa comum da estação, e todos na casa – e no condado – sentiam a garganta ardendo e inflamada e os olhos injetados, que coçavam depois de tantas tempestades de areia.

Ela organizou as almôndegas de carne de porco temperada com alho numa assadeira, cobriu com uma toalha e foi para a sala, onde Rose cerzia meias perto da estufa.

Tony entrou na casa, tirou a neve das botas e fechou a porta fazendo barulho. Bafejou nas mãos em concha. Suas bochechas estavam vermelhas e ásperas do frio, marcadas pelo vento, o cabelo, espetado como pontas de gelo.

– O moinho não está bombeando – falou. – Deve ser por causa do frio.

Ele andou até a estufa. Ao seu lado, um barril continha o que restava de esterco de vaca. Naqueles anos de seca e poeira, os animais das Grandes Planícies estavam morrendo, e a terra sem árvores não fornecia mais a fonte de combustível que os fazendeiros imaginaram que duraria para sempre. O homem jogou alguns pedaços de esterco no fogo.

– Ainda tem umas tábuas quebradas no chiqueiro. É melhor eu trazer para cá. Hoje à noite vamos precisar de um fogo mais forte.

– Eu vou – ofereceu-se Elsa.

Ela pegou seu casaco de inverno e as luvas do cabideiro perto da porta e saiu para o mundo gelado. Arbustos soltos, ressecados e cintilantes rolavam pelo quintal, perdendo pedaços a cada giro.

Elsa pegou um machado na caixa de madeira.

Quando chegou ao chiqueiro vazio, examinou as tábuas restantes, escolheu um local, ergueu o machado e golpeou, sentindo o baque do metal na madeira reverberar pelos ombros, ouvindo o *craaaque* da madeira rachando.

Levou menos de meia hora para destruir o que restava da pocilga para ser transformada em lenha.

O céu estava tão cinza que quase sufocava a alma.

Elsa estava com Ant na traseira da carroça, embaixo de uma pilha de mantas. Loreda ficou sozinha num canto, enrolada em cobertores, as faces coradas e marcadas pelo frio fora de época. Tinha ficado cada vez mais calada e distante desde a partida de Rafe. Elsa se surpreendeu ao perceber que preferia a irritação explícita da filha àquela depressão silenciosa. Rose e Tony iam na frente, com Tony manejando as rédeas. Todos usavam as roupas surradas que poderiam ser chamados de trajes de domingo.

Lonesome Tree parecia tranquila naquele dia de final de novembro. Tranquila no sentido de uma cidade moribunda. Toda coberta de neve.

A igreja católica parecia deserta. Metade do telhado fora arrancado no último mês, e a torre tinha quebrado. Mais um vento forte e tudo desabaria.

Tony estacionou a carroça na frente do prédio e prendeu o cavalo a uma trave de madeira. Encheu um balde na bomba d'água e o deixou ali para Milo.

Elsa cobriu os cabelos trançados com um chapéu de feltro e reuniu as crianças. Juntos, subiram os degraus que rangiam e entraram na igreja. Diversas janelas quebradas mostravam remendos de madeira-balsa, escurecendo o altar.

Nos bons tempos havia muitos católicos na cidade, mas os tempos atuais estavam longe de serem bons. A cada domingo vinha menos gente. Os católicos irlandeses tinham sua própria igreja, em Dalhart, e os mexicanos frequentavam igrejas construídas centenas de anos antes, mas todas perdiam fiéis. O mesmo acontecia com todas as igrejas do condado. O número de cartões-postais e cartas que chegavam às caixas de correio das Grandes Planícies não parava de aumentar, com relatos de gente na Califórnia, no Oregon e em Washington que tinha encontrado emprego e convidava a família a seguir seu exemplo.

Elsa ouviu pessoas andando atrás dela. Agora não havia mais reuniões de mulheres fofocando sobre receitas nem grupos de homens falando sobre o clima. Até as crianças estavam caladas. Ouviam-se tossidas acima do rangidos dos bancos.

Depois de algum tempo, o padre Michael chegou ao altar e olhou para o seu reduzido rebanho.

– Nós estamos sendo testados. – Parecia tão cansado quanto Elsa. – Vamos rezar para que esta neve seja um sinal de chuvas vindouras. Colheitas futuras.

– Deus não ajuda em nada – resmungou Loreda.

Rose deu uma cotovelada forte na neta.

– Testar não significa esquecer – continuou padre Michael, olhando com seus óculos redondos para Loreda. – Vamos rezar.

Elsa baixou a cabeça. *Que Deus nos ajude*, pensou, mas sem muita certeza se era exatamente uma prece. Parecia mais um pedido desesperado.

Todos rezaram, cantaram e rezaram um pouco mais, e em seguida fizeram fila para a comunhão.

Quando a celebração chegou ao fim, todos observaram os amigos e vizinhos que ainda restavam. Ninguém se olhou nos olhos por muito tempo. Todos se lembravam das comidas e da camaradagem que antigamente agraciavam os seus domingos.

Na porta da igreja, a família Carmo se reuniu ao lado da bomba d'água congelada.

O Sr. Carmo se afastou da família e veio na direção deles, a expressão tensa. Ninguém queria demonstrar muita emoção naqueles dias, com medo de que o pouco se tornasse demais em um instante.

– Tony – falou, afastando o cabelo do rosto avermelhado pelo frio. Era um homem vigoroso, com um queixo quadrado e o nariz afilado.

Tony tirou o chapéu e apertou a mão do amigo.

– Onde estão os Cirillos?

– Ray recebeu uma carta da irmã em Los Angeles – respondeu o homem, com um forte sotaque italiano. – Parece que ela se deu bem. Arranjou um bom emprego. Ele, Andrea e as crianças estão se preparando para ir para lá também. Dizem que não há mais razão para ficar.

Seguiu-se um silêncio.

– Eu gostaria que já tivéssemos ido – continuou o Sr. Carmo. – Agora não há mais dinheiro para a gasolina. Vocês tiveram notícias do seu filho? Ele arranjou trabalho?

– Ainda não – respondeu Tony, contrariado. Nenhum deles tinha contado a ninguém a verdade sobre a deserção de Rafe. Tornar públicas sua traição e fraqueza era demais para eles.

– Que pena – comentou o Sr. Carmo. – Vocês ficaram de mãos atadas.

– Eu nunca vou sair da minha terra – afirmou Tony.

A expressão do Sr. Carmo se entristeceu.

– Você ainda não percebeu, Tony? Esta terra não quer mais a gente. E ainda vai ficar pior.

Todos os dias, naquele longo inverno temporão, Elsa acordava com um único propósito: manter os filhos alimentados. A cada dia a sobrevivência parecia mais incerta. Saía da cama quando ainda estava escuro, sozinha, e se vestia sem ajuda de qualquer iluminação. De todo modo, Deus sabia que não havia nada de bom para ver no espelho. Seus lábios estavam sempre rachados do frio e inchados por conta de seu hábito de mordê-los quando ficava preocupada. E ela andava muito preocupada. Com o frio, com as colheitas, com a saúde dos filhos. Isso era o pior de tudo. A escola havia fechado definitivamente na semana anterior – as salas de aula chegavam a sete graus negativos. Com o suprimento de esterco de vaca acabando, aquecer a escola tornou-se um luxo que nenhum deles podia pagar. Então agora Elsa tinha acrescentado dar aulas à sua lista de afazeres. Para uma mulher que não tinha se formado na escola, ser responsável pela educação dos filhos era um desafio, mas ela fazia isso com zelo. Se havia uma coisa que desejava acima de tudo, era que eles tivessem as oportunidades que apenas uma boa formação podia dar.

Só à noite, depois das orações com os filhos, quando desabava na cama solitária, Elsa se permitia pensar em Rafe, sentir saudade, sentir a dor de ter perdido o marido. Pensava no quanto sempre fora bondoso e se perguntava se Rafe também sentia saudades dela, mesmo que só um pouquinho. Afinal, os dois tinham uma história em comum, e ela não conseguia deixar de amá-lo. Apesar de tudo, de toda a mágoa, do ressentimento e da raiva provocados pela sua partida, quando fechava os olhos à noite, ela sentia falta de Rafe ao seu lado, o som de sua respiração e da esperança de que um dia ele realmente a amasse. Muitas vezes pensava: *Eu deveria ter dito: "Eu vou para a Califórnia"*, antes de finalmente cair num sono inquieto.

Elsa agradecia a Deus pela fazenda e pelos filhos, pois havia dias em que só queria chorar. Ou talvez se tonar uma dessas mulheres loucas que ficavam de pijamas e chinelo o dia todo na janela, esperando o homem que as deixara. Pela primeira vez na vida, ela entendia a dor física da traição. Faria quase qualquer coisa para evitá-la. Fugir. Beber. Tomar láudano…

Mas ela não era um *eu*. Era um *nós*. Seus lindos filhos contavam com ela, mesmo que Loreda ainda não soubesse disso.

Naquele dia frio do final de dezembro, Elsa acordou tarde e vestiu todas as peças de roupa que possuía, cobrindo o cabelo oleoso com um lenço vermelho e com o chapéu de lã que Rose tinha tricotado para o Natal.

Enrolou a camisa de Rafe no pescoço como uma echarpe e foi à cozinha para pôr os flocos de milho para cozinhar.

Naquele dia, eles *finalmente* iam conseguir ajuda do governo. Era a grande notícia da cidade. Na missa do último domingo, ninguém conseguira falar sobre outra coisa.

Ela calçou as botas de inverno e saiu da casa, e logo começou a tremer de frio. Distribuiu punhados de grãos às galinhas e verificou a água. O poço vinha se mostrando problemático naquele inverno congelante, só funcionando ocasionalmente. Felizmente, eles podiam recolher neve para conseguir água para a família e os animais. Viu Tony rachando lenha ao lado da casa – tábuas do celeiro sendo transformadas em lenha para o fogo.

Elsa acenou enquanto se encaminhava ao celeiro. No curral, passou uma corda pelo arreio de Milo.

O pobre e faminto animal a olhou com tanta tristeza que a fez parar por um instante.

– Eu sei, garoto. Nós todos nos sentimos assim.

Ela levou o cavalo ossudo para fora, sob o céu azul e brilhante. Tinha acabado de atrelá-lo à carroça quando Tony surgiu ao seu lado.

Elsa viu o quanto suas faces estavam vermelhas do frio, o vapor de sua respiração e a perda de peso que afinara seu rosto e afundara seus olhos. Para um homem que tinha duas religiões – Deus e a terra –, Tony estava morrendo um pouco a cada dia, desiludido por ambas. Passava longos minutos ao longo do dia olhando para seus campos de trigo cobertos de neve, implorando a seu Deus para deixar o trigo crescer.

– Essa reunião vai ser a resposta – disse Elsa.

– Espero que sim – concordou Tony.

O tempo frio também foi cruel com Loreda. Tinha perdido o pai e sua melhor amiga, e agora a escola estava fechada. Aquilo a deixou cabisbaixa e deprimida.

Elsa ouviu a porta da casa se abrindo. Passos soaram nos degraus da varanda. Loreda e Ant vinham na direção da carroça, vestidos com tudo que ainda cabia neles. Rose saiu logo atrás, trazendo uma caixa cheia de produtos que iriam vender na cidade.

Elsa e as crianças subiram na traseira da carroça, com a caixa de mercadorias a serem vendidas.

Ela enrolou Ant num cobertor e o abraçou. Loreda preferiria congelar a se aninhar com eles, por isso ficou do outro lado, tremendo.

Tony estalou as rédeas, e Milo começou a andar devagar. No piso da carroça, os sabonetes chacoalhavam no engradado. Elsa mantinha uma das mãos enluvadas na pilha de ovos para que não caíssem.

– Loreda, mesmo se você ficar perto da gente só para se aquecer, não vou esquecer que você continua zangada.

– Muito engraçado. – Loreda cruzou os braços, batendo o queixo.

– Você está ficando azul – disse Elsa.

– Não estou, não.

– Meio avermelhada – acrescentou Ant, sorrindo.

– Não olhem para mim – disse Loreda.

– Mas você está bem na nossa frente – explicou Elsa.

Ant deu uma risadinha.

Loreda revirou os olhos.

Elsa voltou sua atenção à paisagem.

Coberta de neve, parecia bonita. Não havia muitas casas entre a cidade e a fazenda dos Martinellis, mas várias moradias ao longo do caminho estavam abandonadas. Cabanas, casas e casinhas com janelas vedadas por tapumes e tabuletas de VENDE-SE afixadas sobre ordens de despejo.

Passaram pela casa dos Mulls, abandonada. A última coisa que Elsa soube foi que Tom e Lorri tinham ido atrás da família na Califórnia a pé. *A pé*. Como alguém podia estar tão desesperado? E Tom era advogado. Não só os agricultores faliam naqueles tempos.

Tantos estavam indo embora.

Vamos para a Califórnia.

Elsa se esforçou para afastar aquele pensamento, apesar de saber que voltaria a atormentá-la no escuro.

Chegando à cidade, Tony estacionou a carroça e amarrou Milo numa trave de madeira. Elsa pegou a caixa cheia de ovos, manteiga e sabonetes. Nas poucas vitrines das lojas ainda abertas, cartazes anunciavam para hoje a chegada de Hugh Bennett, um cientista do novo Corpo de Conservação Civil do presidente Roosevelt. Numa tentativa de oferecer trabalho aos americanos, o presidente tinha criado dezenas de agências, alocado gente para trabalhar na documentação impressa e fotográfica da Depressão e com trabalho braçal, construindo pontes e consertando estradas. Bennett tinha vindo de Washington para ajudar os agricultores.

Ao entrar na mercearia, Elsa ficou chocada com as prateleiras vazias. Mesmo assim, havia uma deslumbrante coleção de cores e aromas. Café, perfumes de coisas que não eram compradas havia anos, um caixa de maçãs. Aqui e ali em meio às prateleiras desertas viam-se utensílios, vestidos estampados, chapéus de sol e sacas de arroz, açúcar, carne e leite enlatados. Pilhas de peças de algodão xadrez, listrado e de bolinhas acumulavam pó, assim como os amontoados de ilhoses e rendas. Os únicos tecidos usados para fazer roupas eram os de sacos de grãos.

Elsa foi até o balcão, onde o Sr. Pavlov aguardava com um sorriso cansado e uma camisa branca que já tinha visto dias melhores. Outrora um dos homens mais ricos da cidade, agora mantinha sua loja na corda bamba, e todo mundo sabia disso. Sua família precisou se mudar para o andar de cima quando o banco tomou sua casa.

– Olá, família Martinelli – falou. – Vocês vieram para a reunião?

Elsa depositou a caixa de mercadorias sobre o balcão.

– Viemos – respondeu Tony. – E você?

– Vou dar uma olhada. Espero que o governo possa ajudar nosso pessoal. Detesto ver gente desistindo e indo embora.

Tony assentiu.

– Mas a maioria continua aqui.

– Os agricultores são duros na queda.

– Nós trabalhamos muito, nos sacrificamos demais para ir embora. As estiagens sempre acabam passando.

O Sr. Pavlov concordou e olhou para a caixa que Elsa pôs no balcão.

– As galinhas ainda estão pondo ovos. Que boa notícia.

– E este é o sabonete que a Elsa faz – disse Rose. – Com perfume de lavanda. Sua esposa adora.

As crianças se aproximaram de Elsa, que não pôde deixar de lembrar como eles costumavam correr por ali, maravilhados com os doces, pedindo guloseimas.

O Sr. Pavlov ajeitou os óculos de aro fino no nariz.

– Do que vocês precisam?

– Café. Açúcar. Arroz. Feijão. Talvez um pouco de fermento? Uma lata de um bom azeite de oliva, se tiver.

O Sr. Pavlov fez uns cálculos de cabeça. Quando se sentiu satisfeito, puxou a cesta pendurada numa corda ao seu lado. Pegou um pedaço de papel, escreveu: *Café. Açúcar. Arroz. Feijão.* Depois disse:

– Não temos azeite de oliva em estoque nem fermento.

Ele pôs a lista na cesta e puxou uma alavanca que a levava ao segundo andar da loja, onde a esposa e a filha cuidavam das encomendas.

Pouco depois, uma garota encorpada entrou pelos fundos da loja trazendo um saco de açúcar, um pouco de café, uma sacola de arroz e outra de feijão.

Ant olhou para o jarro de pirulitos de alcaçuz no balcão.

Elsa afagou a cabeça do filho.

– Os pirulitos de alcaçuz estão em promoção – disse o Sr. Pavlov. – Dois pirulitos pelo preço de um. Posso vender fiado.

– Você sabe que eu não acredito em doações – disse Tony. – E não sei quando vamos poder pagar.

– Eu sei – disse o Sr. Pavlov. – É um presente. Podem pegar dois.

A generosidade do comerciante era o tipo de coisa que ainda tornava a vida ali suportável.

– Muito obrigada, Sr. Pavlov – disse Elsa.

Tony acomodou os artigos comprados na traseira da carroça e os cobriu com uma lona. Deixando Milo amarrado, seguiram pela calçada congelada em direção à escola vedada por tapumes, onde várias outras parelhas de cavalos e carroças esperavam na porta.

– Não tem muita gente por aqui – disse Tony.

Rose segurou a mão dele.

– Ouvi dizer que Emmett recebeu um cartão-postal de parentes no estado de Washington. Há empregos na ferrovia de lá.

– Eles vão se arrepender – comentou Tony. – Esses empregos são uma ilusão. Só pode. São milhões de desempregados. Digamos que você vá para Portland ou Seattle e não encontre trabalho. Aí você vai estar lá... num lugar estranho sem emprego e sem terra.

Elsa pegou Ant pela mão e os dois subiram juntos os degraus da escola. Lá dentro, as carteiras dos alunos tinham sido afastadas, encostadas nas paredes. Várias janelas quebradas estavam vedadas por madeira compensada. Alguém tinha posicionado uma fileira de cadeiras em frente a uma tela de projeção portátil.

– *Oba!* – exclamou Ant. – Um filme!

Tony levou a família para uma fileira no fundo, onde se juntaram a outros italianos que não tinham saído da cidade.

Umas poucas outras pessoas entraram, sem ninguém falar muita coisa. Um casal de velhos tossia constantemente, um resquício das tempestades de areia que tinham arrasado os campos no outono.

A porta foi fechada e apagaram-se as luzes.

Ouviu-se um zumbido e um som arranhado; uma imagem em preto e branco apareceu na tela branca: era uma tempestade de vento, uivando por uma fazenda. Arbustos secos soltos passavam rolando pela casa protegida por tapumes.

A legenda dizia: *30% de todos os agricultores das Grandes Planícies estão prestes a ser despejados.*

A imagem seguinte mostrava um hospital da Cruz Vermelha, com os leitos cheios, enfermeiras em uniformes cinzentos cuidando de bebês e idosos que tossiam. *A pneumonia causada pela poeira tem consequências terríveis.*

Na imagem seguinte, agricultores despejavam leite nas ruas, que desaparecia instantaneamente no solo árido.

O preço do leite é menor que o custo de produção...

Homens, mulheres e crianças abatidos e andrajosos vagavam por uma tela acinzentada, parecendo fantasmas. Um acampamento de favelas. Milhares morando em caixas de papelão, em carros quebrados ou em barracos feitos de latas e folhas de zinco. Pessoas na fila do sopão...

O filme acabou. As luzes se acenderam.

Elsa ouviu passos, saltos de botas estalando de forma confiante no assoalho de madeira. Como todos os outros, Elsa se virou para olhar.

Viu um homem que se destacava, mais bem-vestido que qualquer um na cidade. Ele afastou a tela de projeção improvisada, foi até o quadro-negro, pegou um pedaço de giz e escreveu *Métodos agrícolas*, sublinhando as palavras.

Virou-se para a plateia.

– Meu nome é Hugh Bennett. O presidente dos Estados Unidos me designou para o novo Corpo de Conservação. Passei meses viajando pelas fazendas das Grandes Planícies. Oklahoma, Kansas, Texas. E devo dizer, pessoal, que esse verão foi tão terrível em Lonesome Tree quanto em qualquer outro lugar pelo qual passei. E quem sabe por quanto tempo a estiagem ainda vai durar? Soube que poucos de vocês se deram ao trabalho de plantar alguma coisa este ano.

– E você acha que já não sabemos de tudo isso? – gritou alguém, tossindo.

– Você sabe que não tem chovido, amigo. Estou aqui para dizer que esse não é o único problema. O que está acontecendo nas suas terras é um terrível desastre ecológico, talvez o pior da história do nosso país, e vocês vão ter que mudar seus métodos de plantio para não ficar ainda pior.

– Está dizendo que a culpa é nossa? – perguntou Tony.

– Estou dizendo que vocês contribuíram – respondeu Bennett. – Oklahoma perdeu quase 450 milhões de toneladas de solo arável. A verdade é que vocês, agricultores, precisam entender a sua parte nisso se não quiserem ver suas terras morrerem.

A família Carrington levantou-se e saiu, batendo a porta. A família Renke foi logo em seguida.

– E então, o que precisamos fazer? – perguntou Tony.

– A maneira como vocês estão plantando destrói o solo. Vocês arrancam a relva que mantém o solo arável. O arado destruiu as pradarias. Quando deixou de chover e o vento chegou, não restava nada para impedir que a terra fosse levada. O que aconteceu aqui é um desastre causado pelo homem, por isso precisamos consertar o que fizemos. Precisamos trazer a relva de volta. Precisamos de métodos de conservação do solo.

– O que está nos arruinando são o clima e os malditos bandidos gananciosos de Wall Street, que fecham os bancos e ficam com o nosso dinheiro – falou o Sr. Carrio.

– O presidente Roosevelt quer pagar todos vocês para que não plantem *nada* no próximo ano. Vocês precisam deixar parte da terra descansar, plantar relva. Mas não basta só um ou dois de vocês fazerem isso. Todos precisam participar. Vocês precisam preservar as Grandes Planícies, não só suas próprias terras.

– Então é isso? – bradou o Sr. Pavlov. – Você está dizendo para eles não plantarem no ano que vem? Para plantarem relva? Por que não queimam logo o que sobrou? Os agricultores precisam de *ajuda*.

– O presidente Roosevelt se preocupa com os agricultores. Ele sabe que vocês foram deixados de lado. Ele tem um plano. Para começar, o governo vai comprar sua produção pecuária a 16 dólares a cabeça. Se possível, vamos usar o seu gado para alimentar os pobres. Se não, se estiverem com os estômagos cheios de poeira, como tenho visto por aí, vamos pagar para vocês enterrá-los.

– Então é isso? – disse Tony. – Você nos trouxe aqui para nos dizer que tudo isso é culpa nossa, que precisamos plantar grama, que não dá dinheiro nenhum, numa terra tão ressecada que não produz nada, durante uma seca... tudo isso com sementes que não podemos comprar. Ah, sim, e matar nossos últimos animais por míseros 16 dólares.

– Existe um plano de auxílio. Nós queremos pagar para vocês não plantarem grãos. Podemos até fazer os bancos perdoarem as hipotecas.

– Não queremos caridade! – disse alguém. – Nós queremos *ajuda*. Queremos água. De que adianta manter nossas casas se não pudermos plantar?

– Já chega! – falou Tony, empurrando a cadeira para trás e se levantando. – Vamos embora daqui.

Quando olhou para trás, Elsa viu a decepção no rosto de Bennett quando outras famílias seguiram os Martinellis e saíram da escola.

TREZE

Elsa ficou em pé debaixo da neve que caía. Os sons do mundo eram abafados pelos flocos aerados, uma linda e cintilante camada branca. Ficou admirada por ainda conseguir ver alguma beleza na natureza. Ao entrar no celeiro, ouviu o mugido fraco e triste de Bella. A pobre vaca estava tão faminta e sedenta quanto todos eles. Tremendo de frio, Elsa examinou as prateleiras vazias. Deveria haver caixas de cebolas e batatas, jarros de argila cheios de frutas e legumes, mas só viu prateleiras vazias.

E agora... essa informação do especialista do governo.

Elsa via os pioneiros das planícies, gente como Tony e Rose, como inquebrantáveis, invencíveis. Gente que viera para aquelas terras vastas e desconhecidas sem nada além de um sonho, que domaram a terra com garra, determinação e trabalho árduo.

Mas parece que eles julgaram mal a terra. Ou, pior, a usaram mal.

Pensou em seus afazeres diários, cumpridos naquela semana num frio de rachar a pele, e que à noite só haveria uma fatia de pão, algumas batatas da última safra e um pouco de presunto defumado para o jantar. Não era o suficiente para encher a barriga de ninguém. Depois seria hora de dormir, e cada um seguiria para seu quarto escuro e gelado, sem querer gastar o precioso combustível e o pouco dinheiro em um luxo como iluminação, e subiria na cama que parecia sempre arenosa, por mais que os lençóis fossem trocados, para tentar dormir.

Elsa pegou três batatas enrugadas da caixa, tentando não notar quão poucas restavam, e voltou sob a neve que caía.

– Mãe?

Elsa se virou.

Loreda usava camadas de roupas que mal lhe serviam e dois pares de meias até os joelhos, que sem dúvida aumentavam o desconforto dos sapatos apertados. Nos últimos meses, Loreda tinha deixado os cachos crescerem, e seu cabelo chegava quase à altura dos ombros. Uma franja irregular passava do nariz e estava quase sempre cobrindo seus olhos. A menina dizia que sua aparência não fazia diferença, porque não tinha mais amigos.

Ainda assim, sua beleza era notável. Nem o cabelo mal cortado ou as roupas baratas conseguiam escondê-la. Tinha herdado a pele marrom-clara, a elegante estrutura óssea e os bastos cabelos pretos do pai. Os olhos eram como os de Elsa, porém de um tom de azul mais intenso. Quase violeta. Algum dia os homens a veriam numa rua movimentada e parariam para observá-la.

As bochechas de Loreda estavam de um rosa brilhante, com flocos de neve derretidos cintilando nos cílios escuros e nos lábios cheios.

– Preciso falar com você.

– Tudo bem.

Loreda foi com a mãe até a varanda e sentou-se no balanço.

Elsa acomodou-se ao seu lado.

– Eu andei pensando... – começou Loreda.

– Ah, não – disse Elsa, baixinho.

– Eu tenho sido uma peste com você desde que... você sabe, desde que o papai deu no pé.

Elsa ficou chocada com aquela admissão. Só o que conseguiu pensar em dizer foi:

– Eu sei que você ficou muito magoada.

– Ele não vai voltar mais, vai?

Elsa teve vontade de tocar no cabelo da filha, tirar a franja da testa dela da forma carinhosa que era comum anos antes, quando o corpo de Loreda parecia uma extensão do seu e ela achava que seu coração ousado certamente iria fortalecer o seu próprio.

– Acho que não. Não.

– Fui eu que dei a ideia para ele.

– Ah, querida. Não se sinta responsável pelo que seu pai fez. Ele é um homem adulto. Fez o que queria fazer.

Loreda ficou em silêncio por um bom tempo, antes de dizer:

– Aquele homem do governo... ele disse que esta terra está arruinada.

– É a opinião dele, acho.

– Não é tão difícil acreditar.

– Não.

– Eu deveria arranjar um emprego – continuou a menina. – Ganhar algum dinheiro... para ajudar na casa.

– Isso me deixa orgulhosa, Loreda, mas metade da população do país está desempregada. Não existem empregos. Nós somos os mais afortunados nas fazendas. Ainda temos comida.

– Nós não somos afortunados – retrucou Loreda.

– Na primavera, quando chover...

– Nós precisamos sair daqui.

– Loreda, querida, eu faria qualquer coisa por você...

– Menos isso. – Ela se levantou abruptamente. – Ir embora. Você está me dizendo não, como disse ao papai.

Elsa soltou um longo suspiro e se levantou.

– Vou dizer a você o que não tive coragem de dizer ao seu pai: eu amo esta terra. Amo esta família. Aqui é o nosso *lar*. Quero que você cresça aqui, sabendo que este é o seu lugar, o seu futuro.

– Mas tudo isso está morrendo, mamãe. E vai matar a gente também.

– Como você sabe que vai ser melhor na Califórnia? E não me venha com aquele absurdo de terra do leite e do mel. Você viu o cinejornal no outro dia. Metade do país não tem emprego. Os postos de sopão não dão conta da demanda. Pelo menos aqui nós temos comida, água e um teto sobre a nossa cabeça. Eu não conseguiria um emprego na ferrovia, sendo uma mãe solteira. E os seus avós...

– Eles nunca vão sair daqui – falou Loreda.

Elsa tirou a camisa de Rafe do pescoço.

– Eu gostaria que você ficasse com isso. Está bem velha e rasgada, mas foi feita com amor.

Loreda pegou a camisa do pai com cuidado, como se fosse feita de um tecido de sonhos, e a enrolou no pescoço.

– Ainda dá para sentir o cheiro da brilhantina que ele usava no cabelo.

– É verdade.

Lágrimas cintilaram nos olhos de Loreda.

– Sinto muito, Loreda – disse Elsa.

A menina deu um suspiro profundo, tocando a camisa de cambraia no pescoço como se tivesse poderes mágicos.

– Isso vai ficar ainda pior. Você vai ver.

Finalmente, o longo inverno acabou.

Na primeira semana de março, o sol se tornou um amigo caloroso e brilhante que os deixou mais animados e renovou suas esperanças. Um dia de céu azul se seguia a outro.

Naquele dia em particular, enquanto estava na cozinha preparando uma batelada de queijo cremoso de ricota, Elsa pensou: *Só um pouquinho de chuva*, e mais uma vez não conseguiu acreditar nisso. Salvação. Conseguia imaginar uma paisagem diferente de onde estava. Trigo crescendo alto. Um campo dourado se estendendo até o horizonte sob um interminável céu azul.

Rose entrou na cozinha, ajeitando seu lenço.

– Ricota? Que delícia.

– Não é todo dia que se completa 13 anos. Pensei em fazer uma extravagância. Até consigo sentir a chuva chegando, você não?

Rose assentiu, refazendo o coque na nuca.

Elsa levou um bule de café para a sala de estar, com o avental cheio de xícaras. Uma a uma, serviu o líquido aromático e fumegante nas canecas de latão arranhadas.

– Puxa, El, você é uma enviada de Deus – disse Tony, tomando um gole.

Elsa sorriu.

– É só café.

Tony pegou o violino e começou a tocar.

Ant se levantou num salto, dizendo:

– Dance comigo, Lolo.

Loreda revirou os olhos – tão desalentados –, se levantou e começou a encenar uma versão maluca do charleston, totalmente dessincronizada com a música.

Todos deram risada.

Elsa não conseguia se lembrar da última vez que aquela casa tinha ouvido a risada das crianças. Era um presente de Deus, assim como o tempo bom.

Dali em diante as coisas iam melhorar; ela sentia isso. Um novo ano. Uma nova primavera.

Eles teriam sol (mas não demais) e chuva (mas não de menos), e as plantas iam brotar. Hastes de trigo douradas se ergueriam em busca do sol.

– Dance comigo – disse Rose, aparecendo na frente de Elsa, que deu risada.

– Eu não danço desde… Faz uma eternidade.

– Nós também.

Rose pôs a mão esquerda na nuca de Elsa e pegou sua outra mão, puxando-a para mais perto.

– Foi um longo inverno – comentou Rose.

– Não tão longo quanto o verão.

Rose sorriu.

– *Sì*. Nisso você tem razão.

Ao lado delas, Ant e Loreda giravam e davam risada.

Elsa ficou surpresa com o quanto se sentia à vontade dançando com a sogra. Seus pés pareciam leves. Sempre se sentira tão desajeitada nos braços de Rafe. Agora se movimentava com facilidade, gingando os quadris no ritmo da música.

– Você está pensando no meu filho – disse Rose. – Estou vendo a sua tristeza.

– Estou.

– Se ele voltar, vou bater nele com uma pá – disse Rose. – É idiota demais para ser meu filho. E muito cruel.

– Vocês estão ouvindo isso? – perguntou Ant.

Tony parou de tocar.

Elsa ouviu o *pluc-pluc-pluc* da chuva batendo no telhado.

Ant saiu correndo e escancarou a porta.

Todos correram para a varanda. Uma nuvem cinza-grafite pairava acima deles, outra se aproximava mais ao longe.

As gotas de chuva caíam leves, tamborilando na casa, deixando borrões na terra seca.

Chuva.

Gotas grandes e gordas esparramavam-se nos degraus áspero de sujeira. Mais gotas caíram. O tamborilar se transformou num rugido. Uma chuvarada.

Eles correram para o quintal, todos juntos, e ergueram o rosto para a chuva doce e fresca.

Ficaram molhados, ensopados, a terra sob seus pés se transformou em lama.

– Estamos salvos, Rosalba – disse Tony.

Elsa abraçou os filhos e os apertou forte, a água escorrendo pelos seus rostos, pelas costas, em filetes frios.

– Estamos salvos.

Naquela noite, eles exacerbaram no jantar, comeram fettuccine caseiro com pedaços de pancetta assada com um molho de queijo rico e cremoso. Depois, enquanto Tony tocava violino na sala em meio à batida percussiva da chuva, Elsa serviu a cassata de ricota para a família. Uma vela enfeitava a cobertura dourada do bolo, feita com pêssegos em conserva.

Rose pegou a bolsinha de veludo do pescoço e tirou o *penny* americano que usava havia mais de três décadas. Elsa sabia de cor a história daquele *penny*. Tony o havia encontrado na rua, na Sicília, e o mostrara a Rose. *Um sinal*, eles concordaram. A esperança pelo futuro dos dois. Era o talismã da família.

Aquele *penny* passava de mão em mão toda manhã de Ano-Novo, quando cada membro da família o segurava por um momento e dizia em voz alta o que esperava do novo ano. Passavam-no de mão em mão quando plantavam uma nova safra e nos aniversários. Galhos de trigo entrelaçados adornavam o verso da moeda. Não era de admirar que Tony tivesse acreditado que aquele *penny* tinha lhe mostrado qual seria o destino dos Martinellis.

Rose deu a moeda a Loreda, que a examinou solenemente.

– Faça um pedido, querida.

– Eu não acredito mais nisso – respondeu Loreda, devolvendo a moeda para a avó. – Essa moeda não conseguiu manter nossa família unida.

Rose pareceu chocada; demorou alguns instantes para se recuperar e conseguir dar um sorriso.

A música de Tony parou.

Loreda olhou para Elsa, os olhos marejados.

– Ele prometeu me ensinar a dirigir quando eu fizesse 13 anos.

– Ah... – disse Elsa, sentindo a dor da filha. – Eu vou te ensinar.

– Não é a mesma coisa – replicou Loreda.

Pairou um silêncio breve e cortante, constrangedor. Então Rose disse:

– Você vai voltar a acreditar. E mesmo se não acreditar, esta moeda tem poderes.

– Eu faço o pedido por ela – disse Ant. – Me dá a moeda.

Até Loreda riu, enxugando as lágrimas dos olhos.

Tony tocou “Feliz aniversário” no violino e todos cantaram.

Nos dias seguintes à bela chuvarada, Elsa acordava todas as manhãs cheia de esperança e saía para o quintal. Respirava fundo, sentia o cheiro fecundo da terra molhada e se ajoelhava para cuidar da horta. Estimulava os legumes a crescerem como fazia com os filhos: com a mão delicada e a voz mansa. O solo, não mais seco e gretado, parecia ter revivido; aqui e ali, brotos frágeis despontavam da terra, em busca da luz do sol.

Naquela manhã, ela viu Tony na orla do campo de trigo de inverno. Sem usar um chapéu – o sol era cálido e gentil, como um velho amigo –, Elsa passou pelo galinheiro, ouvindo os cacarejos. O velho galo trotou ao longo da cerca de arame, tentando defender sua ninhada. O moinho martelava na brisa, extraindo água.

Elsa chegou à orla do campo e parou.

– Veja só – disse Tony numa voz rouca.

Verde.

Colunas de brotos novos, estendendo-se em linhas retas até o horizonte.

Era a essência da esperança de uma fazenda. A cor do futuro. Agora verde e delicado, mas com a luz do sol e a chuva, o trigo se tornaria tão robusto quanto a família, forte como a própria terra, transformando-se num mar de ondas douradas que sustentaria todos eles.

Na pior das hipóteses, haveria alimento para os animais. Depois de quatro anos de seca, só isso já era uma bênção.

Elsa deixou Tony observando sua terra e tomou a direção da casa. Ajoelhou-se no seu pedaço de terra especial, embaixo da janela da cozinha. A áster estava verde.

– Olá, querida – falou. – Eu sabia que você ia voltar.

QUATORZE

No dia em que aconteceu, Elsa disse a si mesma que não era nada. Todos disseram.

Acordou cedo, sentindo-se inquieta. Tinha dormido mal e não sabia por quê. Levantou-se, jogou água no rosto e de repente percebeu qual era o problema: estava com calor.

Trançou os cabelos, cobriu-os com um lenço e desceu para a cozinha, onde encontrou Rose de pé em frente à janela.

Elsa sabia que as duas estavam pensando a mesma coisa: já estava calor. E não eram nem sete horas da manhã.

– É só um dia mais quente – disse Elsa, ao lado da sogra.

– Eu já gostei muito de dias quentes – comentou Rose.

Elsa aquiesceu. As duas olharam para o amarelo ofuscante do sol.

Oito dias seguidos de 38 graus. No meio do inverno.

Todos renovaram seus esforços para economizar: energia, água, comida, querosene. Fechavam as cortinas das janelas e carregavam baldes de água, despejando-os cuidadosamente no jardim, no vinhedo e na manjedoura dos animais, mas não era o suficiente; a nova safra começou a murchar sob o calor implacável. No quarto dia, o trigo estava morto. Nenhuma sombra de verde em centenas de hectares. Elsa viu o sogro desanimando. Continuou acordando cedo, tomava uma caneca de café forte e amargo e lia o jornal. Só quando abria a porta, seus ombros se curvavam. A cada dia, sentia-se mais uma vez desolado com a visão de sua terra seca. Alguns dias ele passava horas na orla de sua plantação de trigo morta, olhando-a fixamente. Voltava para casa cheirando a suor e desespero, sentava-se na sala de estar sem dizer nada. Rose tentava tudo o que podia para reviver seu espírito, mas nenhum dos dois continuava muito otimista.

Mesmo assim, enquanto as plantações morriam, a terra secava e suas peles queimavam, a vida continuava.

Hoje era dia de Elsa e Rose lavarem a roupa. Naquele calor sufocante, era provável que tivessem uma dor de cabeça.

Às vezes Elsa tinha vontade de deixar as crianças usarem roupas sujas e dizer: *Quem se importa*? Todo mundo usava roupas sujas naqueles dias, mas o que isso diria do tipo de mãe que era ou das lições que estava ensinando aos filhos? E se um dos vizinhos restantes passasse por lá e visse seus filhos com roupas sujas?

Então ela lavava as bacias, enchia de água e passava horas exaustivas e suarentas lavando toalhas, roupas de uso diário e de cama. Primeiro, claro, todas as peças precisavam ser levadas para fora e sacudidas. A cisterna já tinha secado naquele calor fora de época, por isso toda a água precisava ser tirada do poço e carregada em baldes até a casa. Felizmente, Loreda era hábil em tirar água do poço, e ultimamente andava muito cansada e desanimada para se queixar.

Quando Elsa acabou de lavar as roupas, já passava muito do meio-dia e dos quarenta graus. Quando os lençóis estavam no varal, balançando na brisa, ela mal conseguia levantar a cabeça e todas as articulações do seu corpo doíam. E tudo aquilo era um desperdício, pois a poeira se grudaria em tudo que fora lavado.

Voltou à cozinha, escura e abafada, e começou a fazer pão, misturando as sobras da água de batata da noite anterior com uma batata cozida, açúcar, fermento e farinha. Às duas da tarde, Loreda entrou na cozinha.

– Bem na hora – disse Elsa, cobrindo a massa de pão com um pano de prato. – Você vai poder me ajudar a recolher a roupa do varal.

– Que alegria – comentou Loreda, saindo atrás de Elsa.

No primeiro dia da primavera – mais um de calor escaldante –, a mãe resolveu fazer sabonete. *Sabonete*. Loreda estava cansada demais para protestar – e de qualquer forma não adiantaria de nada. A mãe e a avó eram guerreiras. Ninguém as detinha quando tomavam uma decisão.

Loreda foi com a mãe ao celeiro.

Trabalhando juntas, empurraram um grande caldeirão preto para o jardim, onde o instalaram. A mãe se ajoelhou diante de um tripé e acendeu o fogo.

Quando as labaredas subiram, ela disse:

– Pode começar a trazer a água.

Loreda não disse nada, simplesmente pegou dois baldes e saiu. Quando voltou, a avó estava com a mãe, cuidando do fogo.

– Nós deveríamos ter investido em encanamentos – disse a avó. – Quando os tempos estavam melhores.

– Você sabe o que dizem em relação a chorar sobre o leite derramado – replicou a mãe.

– Mas nós preferimos comprar mais terra, uma caminhonete nova e uma debulhadora. Não admira que Deus esteja nos castigando. Como fomos burros – disse a avó.

– Pode continuar tagarelando – disse Loreda. – Eu pego a água sozinha.

A avó deu um tapinha na cabeça dela.

– *Basta*. Pode ir.

Quando o caldeirão afinal estava cheio, Loreda sentia dores no pescoço, nos joelhos e o maldito calor começava a lhe dar dor de cabeça. Tirou o lenço do pescoço e o usou para enxugar o suor do rosto.

Quando a água começou a ferver, a avó jogou gordura no caldeirão e despejou a soda cáustica com cuidado. O ar quente e úmido tornou-se tóxico instantaneamente. A mãe tossiu e tapou a boca e o nariz.

A dor de cabeça de Loreda intensificou-se atrás de seus olhos. Ficou mais difícil olhar para o azul do horizonte sem piscar. Preferiu olhar para a plantação de batatas morta, a plataforma vazia do moinho que a fazia sentir falta do pai – uma sensação que logo abafou. Estava cansada de sentir falta do pai. *Boa viagem*, pensou (ou ao menos tentou).

A mãe continuou perto do caldeirão, mexendo a soda cáustica, a gordura e a água com um bastão longo e pontiagudo até a mistura adquirir a consistência certa.

Fazendo sabonete para vender. Como se *sabonete* pudesse salvá-los, como se rendesse dinheiro suficiente para alimentar todos no inverno seguinte.

A mãe distribuiu o caldo em formas de madeira enquanto a avó jogava areia para apagar o fogo.

– Loreda, me ajude a levar essas bandejas até o celeiro – pediu a mãe.

A avó enxugou as mãos no avental e voltou para a casa.

Loreda sabia que assim que o caldeirão esfriasse, elas teriam que rolá-lo de volta ao celeiro, e só de pensar nisso sentiu vontade de gritar de frustração. Mas pegou uma bandeja de sabonete ainda liquefeito e seguiu a mãe pelo celeiro escuro e relativamente fresco.

Com as prateleiras vazias.

Depois de anos sem uma safra de trigo e quase nada na horta, eles vinham vivendo do que conseguiram em dias melhores, mas esses mantimentos estavam acabando depressa.

Ela e a mãe trocaram um olhar, mas nenhuma das duas falou nada. Não era nada animador comentar a falta de alimentos.

Loreda seguiu a mãe de volta para o sol escaldante. Estava prestes a pedir um copo de água quando ouviu um som estranho. Parou, apurou os ouvidos.

– Você ouviu isso?

O som tinha vindo do estábulo.

A mãe seguiu para lá e abriu a porta, a madeira rangendo alto.

Loreda entrou junto com ela.

Milo estava deitado de lado, a barriga magra e ofegante, tentando respirar. Um muco sujo escorria pelas narinas, formando uma poça no chão.

O avô se ajoelhou ao lado do cavalo e acariciou seu pescoço úmido.

– O que é que ele tem? – perguntou Loreda.

– Desmaiou – respondeu o avô. – Eu estava tirando ele do estábulo para tomar água.

– Vá para casa, Loreda – disse a mãe.

A menina foi até o avô, puxou um banquinho de ordenha e se sentou. Pôs a mão no ombro dele.

– Eu preciso sacrificar o Milo, Elsa. Ele está sofrendo. O coitado já nos deu tudo o que tinha.

Loreda olhou para Milo, pensando: *Não*. Tantas de suas boas lembranças o incluíam...

Lembrou-se de quando o pai a ensinara a cavalgar naquele velho cavalo. *Ele vai cuidar de você, Lolo, pode confiar. Não tenha medo.*

Lembrou-se do pai alçando-a à sela, da mãe dizendo: *Será que ela ainda não é muito pequena?* E do pai sorrindo. *A minha Lolo, não. Ela pode fazer qualquer coisa.*

Foi em cima do lombo de Milo que Loreda venceu o medo pela primeira vez. *Consegui, papai!*

Foi um dos melhores dias da sua vida. Passou do trote ao galope em poucas horas, e o pai ficou todo orgulhoso.

Nos muitos anos que se seguiram, Milo foi seu melhor amigo naquela imensa fazenda. Seguia-a como um cachorrinho, mordiscando seu ombro, pedindo cenouras.

E agora tinha tombado.

– Não fiquem aí parados, façam alguma coisa – falou, os olhos cheios de lágrimas. – Ele está sofrendo.

– Eu fracassei em tudo – disse o avô.

– Você não fracassou – replicou a mãe. – Foi a terra que o desapontou.

– O homem do governo disse que nós mesmos fizemos isso, por ganância e com métodos nocivos. Se eu for um mau fazendeiro, não me resta mais nada, Elsa.

Milo estremeceu, ofegante, soltou um relincho baixo e desesperado de dor e agitou as patas dianteiras.

Loreda andou determinada até a bancada e pegou o revólver Colt do avô. Verificou o tambor, fechou-o com um estalo e voltou até Milo, que relinchou e fungou.

Viu toda a dor nos olhos dele, o muco pegajoso saindo das narinas enquanto afagava seu pescoço úmido.

– Eu te amo, garoto. – As lágrimas a cegavam, turvando aquele focinho tão amado. – Você nos deu tudo o que tinha. Eu deveria ter passado mais tempo com você. Me desculpe.

– Não, Loreda – disse o avô. – Isso não...

Loreda pôs o cano do revólver na cabeça do cavalo e puxou o gatilho. O disparo reverberou pelo estábulo.

O rosto de Loreda ficou salpicado de sangue.

Depois disso, o silêncio.

Lágrimas escorriam pelas faces da menina. Ela enxugou o rosto com impaciência. Lágrimas inúteis.

– O governo vai nos pagar 16 dólares por ele, morto ou vivo – falou.

– Dezesseis dólares – repetiu o avô. – Pelo nosso Milo.

Loreda sabia o que os adultos estavam pensando. Iam ganhar 16 dólares, mas ficariam sem um meio de transporte. E sem colheita. Sem comida.

– Quanto tempo até começarmos a cair de joelhos e não conseguirmos mais nos levantar? Quanto tempo?

Loreda jogou a arma no chão e saiu correndo do estábulo. Poderia ter seguido a estrada de terra e continuar correndo até a Califórnia, mas antes mesmo de chegar até a casa sentiu o vento ganhando força. Olhou para o horizonte e viu: uma tempestade de areia vinha do norte.

E avançava rapidamente.

Naquela semana, o vento se tornou um monstro uivante e cheio de garras, abalando a casa, estremecendo as janelas e trepidando nas portas. O vento soprou a mais de 60 quilômetros por hora, dia após dia, sem trégua, numa investida aterrorizante e interminável. Chovia poeira do telhado constantemente. Todos respiravam aquele pó, cuspiam e tossiam. Desorientados pela poeira, pássaros se chocavam contra as paredes das casas e os postes telefônicos. Os trens pararam nos trilhos; montes de areia movimentavam-se como ondas pela planície.

Quando acordavam, viam a própria silhueta marcada pela areia nos lençóis. Passavam vaselina no nariz e cobriam o rosto com lenços. Os adultos saíam quando precisavam, seguindo a corda estendida entre a casa e o celeiro, uma mão após a outra, cegos pela poeira. As galinhas se agitavam de pânico, respirando aquele pó dia após dia, e as crianças ficavam na casa, usando as máscaras de gás. Ant detestava usar a máscara – dizia que lhe dava dor de cabeça –, apesar de a poeira incomodá-lo mais do que aos outros.

Elsa se preocupava com ele, dormia ao seu lado, ficava na cama com o filho, lendo o melhor que podia com a voz rouca. Só as histórias o acalmavam.

Agora, no quinto dia de tempestade, Ant estava na cama dela, sob as cobertas, de máscara, enquanto Elsa varria o chão. A poeira entrava pelas vigas e cobria tudo.

Elsa ouviu um baque, quase inaudível no barulho da tempestade.

Ant tinha derrubado o livro ilustrado no chão.

Elsa largou a vassoura e sentou-se ao lado dele na cama.

– Ant, querido...

– Mamãe...

Ele teve um violento acesso de tosse. Nunca tinha tossido tão forte. Elsa achou que fosse fraturar as costelas.

Tirou o lenço do rosto e afrouxou a máscara no rosto do filho. Crostas de lama acumulavam-se nos cantos dos olhos e nas narinas.

Ant piscou.

– Mamãe? É você?

– Sou eu, querido. – Ela sentou-o na cama, encheu um copo com água e o fez beber. Viu o quanto doía para engolir. Sua respiração, mesmo sem a máscara, emitia um terrível chiado.

O vento estremecia as janelas, entrando pelas rachaduras da madeira.

– Meu estômago dói.

– Eu sei, querido.

Poeira. Pelo corpo todo, nas lágrimas, nas narinas, na língua, arranhando a garganta, acumulando-se no estômago até todos se sentirem nauseados. Todos conviviam com dores no estômago.

Mas para Ant era pior. Sua tosse era brutal, e ele não conseguia comer. Recentemente, começou a dizer que a luz feria seus olhos.

– Tome um pouco de água. Vou pôr um pouco de terebintina e uma toalha quente no seu peito.

Ant bebericou a água como um filhote de passarinho. Quando terminou, desabou no travesseiro, a respiração chiada.

Elsa deitou-se na cama ao lado do filho, abraçando-o, murmurando orações.

Ant continuou assustadoramente imóvel.

Elsa pegou um pouco de vaselina em uma lata, passou nas narinas entupidas e inflamadas do filho e recolocou a máscara em seu rosto. O menino piscou para ela, chorando, lama se formando nos cantos dos olhos.

– Não chore, querido. A tempestade vai passar logo e nós vamos levar você ao médico. Você vai se sentir melhor.

A respiração dele ciciava na máscara.

– Tá… bom – falou.

Elsa ficou abraçada, desejando que ele não visse suas lágrimas.

Nove dias, e ainda nenhum alívio da tempestade. O vento estremecia as paredes e arranhava a porta.

Elsa acordou para mais um dia de ventania e se virou para ver como estava Ant, que dormia ao seu lado. Nos últimos quatro dias, ele não tivera forças para se levantar da cama. Não conseguia nem mais brincar com seus soldadinhos e também não queria ouvir histórias. Só ficava deitado, respirando com dificuldade com a máscara de gás.

Aquela respiração terrível era a primeira e a última coisa que ela ouvia todo dia, de manhã ao acordar e de noite ao abraçar o filho antes de dormir.

Ouviu sua respiração, fez uma breve oração para a Virgem Maria e saiu da cama. Puxou o lenço encrostado para o pescoço e pisou na fina camada de areia acumulada no assoalho de madeira durante a noite. Foi até a pia para lavar o rosto, deixando pegadas pelo quarto.

O espelho a surpreendeu, o que era comum nos últimos dias.

– Meu Deus – falou, com a voz rouca.

Seu rosto parecia um deserto no verão – marrom, rachado, enrugado. Os lábios e os dentes escurecidos pela poeira. A areia se acumulava nos cantos dos olhos e nas pestanas. Elsa lavou o rosto e escovou os dentes.

Na sala de estar, calçou as botas perto da porta e fez uma pausa, olhando para a maçaneta que estremecia. As paredes trepidavam com a força do vento. Cobriu o nariz e a boca com o lenço, vestiu as luvas e teve que usar toda a sua força para abrir a porta.

O vento a empurrou de volta. Ela inclinou-se para a frente e apertou os olhos para se proteger da poeira.

Localizou a corda estendida entre a casa e o celeiro e começou a atravessar o quintal, um passo depois do outro, caminhando devagar. Finalmente chegou ao celeiro. Lá dentro, amarrou uma corda guia no arreio de Bella e levou a pobre vaca cambaleante para fora do estábulo até o centro do celeiro. As paredes tremiam e balançavam; chovia pó do teto.

Elsa posicionou o balde, sentou-se no banquinho de ordenha e tirou as luvas, guardando-as no bolso do avental. Abaixou o lenço e levou a mão à teta ressecada e descamando da vaca. O celeiro estremecia ao seu redor; o vento assobiava através das rachaduras entre as tábuas.

As mãos de Elsa estavam tão rachadas e em carne viva que sentia as mesmas dores da vaca ao tirar seu leite. Firmou-se. A vaca mugia de dor.

– Me desculpe, garota – disse Elsa. – Eu sei que dói, mas meu filho precisa de leite. Ele... está doente.

O leite grosso e amarronzado saiu borbulhando, respingando no balde.

– Vamos, garota – instou Elsa, tentando de novo.

E de novo. E de novo.

Nada além de lama de leite.

Elsa fechou os olhos irritados pela areia e apoiou a testa nas costelas protuberantes de Bella. O rabo da vaca a atingiu, espetando sua bochecha.

Elsa não saberia dizer quanto tempo ficou ali sentada, lamentando a perda daquele leite, perguntando-se como ia dar de comer aos filhos sem leite, queijo ou manteiga, lamentando por aquele animal respirando poeira o dia inteiro e que não viveria muito mais tempo. A outra vaca já tinha parado de dar leite meses antes e estava ainda pior que Bella.

Com um suspiro exaurido, vestiu as luvas, subiu o lenço no rosto e levou Bella de volta ao estábulo.

Quando voltou para a casa, sua testa estava em carne viva e ela mal conseguia enxergar. O vento chegava a arrancar a pele.

– Elsa? Tudo bem com você?

Era Tony. Aproximou-se dela, apoiou-a com o braço.

Elsa baixou o lenço para falar.

– Não temos mais leite.

O silêncio de Tony foi de cortar o coração.

– Bem, vamos vender as vacas para o governo. Dezesseis dólares por cabeça, não é?

Elsa tentou tirar a areia dos olhos.

– Ainda temos sabonete e alguns ovos para vender.

– Graças a Deus por esses pequenos milagres.

– É – concordou Elsa, pensando nas prateleiras vazias do celeiro.

QUINZE

Silêncio.

Nenhum vento estremecendo as janelas. Nenhuma poeira caindo do teto. Elsa abriu os olhos da maneira cuidadosa que todos tinham aperfeiçoado. Desceu o lenço encrostado de lama que cobria o nariz e a boca e tirou a poeira dos olhos. Demorou algum tempo para focar. Quando se sentou, a poeira escorregou para o chão.

A primeira coisa que fez foi olhar para Ant, acordando-o e afrouxando a máscara no seu rosto pequeno e ossudo.

– Oi, querido – falou. – A tempestade passou.

Ant abriu os olhos. Elsa viu o esforço que ele teve que fazer. Não via mais o branco dos seus olhos, só um vermelho intenso e profundo.

– Eu não consigo... respirar. – As pálpebras sujas e irritadas voltaram a se fechar.

Ele está piorando.

– Ant? Querido? Não durma, tá?

Ant tentou umedecer os lábios, insistiu em limpar a garganta.

– Mamãe... eu não tô... me sentindo bem.

Elsa tirou o cabelo úmido da testa do filho, sentiu-o quente.

Febre.

Isso era novidade.

Elsa sentia um temor profundo de febres, uma reminiscência da sua infância, um lembrete da própria doença.

Descobriu o jarro ao lado da cama e despejou água na bacia de louça. Molhou um pedaço de pano na água morna, torceu para tirar o excesso e pôs o pano úmido e refrescante na testa do filho. A água escorreu pelas suas bochechas.

Despejou um pouco de água num copo, ajudou o filho a tomar uma aspirina.

– Finja que é a limonada da sua avó. Doce e azeda.

Ministrou uma colher de açúcar misturado com terebintina. Era o único remédio que conheciam para combater a poeira que respiravam mesmo usando máscaras.

Ant bebeu um pouquinho e engoliu o açúcar, fechou os olhos e afundou no travesseiro.

Elsa soltou um suspiro de alívio, mas de repente Ant se retorceu, o corpo trêmulo, os dedos contraídos como garras, revirando os olhos vermelhos.

Elsa nunca se sentiu tão desamparada na vida. Não havia nada que ela pudesse fazer; ficou ali sentada, vendo seu filho ter convulsões. Os segundos pareceram durar uma eternidade.

Quando a crise passou, ela o abraçou apertado, trêmula e assustada demais para confortá-lo.

– Me ajude, mamãe – falou Ant numa voz fraca. – Estou quente.

Ant precisava de ajuda. *Já.*

Não importava que eles não tivessem dinheiro nenhum. Ela mendigaria se precisasse.

– Eu vou ajudar você, querido.

Elsa pegou o filho no colo, com as cobertas e tudo, e saiu do quarto. Ao longe, ouviu a família gritando com ela. Não conseguia parar, não pensava em nada a não ser em Ant.

Chegou ao alpendre antes de lembrar que eles não tinham mais um cavalo. Nada para puxar a carroça. O caminho de terra se estendia à sua frente, estéril e desolado.

O solo era duro e plano em alguns trechos, endurecido pelo vento, que também tinha arrancado os arames farpados como se fossem fios de cabelo numa brisa. Havia pedaços de arame em todas as construções, presos a arbustos secos e cobertos por camadas de areia.

Viu um carrinho de mão parcialmente enterrado na areia.

Será que conseguiria empurrar o filho por 3 quilômetros num carrinho de mão, até a cidade?

Claro que sim. Poderia levar o filho até onde fosse preciso.

Andou cambaleante até o carrinho e deitou Ant na caçamba arenosa, as pernas finas pendendo dos lados. Acomodou a cabeça dele com cuidado no cobertor.

– Ma... mãe – disse, num chiado. – A luz... machuca.

– Feche os olhos, querido – recomendou. – Tente dormir. Nós vamos falar com o Dr. Rheinhart.

Ela levantou as hastes ásperas de madeira e começou a empurrar.

– Elsa!

Ouviu Rose chamando por ela, mas não parou, não lhe deu atenção. Estava em pânico, precisava procurar ajuda. Sabia que era loucura, sabia que estava um pouco desvairada, mas o que mais poderia fazer?

– Elsa, nós podemos ajudar!

Elsa continuou empurrando. O carrinho de mão parecia resistir. Ela sentia cada calombo do caminho, cada valeta, como um tranco na coluna. Conseguiu chegar à estrada principal.

Desolação. Montes de areia cobrindo tudo. Cercas caídas.

Pegou a estrada e seguiu em frente, ofegante.

O calor era sufocante. O suor turvava sua visão, escorrendo entre os seios em filetes incômodos.

Tropeçou em alguma coisa enterrada na areia e cambaleou. O carrinho de mão escapou de suas mãos, tombando para a frente. Ant bateu a cabeça no chão.

– Me desculpe, querido.

Nem Elsa conseguia ouvir as próprias palavras, tão seca estava sua garganta. Olhou para as palmas das mãos, a pele descascada, sangrando. Seu sangue manchava as hastes do carrinho.

Voltou a acomodar Ant e lutou para avançar; antes de dar o primeiro passo, sentiu uma mão em seu ombro.

Era Tony, com Rose e Loreda logo atrás.

– Agora você pode deixar a gente ajudar?

– Não precisa fazer isso sozinha – disse Rose.

– É, mamãe – concordou Loreda. – A gente estava gritando. Você ficou surda?

Elsa quase irrompeu em lágrimas. Lentamente, soltou o carrinho.

Tony pegou as duas hastes, levantou o carrinho e começou a empurrar. Loreda foi para o seu lado e segurou uma das hastes.

– Você empurrou mais de 1 quilômetro – disse Rose, ajeitando o cabelo molhado caído na testa suja de Elsa.

– Eu só estava…

– Você é mãe. – Rose pegou as mãos de Elsa, viu a pele cortada e ensanguentada.

Elsa se aprumou. Sua própria mãe a teria repreendido pela burrice de não estar usando luvas.

Rose levantou uma das mãos dela devagar, beijou a pele sanguinolenta.

– Isso melhorava tudo com meu filho imbecil.

– Ajuda bastante – disse Elsa. Era a primeira vez na vida que alguém beijava um ferimento seu para aplacar a dor.

– Vamos. Meu marido não é tão jovem quanto pensa. Logo vai ser minha vez.

Lonesome Tree era uma cidade fantasma.

Tony empurrava o carrinho de mão pela Avenida Principal, passando pelas lojas protegidas por tapumes. A antiga e movimentada mercearia tinha sido ocupada pela Cruz Vermelha e transformada em hospital.

O álamo solitário não existia mais. Alguém devia tê-lo cortado para usar como lenha quando a árvore morreu de sede.

No hospital improvisado, Tony pegou Ant no colo. O menino gemeu e tossiu.

Lá dentro, o prédio estreito era sombreado e escuro. As janelas tinham sido vedadas para deter o vento e a poeira. Os uniformes das enfermeiras da Cruz Vermelha, outrora imaculadamente brancos, agora estavam amassados e cinzentos. Um médico corria de leito em leito, parando só o suficiente para fazer uma avaliação e bradar ordens às enfermeiras que o acompanhavam.

Tony levou Ant no colo.

– Eu estou com uma criança que precisa de ajuda.

Uma enfermeira se aproximou. Parecia tão abatida e exausta como todos os demais.

– Qual é o estado dele?

– Ruim.

A enfermeira deu um longo suspiro.

– Hoje de manhã vagou um leito.

Todos sabiam que aquilo significava que alguém tinha morrido por causa da poeira. A enfermeira lançou um olhar triste para Elsa.

– A situação anda difícil. Venham.

Elsa acompanhou Tony pelo recinto cheio de pacientes chiando e tossindo.

Puseram Ant numa cama nos fundos, embaixo de uma janela de 3 metros tapada com pranchas de madeira, as esquadrias forradas de trapos. À esquerda, um velho numa das camas lutava a cada respiração. Uma máscara cobria seus olhos.

Elsa ajoelhou-se ao lado do filho.

Sentiu o calor irradiando dele. Tocou sua testa quente.

– Eu estou aqui, Ant. Nós todos estamos.

Loreda sentou-se na ponta da cama.

– Vamos jogar xadrez. Eu deixo você ganhar.

Ant tossiu mais forte.

Momentos depois, Rose voltou com o médico. Puxando-o pela manga. Sem dúvida tinha agarrado o pobre homem e o arrastado até ali. De alguma forma, Rose ainda mostrava sua força interior. Elsa não conseguia imaginar como a mantinha em meio a toda aquela poeira. O médico se inclinou para medir a temperatura de Ant.

Observou o termômetro, olhou para Ant e deu um suspiro.

– Seu filho está muito doente e a senhora sabe disso. Está com uma febre alta e sofrendo de uma severa silicose. Pneumonia. O solo da pradaria é cheio de sílica, que se acumula nos pulmões e rompe os alvéolos.

– O que isso significa?

– Que ele está respirando e engolindo poeira. Ingerindo. Não há outra maneira de dizer, mas a senhora fez bem em trazer seu filho para cá. Aqui é o melhor lugar da cidade para se estar numa tempestade de areia. Vamos cuidar bem dele, prometo. – O médico passou os olhos pelos leitos cheios de pacientes chiando, tossindo, suando e morrendo. – Tente não se preocupar.

– Ele está morrendo? – perguntou Elsa numa voz débil.

– Ainda não. – O médico pôs a mão no ombro dela e apertou com delicadeza. – Agora a senhora precisa ir para casa, me deixe cuidar dele.

Elsa se ajoelhou ao lado da cama de Ant. Enterrou o rosto no pescoço dele, fungando.

– Eu estou aqui, querido – disse, com a voz entrecortada. – Eu te amo.

Rose a ergueu. Elsa precisou de toda a sua disciplina para não gritar, gemer ou desmoronar. Não sabia de onde havia tirado forças para se virar e encarar o olhar triste da sogra.

– Ainda temos um pouco de manteiga – disse Rose com a voz tensa. – Podemos fazer cookies e trazer para ele amanhã, junto com alguns brinquedos e roupas.

– Eu não posso sair de perto dele.

O médico chegou mais perto.

– Todos aqui são jovens, crianças ou idosos. Cada um tem alguém que quer estar com eles. Não há espaço para acompanhantes. Vá para casa, durma. Nós vamos cuidar dele. Pelo menos por uma semana. Talvez duas.

– Mas nós podemos visitar, não podemos? – perguntou Loreda.

– É claro – respondeu o médico. – Quando quiserem. E tem outras crianças aqui para ele brincar quando estiver se sentindo melhor.

Elsa começou a dizer:

– E se…

O médico a interrompeu:

– A senhora vai perguntar o que todos perguntam. Só posso dizer uma coisa: se quiser salvar o seu filho, saia do Texas. Leve-o para um lugar onde ele possa respirar.

Rose apoiou Elsa com um dos braços; era a única coisa que a mantinha em pé.

– Vamos, Elsa. Vamos fazer umas guloseimas para o nosso garoto. Amanhã trazemos para ele.

Elsa estava de pé na orla da plantação de trigo morta. A poeira marrom se acumulava em dunas até onde a vista alcançava. Eram quase quatro da tarde e o sol continuava inclemente. Quente e seco. O moinho girava devagar, rangendo, fazendo o melhor que podia.

Queria acreditar que voltaria a chover, que as sementes germinariam e que aquela terra floresceria de novo, mas esperança era algo que não podia mais se dar ao luxo de ter, não com Ant deitado numa cama de hospital com os pulmões cheios de poeira, ardendo em febre.

Pneumoconiose.

Era como chamavam aquela doença, mas na verdade era um resultado das perdas, da pobreza e dos erros do homem.

Ouviu passos atrás de si; chegando com aquele novo som arrastado, uma espécie de sussurro, como se agora as pessoas tivessem medo de perturbar a terra que se voltava contra elas.

Tony e Rose pararam ao seu lado.

– Ele está morrendo – disse Elsa.

Morrendo.

E não só Ant. A terra, os animais, as plantas. Todas as coisas. O sol tinha reduzido tudo a pó, que o vento levou para longe. Milhões de toneladas de solo arável.

– Nós precisamos sair do Texas – disse Elsa.

– Sim – concordou Rose.

– Podemos vender as vacas para o governo – sugeriu Tony. – Isso já vai ajudar um pouco. Eles vão pagar 32 dólares pelas duas.

Elsa respirou fundo e dolorosamente enquanto encarava a terra morta e marrom. Não queria partir para o desconhecido sem emprego e quase sem dinheiro. Nenhum deles queria sair dali. Aquele lugar era o *lar* de todos.

Ali perto, o moinho rangia e as pás giravam devagar.

Voltaram juntos para a casa, levantando poeira a cada passo.

DEZESSEIS

— Eu estava pensando em levar Loreda para caçar amanhã – disse o avô naquela noite.

– É uma boa ideia – concordou a avó, molhando um pedaço de pão em um pouquinho de seu precioso azeite de oliva. – A bússola está na cômoda. Na primeira gaveta.

– Será que devemos limpar o celeiro? – questionou Elsa. – A velha tenda de caça do Rafe está lá em algum lugar. E o fogãozinho a lenha usado, na antiga cabana.

Loreda não conseguia aguentar aquilo nem mais um segundo. Os adultos estavam falando sobre nada. Pareciam ter esquecido que Ant estava num hospital, esquálido, sem ninguém para lhe fazer companhia. Ou achavam que ela era nova demais para saber a verdade. Aquela conversa fiada a deixava furiosa. A última coisa de que eles precisavam era limpar o celeiro.

A menina se levantou tão depressa que as pernas da cadeira rangeram. Então chutou a cadeira e ficou olhando enquanto tombava no chão.

– O Ant está morrendo, não é?

A mãe olhou para ela.

– Não, Loreda. Ele não está morrendo.

– Você está mentindo. E eu não vou lavar a louça. – Ela saiu intempestivamente da casa e bateu a porta.

Lá fora, não havia mais cavalos no estábulo, nem porcos no chiqueiro. Só o que restava eram algumas galinhas magras, com muito calor, cansadas e famintas demais para cacarejar quando alguém passava, e duas vacas que mal conseguiam ficar em pé. Logo as vacas seriam vendidas para os homens do governo e levadas embora. Então tudo ficaria vazio.

Loreda subiu na plataforma do moinho e sentou-se sob o céu noturno das Grandes Planícies, infinito e estrelado. Ali em cima parecia – em outros tempos – que ela fazia parte do céu. Tinha sido tantas coisas naquele lugar – bailarina, cantora de ópera, estrela de cinema.

Sonhos que o pai alimentava antes de partir em busca do próprio sonho.

Loreda abraçou os joelhos.

Conseguia lidar com a fazenda moribunda e com adultos que mentiam para ela. Conseguia até lidar com o abandono do pai, mas isso...

Ant. Seu irmão caçula, que se encolhia como um caracol e chupava o dedo, que corria como uma marionete, todo desajeitado, que à noite dizia para ela "Me conte uma história" e prestava atenção em cada palavra.

– Ant – murmurou, percebendo que era uma prece. A primeira que começava em anos.

O moinho balançou. Olhou para baixo e viu a mãe subindo, estremecendo os degraus no caminho.

A mãe sentou-se ao seu lado, as pernas pendendo da borda.

– Eu não sou mais criança, mamãe. Você pode me dizer a verdade.

A mãe respirou fundo e suspirou.

– Nós estávamos falando sobre a tenda do seu pai porque... nós vamos embora do Texas assim que Ant estiver melhor. Vamos para a Califórnia.

Loreda virou-se para ela.

– O quê?

– Eu falei com os seus avós. Nós temos um pouco de dinheiro e a caminhonete está funcionando. Então, vamos para o Oeste. Tony ainda está forte. Ele pode encontrar trabalho, talvez na ferrovia. Eu posso lavar roupa para fora, espero. Ouvi dizer que Pamela Shreyer conseguiu emprego numa joalheria. Imagine só. O marido, Gary, está cuidando de um vinhedo.

– E o Ant vai com a gente?

– É claro que sim. Assim que estiver melhor, nós vamos todos juntos.

– São 1.600 quilômetros até a Califórnia. A gasolina tá custando 90 centavos o galão. Nós temos o suficiente para isso?

– Como você sabe tudo isso?

– Depois que o papai foi embora, em vez de estudar a história do Texas, eu estudei mapas da Califórnia. Eu pensei em...

– Fugir para se encontrar com ele?

– Foi. Acontece que eu sou burra, mas nem tanto. A Califórnia é um estado grande. E eu nem sei ao certo se ele foi para o Oeste. Ou para a Costa Leste.

– Não. Nós não sabemos nada disso.

Loreda encostou-se na mãe, que a abraçou pelos ombros.

Ir embora. Loreda considerou seriamente aquela possibilidade pela primeira vez. Ir embora daquela casa.

– Eu queria que vocês crescessem nesta terra – disse a mãe. – Queria envelhecer e ser enterrada aqui e cuidar dos filhos dos seus filhos. Queria ver o trigo crescendo de novo.

– Eu sei – disse Loreda, com uma pontada de reconhecimento; uma parte dela queria isso também.

– Nós não temos escolha – continuou a mãe. – Não mais.

Uma semana depois, a maior parte do galinheiro continuava soterrada pela areia, assim como toda a lateral do celeiro. As vacas tinham sido vendidas e levadas de lá, e agora a fazenda era um mar de ondas amarronzadas depois de onze dias de tempestade de areia. Era trabalho demais remover toda aquela areia, principalmente agora que estavam partindo. A carroceria de madeira da caminhonete estava carregada com as poucas coisas que pensavam poder precisar em sua nova vida – o fogãozinho a lenha, barris de utensílios e alimentos, caixas de roupas de cama, panelas e caldeirões, um galão de querosene, lampiões.

Elsa parecia um beduíno, subindo e descendo as dunas, passando pelo moinho. Finalmente encontrou algumas iúcas, as raízes fibrosas expostas pelo vento e pela erosão.

Arrancou-as da terra e guardou tudo num balde de metal.

Quando voltou para casa, viu Loreda sentada à mesa da cozinha com Tony, mapas espalhados ao redor.

– O que é isso? – perguntou Rose, entrando na cozinha. Ela tinha preparado dois frangos para a viagem, com os últimos legumes enlatados, um presunto conservado em açúcar e alguns cardos silvestres. Isso deveria durar até chegarem à Califórnia.

– Iúca. Podemos cozinhar para comer.

Loreda fez uma careta.

– Descemos mais um nível, mamãe.

Lá fora, um carro apareceu à vista. Todos se entreolharam.

Quando fora a última vez que receberam visitas?

O automóvel vinha pela estrada, desviando para evitar as rachaduras da terra, as dunas de areia e os restos de arame farpado enrolados. Poeira amarelo-amarronzada subia dos pneus de borracha.

Tony passou pela varanda e andou em direção ao automóvel que se aproximava.

Elsa levantou a mão para proteger os olhos do sol.

– Quem é? – perguntou Rose, chegando ao seu lado, enxugando as mãos úmidas no avental.

O automóvel entrou roncando no quintal e parou na frente de Tony. A nuvem de poeira demorou a se dissipar, revelando um Ford Modelo Y de 1933.

A porta se abriu devagar. Um homem saiu do carro, aprumando o corpo. Usava um terno preto, o paletó apertado na altura da barriga bem alimentada e um chapéu de feltro novo em folha. Tufos de costeletas grisalhas ladeavam seu rosto corado.

Era o Sr. Gerald, o único banqueiro que restava na cidade.

Rose e Elsa atravessaram o quintal de terra e se puseram ao lado de Tony.

– Morton – disse Tony, franzindo a testa. – Você está aqui para falar sobre a reunião de amanhã? Ouvi dizer que o homem do governo vai voltar à cidade.

– Sim, vai. Mas não foi por isso que eu vim. – Morton Gerald fechou a porta com cuidado, como se o automóvel fosse uma porcelana delicada, e tirou o chapéu. – Senhoras. – Fez uma pausa, e olhou para Tony, pouco à vontade. – Talvez as senhoras pudessem nos dar um tempo para conversarmos em particular...

Rose retrucou com firmeza:

– Eu vou ficar.

– Em que posso ajudá-lo, Morton? – perguntou Tony.

– Sua promissória referente aos 65 hectares dos fundos venceu – disse o Sr. Gerald. Ele ao menos parecia infeliz com a notícia. – Eu prolongaria o prazo, se pudesse, mas... Bem, por mais difícil que esteja a situação de vocês, agricultores, há homens nas grandes cidades especulando com as terras. Você nos deve quase 400 dólares.

– Pode ficar com a debulhadora – disse Tony. – Que diabos, fique com o trator.

– Ninguém precisa de equipamentos agrícolas hoje em dia, Tony. Mas os homens ricos do Leste, os donos do banco, acham que ainda é possível lucrar com as terras. Se você não puder pagar, nós vamos confiscá-la.

Não houve resposta, apenas o suspiro da brisa, como se o próprio vento se sentisse enojado.

– Você poderia pagar alguma coisa, Tony? Qualquer coisa, só para eu dar uma satisfação?

Tony pareceu abatido, envergonhado.

– Eu tenho mais terra do que preciso, Morton. Pode pegar esses hectares de volta – falou.

O Sr. Gerald tirou uma folha de papel cor-de-rosa do bolso da camisa.

– Esta é a execução hipotecária formal dos seus 65 hectares dos fundos. Se não pagar o total da dívida na data estipulada, nós vamos leiloar essa parte da terra em 16 de abril pela maior oferta.

Os sapatos de Elsa afundavam na areia fofa de vez em quando, fazendo-a perder o equilíbrio enquanto seguia com Tony até a cidade. Nos dois lados da estrada, automóveis e fazendas abandonadas jaziam soterrados pela areia acumulada; às vezes só o que se podia ver de uma casa era o teto, projetando-se de uma duna. Os postes telefônicos tinham caído. Não se ouvia nenhum pássaro piando.

Na cidade, reinava um silêncio quase sobrenatural. Nenhum automóvel passava roncando pelas ruas, nenhum cavalo trotando num ritmo regular. O sino da escola havia sido arrancado pela tempestade que havia durado onze dias e, até então, não fora encontrado. Sem dúvida estava enterrado e só apareceria quando o vento voltasse para reconfigurar a paisagem mais uma vez.

Elsa parou em frente ao hospital improvisado.

– A gente se encontra em trinta minutos?

Tony concordou. Baixou o chapéu cinza remendado por cima dos olhos e seguiu na direção da escola para a reunião com os moradores, os ombros já curvados pela derrota. Ninguém esperava muito da volta do homem do governo.

Quando Elsa entrou no hospital, demorou um momento para os olhos se adaptarem à penumbra. Pessoas tossiam e pigarreavam, bebês choravam. Enfermeiras cansadas iam de leito em leito.

Elsa sorriu para os pacientes mascarados ao passar por eles. A maioria era muito jovem ou muito velha.

Ant estava sentado numa cama estreita, fingindo uma luta de espadas com uma colher e um garfo.

– Arrr, toma essa! – disse, batendo o garfo na colher. Sua voz continuava áspera, e a máscara de gás estava de prontidão sobre a mesinha ao seu lado. – Você não é páreo para o Sombra!

– Oi, querido – disse Elsa, sentando-se na beira da cama.

Hoje o filho parecia muito melhor. Nos últimos dez dias, Ant estava letárgico e continuava apático, mesmo quando alguém vinha visitá-lo. Mas lá estava o seu garoto. *Ele voltou.* O alívio de Elsa foi tão súbito e intenso que sentiu lágrimas se formando nos olhos.

– Mamãe! – exclamou, abraçando-a tão apertado que ela quase caiu da cama. Teve dificuldade de afastá-lo.

– Eu tô brincando de pirata – explicou, sorrindo.

– Você perdeu um dente.

– Sim! E acho que perdi de verdade. A enfermeira Sally disse que eu devo ter engolido.

Elsa pegou o cesto que trouxera. Dentro havia uma garrafa de *orzata*, a bebida adocicada que eles faziam todos os anos com amêndoas compradas na mercearia. Era a última e preciosa garrafa que restava, feita anos antes e reservada para ocasiões especiais. Elsa despejou um pouco numa garrafa de leite enlatado, agitou para fazer bolhas e deu a Ant.

– Que delícia – disse Ant, saboreando o primeiro gole.

Elsa sabia que ele ia tentar tomar devagar para durar mais, mas que não conseguiria.

– Trouxe isso também – falou Elsa, oferecendo um cookie com cobertura de glacê.

Ant mordiscou o cookie como um ratinho, começando pelas beiradas, até chegar ao centro mais polpudo.

– Parece que esse garotinho sortudo tem uma mãe que o ama muito – disse o médico, parando em frente à cama.

Elsa se levantou.

– Ele parece bem melhor hoje, doutor.

– Deve estar melhorando mesmo. As enfermeiras me disseram que está dando trabalho – comentou o Dr. Rheinhart, passando a mão no cabelo de Ant. – Ontem à noite a febre dele finalmente cedeu e a respiração melhorou muito. Está quase recuperado. Prefiro ficar de olho nele por mais alguns dias, mas só por precaução.

Elsa ofereceu um cookie ao médico.

– Não é muito, eu sei.

O médico aceitou o cookie e sorriu, dando uma mordida.

– Então, Ant, você gostaria de ir logo para casa?

– Puxa, e como, doutor. Meus soldadinhos de chumbo estão com saudades de mim.

– Que tal na terça-feira?

– Obaaa!

Uma leve tosse acompanhou seu brado de entusiasmo. O coração de Elsa apertou. Será que ela iria sentir uma pontada de medo a cada tossida de agora em diante?

– Obrigada, doutor – falou.

O médico abriu um sorriso cansado.

– Até terça.

Elsa sentou-se de novo ao lado do filho. O livro favorito dele estava à espera, *A história do porquinho Robinson*, de Beatrix Potter. Ant pedia para ouvir vezes e mais vezes a história da fuga do porquinho de um barco a vapor para a terra onde cresce a árvore Bong, e sem perder o entusiasmo. Ou talvez fosse da familiaridade que ele gostasse, de saber que todas as vezes a história terminava da mesma maneira.

O menino se acomodou nos braços de Elsa, comendo o cookie enquanto ela lia. Finalmente, ela fechou o livro.

– Você precisa ir embora? – perguntou Ant, desamparado.

– O médico quer que você fique mais alguns dias, só para ver se está tudo bem, mas não vai demorar muito para a gente partir na nossa aventura.

– Para a Califórnia.

– Para a Califórnia. – Elsa deu um abraço apertado no filho, beijou sua testa e cochichou: – Até logo, querido.

Sair de perto dele era sempre difícil, mas agora finalmente havia esperança. Ant logo voltaria para casa.

Lá fora, olhou para a rua e viu gente saindo da escola. Uma reunião desanimada e silenciosa. Viu Tony trocar algumas palavras com o Sr. Carrio antes de apertar a mão dele.

Ficou esperando pelo sogro na calçada. Ele veio em sua direção, parecendo abatido.

– Como está o nosso garoto? – perguntou.

– O médico diz que ele pode sair na terça-feira. Alguma notícia do homem do governo?

Tony a olhou com uma expressão tão desalentada que ela quase perdeu o fôlego.

– Nenhuma boa notícia – respondeu.

Elsa ficou em silêncio.

Os dois começaram a longa e solene caminhada de volta para casa.

Em dois dias eles sairiam daquela terra amaldiçoada por Deus. E Elsa não dizia isso com leveza.

Amaldiçoada por Deus.

De que outra forma alguém poderia descrever? Deus tinha virado as costas para as Grandes Planícies.

Ela passou os últimos dias preparando as coisas para a viagem. Naquele Domingo de Ramos, em vez de ir à igreja, enlatou os coelhos que Tony e Loreda tinham caçado no dia anterior; quando aquele laborioso trabalho foi concluído, começou a lavar a roupa.

Agora, no ocaso daquele dia de céu azul, Elsa se ajoelhou em frente às suas pequenas ásteres, despejando alguns preciosos copos de água na terra ressecada.

Aquela flor, que ela cobria, protegia e regava, e com que conversava já havia tanto tempo, era uma planta solitária, desafiadoramente verde em meio a todo aquele solo marrom.

Elsa teria que deixá-la para morrer.

Desencavou a planta pequena e tenra. Transportando-a nas mãos enluvadas em forma de concha, atravessou o quintal.

No cemitério da família, o cercado de estacas brancas caía aos pedaços, as lápides quase totalmente cobertas de terra. Quatro lápides, com os nomes dos filhos de Rose e Elsa inscritos. Três meninas e um menino.

Quanto tempo aqueles marcadores durariam ao vento? E quando os Martinellis se fossem, quem iria cuidar dos seus filhos, enterrados sozinhos no meio do nada?

Elsa se ajoelhou na areia.

– Maria, Angelina, Juliana, Lorenzo. Isto é tudo que posso deixar com vocês. Vou rezar para chover na primavera e para esta plantinha florescer.

Elsa plantou as flores na terra arenosa em frente à lápide quase soterrada de Lorenzo.

A áster murchou imediatamente, tombando para o lado.

Elsa não iria chorar por aquela florzinha.

Fechou os olhos numa prece. Pouco depois, enxugou-os e se levantou devagar. Quando se aprumou, viu uma sombra negra surgindo ao longe; a coisa mais negra que já tinha visto, erguendo-se sob o azul-escuro do céu do anoitecer, abrindo suas enormes asas negras. A eletricidade estática fez os pelos de sua nuca se arrepiarem.

Uma tempestade negra?

Fosse o que fosse, estava vindo na direção deles. *Rapidamente.*

Elsa correu para casa, encontrou Rose no quintal.

– *Madonna mia* – disse Rose.

As duas ficaram olhando aquela escuridão avançando na direção da fazenda; devia ter mais de 1 quilômetro de altura. Pássaros dispararam acima, centenas deles, voando o mais rápido que conseguiam.

Tony saiu correndo do celeiro e ficou ao lado delas, observando.

Fazia um silêncio sinistro. Tudo estava calmo. Não havia vento.

Um cheiro de queimado penetrou nas narinas de Elsa. O ar parecia pegajoso.

A eletricidade estática lançava arcos de faíscas azuis pelo ar, dançando nos pedaços de arame farpado e nas pás de metal do moinho. Pássaros caíam do céu.

De repente, escuridão total. Poeira invadiu olhos e narizes.

Elsa tapou a boca com a mão e se segurou na sogra. Os três começaram a voltar para casa, subiram os degraus cambaleando. Tony abriu a porta e empurrou as mulheres para dentro.

– Mamãe! – gritou Loreda. – O que está acontecendo?

Elsa nem conseguia ver a filha, tamanha a escuridão. Não conseguia ver nem as próprias mãos.

Tony fechou a porta assim que entraram.

– Rose, me ajude com as janelas.

– Loreda! – gritou Elsa. – Ponha a máscara de gás. Vá para a cozinha. Fique debaixo da mesa.

– Mas...

– *Agora* – disse Elsa à filha, que não conseguia enxergar.

Elsa e Rose tatearam o caminho pela casa, fechando as janelas e vedando todos os vãos e rachaduras com folhas de jornal e fita gomada.

Eles guardavam seus suprimentos – vaselina, esponjas, lenços – num cesto na cozinha. Elsa pegou tudo aquilo no escuro, encontrou uma lanterna e a acendeu.

Nada. Só um clique.

– Está ligada? – perguntou Rose, tossindo.

– Vai saber – respondeu Elsa.

– Precisamos entrar debaixo da mesa e nos cobrir com toalhas molhadas – explicou Rose.

Alguma coisa bateu com força na casa, um *craaac* terrível. O vidro da janela estilhaçou em vários cacos que se espalharam pelo chão.

A porta da frente se escancarou. O monstro negro e giratório da tempestade invadiu a casa com tanta força que Rose caiu. Tony correu para fechar a porta, dessa vez com a tranca.

Eles encontraram o balde que mantinham cheio de água na cozinha e molharam algumas toalhas para cobrir a mesa. Também molharam esponjas e cobriram o rosto, para filtrar a respiração.

Elsa ouviu a respiração pesada de Loreda pela máscara de gás. Arrastou-se para a frente e encontrou a mesa da cozinha. Afastou as cadeiras e se abrigou sob ela.

– Estou aqui, Loreda – disse, estendendo a mão.

Sentiu Loreda segurar sua mão. Estavam juntas, lado a lado, mas não conseguiam se ver. Graças a Deus Ant não estava ali.

Rose e Tony se espremeram embaixo da mesa, coberta pelas toalhas molhadas.

Elsa ficou abraçada com a filha enquanto tábuas se soltavam e janelas quebravam.

As paredes estremeciam tanto que a casa parecia prestes a se desmanchar.

De repente, um frio enregelante.

Elsa acordou em meio ao silêncio, ouvindo o chiado da respiração pesada de Loreda pela máscara de gás. Em seguida, um som arrastado – provavelmente um rato saindo do esconderijo.

Ela puxou o lenço encrostado e arenoso e tirou a esponja lodosa através da qual estava respirando. Sua primeira inspiração desprotegida machucou a garganta e ardeu até chegar à boca do estômago vazio.

Abriu os olhos. O pó arranhou seus globos oculares.

A poeira turvava sua visão, mas conseguiu ver as toalhas sujas penduradas ao redor e o restante da família, todos agarrados uns aos outros. Fosse o que fosse, tinha passado.

Elsa tossiu e cuspiu uma pelota de areia enegrecida e grossa.

– Loreda? Rose? Está todo mundo bem?

Loreda abriu os olhos.

– Tudo bem. – A máscara de gás deixava sua voz áspera e monstruosa.

Tony baixou lentamente o lenço do rosto.

Rose saiu rastejando de debaixo da mesa e ficou em pé, vacilante. Pegou Elsa pela mão, e as duas foram até a sala de estar. A luz brilhante do sol da manhã entrava pelas janelas quebradas. Impossível, mas eles tinham dormido a noite toda e resistido à tormenta.

A poeira preta cobria tudo, uma grossa camada no chão, aglomerada em dunas nas pernas das cadeiras, escorrendo pelas paredes como uma multidão de centopeias.

A porta da frente não abria; eles estavam soterrados.

Tony subiu por uma das janelas quebradas e saiu para o alpendre. Elsa ouviu o som arranhado da pá de metal raspando as tábuas enquanto ele retirava a areia.

Finalmente, a porta se abriu.

Elsa saiu.

– Meu Deus – murmurou.

O mundo estava desfigurado, coberto pela areia da tempestade. Areia e uma poeira preta, fina como talco, cobriam toda a paisagem. Não se conseguia ver nada a não ser dunas de areia escura num raio de quilômetros. O galinheiro estava completamente soterrado; só se via a ponta do telhado. A bomba d'água despontava como uma relíquia de uma civilização perdida. Daria para subir até o teto do celeiro pela areia acumulada numa das paredes laterais.

Pássaros mortos se amontoavam em pilhas nas dunas de areia, com as asas ainda abertas, como se tivessem morrido em pleno voo.

– *Madonna mia* – disse Rose.

– É isso – falou Elsa. – Nós não vamos esperar até amanhã. Vamos pegar Ant e partir agora mesmo. Neste instante. Antes que esta terra maldita mate os meus filhos.

Virou-se e tomou a direção da casa. Parecia engolir fogo a cada inspiração. Os olhos ardiam. A areia arranhava os olhos, a garganta, o nariz, as dobras da pele. E continuava escorrendo dos cabelos.

Viu Loreda ao lado de uma janela quebrada, o rosto escurecido de sujeira, parecendo perplexa.

– Estamos indo para a Califórnia. Agora mesmo. Vá pegar a sua mala. Vou encher uma banheira de água para tomarmos banho no quintal.

– Lá fora? – perguntou Loreda.

– Ninguém vai ver a gente – resmungou Elsa.

Ninguém falou nada durante as horas seguintes. Elsa teria regado suas ásteres, mas o cemitério tinha desaparecido, com as lápidas e a cerca de estacas, tudo.

Tony abria caminho com a pá para poderem sair. Já tinha amarrado o que podiam na caminhonete – algumas panelas e caldeirões, dois lampiões, uma vassoura, uma tábua de lavar e uma banheira de cobre. Dentro da caçamba carregaram os colchonetes enrolados, um barril cheio de mantimentos, com toalhas e roupas de cama, pilhas de gravetos e lenha e o fogãozinho preto, amarrado ao fundo da cabine. Tinham embalado o máximo que puderam para sua nova vida, mas a maior parte do que possuíam continuava na casa e no celeiro. Os armários da cozinha estavam quase cheios, assim como a maioria dos guarda-roupas. Não havia como levar tudo aquilo. Os móveis ficariam para trás, como faziam os pioneiros que descarregavam suas carroças quando as coisas ficavam difíceis, deixando pianos e cadeiras de balanço ao lado de seus mortos nas planícies.

Depois de tudo arrumado, Elsa voltou para a casa, atravessando as dunas e a areia.

Olhou ao redor. Estavam deixando a casa totalmente mobiliada, ainda com retratos nas paredes. Tudo coberto pela poeira fina e escura.

A porta da frente se abriu. Tony entrou, de mãos dadas com Rose.

– Loreda já está no carro. Não vê a hora de partir – disse Tony.

– Vou fazer uma última vistoria pela casa – disse Elsa.

Ela passou pela poeira preta da sala, atravessando montes de areia e superfícies descascadas. A janela da cozinha fora arrancada; o lindo céu azul parecia um quadro pendurado numa parede preta.

Foi até o quarto e deu uma última olhada. Livros se alinhavam na penteadeira e na mesa de cabeceira, todos cobertos de poeira escura. Assim como quando partira da casa dos pais, só podia levar alguns de seus preciosos romances. Mais uma vez, iria começar de novo.

Fechou a porta do quarto dessa vida sem fazer barulho e saiu da casa pela última vez.

Rose e Tony a esperavam na varanda, de mãos dadas.

– Estou pronta – falou, começando a descer os degraus.

– Elsinore? – chamou Tony.

Era a primeira vez que ele a chamava por esse nome, o que a deixou surpresa. Virou-se para ele.

– Nós não vamos com vocês – afirmou Rose.

Elsa franziu a testa.

– Eu sei que nosso plano era partir amanhã, mas...

– Não – replicou Tony. – Não foi isso que eu quis dizer. Nós não vamos para a Califórnia.

– Eu... não entendo. Quando eu disse que precisávamos sair daqui, vocês concordaram.

– E você precisa mesmo ir – falou Tony. – O governo se ofereceu para nos pagar para não plantarmos nada. Perdoaram as prestações da hipoteca, por enquanto. Por isso, não precisamos nos preocupar em perder mais lotes de terra. Pelo menos por ora.

– Depois da reunião você disse que não havia boas notícias – lembrou Elsa, sentindo uma onda de pânico. – Você mentiu para mim?

– Isso não foi uma boa notícia – replicou ele em voz baixa. – Não quando eu sei que você precisa ir embora por causa do Ant.

– Eles querem que a gente are a terra de outro jeito – explicou Rose. – Vai entender. Mas precisam que os agricultores trabalhem juntos. Como podemos deixar de tentar salvar nossa terra?

– O Ant... não pode ficar – disse Elsa.

– Nós sabemos disso. Mas não podemos ir – explicou Tony. – Você vai. Salve os meus netos – concluiu, com a voz embargada.

Tony a segurou pela nuca, puxando-a delicadamente para um abraço, tocando sua testa na dela; aquele era um homem do velho mundo, um homem que não reclamava, seguia em frente e nunca parava de trabalhar. Dedicava toda a sua paixão e todo o seu amor à terra. À sua família. Aquele toque era a maneira de ele dizer *Eu te amo*.

E adeus.

– Rosalba – falou Tony. – O *penny*.

Rose tirou a correntinha de elos escuros que segurava a bolsinha de veludo.

Solenemente, entregou a bolsinha a Tony. Ele a abriu e tirou a moeda.

– Agora você é a nossa esperança – falou para Elsa, guardando de volta a moeda na bolsinha e a colocando na palma da mão dela. Então virou-se e entrou na casa, atravessando a areia que chegava até os tornozelos.

Elsa sentiu como se fosse desmoronar.

– Você sabe que eu não consigo fazer isso sozinha, Rose. Por favor…

Rose encostou a mão calosa no rosto de Elsa.

– Você é tudo de que essas crianças precisam, Elsa Martinelli. Sempre foi.

– Eu não tenho coragem.

– Tem, sim.

– Mas vocês vão precisar de dinheiro. Nós pegamos toda a comida…

– Nós guardamos algumas coisas para nós. E a nossa terra proverá.

Elsa não conseguia falar. A última coisa que queria no mundo era percorrer toda aquela distância – passar por montanhas e grandes desertos – com quase nenhum dinheiro e crianças famintas, sem ninguém para ajudar.

Não.

O que ela não suportaria era ver o filho mais uma vez lutando para respirar.

E lá estava: a verdade que Rose já havia percebido.

– Tony guardou o dinheiro no porta-luvas – disse Rose. – O tanque está cheio. Escreva para nós.

Elsa pôs a correntinha no pescoço e segurou a mão de Rose, por um momento temendo que, se tocasse mais uma vez aquela mulher que amava, não seria capaz de partir, se sentiria fraca demais para cumprir a empreitada.

– Eu tenho uma prova de que o *penny* dá sorte. Ele nos trouxe você – disse Rose.

Elsa umedeceu os lábios, muito ressecados.

– Você é a filha que eu sempre quis – continuou Rose. – Eu te amo.

– E você é a minha mãe – retribuiu Elsa. – Você me salvou, e sabe disso.

– Mãe e filha. Temos uma à outra, *sì*?

Elsa ficou olhando para Rose o máximo que pôde, memorizando tudo nela.

Mas, afinal, não havia outra opção. Era hora de sair daquele lugar, deixar aquela mulher, aquele *lar*.

Ela deixou Rose de pé na varanda e passou pelos montinhos de areia escura até chegar à caminhonete carregada, onde Loreda a esperava na cabine.

Subiu no banco do motorista, bateu a porta e ligou o motor. O carro trepidou, tossiu e pegou.

Elsa dirigiu lentamente até a entrada de terra e virou em direção à cidade.

A paisagem era escura e estava coberta por montes de areia. À esquerda, viu um automóvel quase soterrado; 30 metros adiante, um homem caído morto, a mão esticada, a boca aberta cheia de areia.

– Não olhe – disse a Loreda.

– Tarde demais.

Lonesome Tree era uma mortalha de terra preta.

Elsa parou em frente ao hospital improvisado. Só lá dentro percebeu que deixara o motor do carro ligado e não dissera nada a Loreda.

Avistou o médico e foi falar com ele.

– Eu vim buscar o Ant.

Elsa percebeu que o hospital estava lotado. Pessoas pigarreavam e tossiam; bebês choravam de uma maneira que partia seu coração.

– Ele está bem? – perguntou. – O senhor disse que ele estava pronto para ter alta. Isso não mudou?

– Ele está bem, Elsa – respondeu o médico, dando tapinhas na mão dela. – Vai demorar mais ou menos um ano para se curar totalmente. Mas ele se recuperou. Talvez mais tarde sofra de asma. Você vai ter que ficar de olho.

– Vou levá-lo para a Califórnia – falou, sem conseguir esboçar um sorriso.

– Que ótima notícia.

– Será que um dia poderemos voltar?

– Imagino que sim. Algum dia. Tempos difíceis não duram para sempre. Crianças são resistentes.

– Mamãe! – Ant correu até ela, ao mesmo tempo assustado e aliviado. – Você viu essa tempestade?

– Obrigada, doutor – disse Elsa, apertando a mão dele. Tudo que tinha a oferecer ao homem que tinha salvado a vida do seu filho era sua gratidão.

– Boa sorte para vocês, Elsa.

Lá fora, Ant olhou para a cidade deserta e coberta de areia, com as janelas quebradas e arbustos secos rolando.

– Caramba – falou.

– Anthony, onde estão seus sapatos? – perguntou Elsa.

– Estragaram.

– Você ficou sem sapatos?

Ant assentiu.

Elsa fechou os olhos para esconder as emoções. *Ir para o Oeste sem sapatos.*

– Qual é o problema, mamãe? Não se preocupe. Eu tenho pés fortes.

Elsa conseguiu dar um pequeno sorriso. Abriu a porta da caminhonete e ajudou o filho a subir no banco da frente. Ant deslizou para perto de Loreda, que o abraçou tão apertado que ele teve que lutar para se desvencilhar.

Elsa entrou no carro e fechou a porta.

Pronto.

Eles estavam partindo.

Agora cabia a Elsa, e somente a ela, manter os filhos vivos.

Sem sapatos.

Saiu da cidade e rumou para o sul. Não havia nenhum outro carro na estrada. Todas as casas por que passavam pareciam desertas.

– Espera – falou Ant, dando uma tossida breve e aguda. – Você esqueceu o vovô e a vovó. Mamãe?

Elsa olhou para o filho, agora mais magro, sem um dos dentes da frente. Naquele momento ele ficaria sabendo, para sempre, assim como Elsa depois de sua febre reumática, que era um garoto frágil, que a vida era incerta.

Os olhos dele se arregalaram; Elsa percebeu quando ele entendeu. Ant olhou para trás, na direção de casa – e depois de novo para ela, os olhos marejados. Naquele olhar, Elsa viu um pouco da infância dele se desvanecer.

1935

Extraímos nossa força do próprio desespero em que fomos obrigados a viver. Resistiremos.

– CÉSAR CHÁVEZ,
LÍDER SINDICAL

DEZESSETE

Elsa mantinha o pé no acelerador e as mãos crispadas no volante. Eles passaram por uma família de seis pessoas andando ao lado da estrada, empurrando um carrinho com seus pertences. Gente como eles, que tinha perdido tudo e estava indo para o Oeste.

O que ela estava pensando?

Não tinha coragem para partir numa viagem atravessando o país rumo ao desconhecido. Não era forte o suficiente para sobreviver por conta própria, muito menos cuidando dos filhos. Como iria ganhar dinheiro? Nunca tinha vivido por conta própria, nunca pagara aluguel, nunca tivera um emprego. Nem sequer se formara na escola, pelo amor de Deus.

Quem os resgataria quando ela fracassasse?

Parou no acostamento, contemplando a estrada à frente pelo para-brisa sujo, a devastação deixada pela tempestade negra: construções danificadas, carros tombados em valetas, cercas arrancadas.

O terço pendurado no espelho retrovisor balançava de um lado para outro.

Mais de 1.500 quilômetros até a Califórnia, e o que encontrariam lá? Nenhum amigo, nenhum parente. *Eu poderia trabalhar numa lavanderia... ou numa biblioteca.* Mas quem contrataria uma mulher quando havia milhões de homens desempregados? E mesmo que *conseguisse* arranjar um emprego, quem cuidaria das crianças? *Meu Deus.*

– Mamãe? – Ant puxava sua manga. – Está tudo bem?

Elsa abriu a porta da caminhonete. Saiu com passos incertos e parou, ofegante, lutando contra a onda de pânico.

Loreda se aproximou.

– Você achou que a vovó e o vovô também viriam?

Elsa se virou.

– Você não?

– Eles são como uma planta que só pode crescer num lugar.

Maravilha. Uma garota de 13 anos viu o que Elsa não conseguira entender.

– Eu verifiquei o porta-luvas. Eles deram quase todo o dinheiro do governo para a gente. E ainda estamos com um tanque cheio de gasolina.

Elsa ficou olhando para a estrada longa e deserta. Não muito longe, um corvo pousou num barraco quase enterrado até o topo na terra preta.

Quase falou *Eu estou com medo*, mas que mãe dizia tais palavras a uma filha que contava com ela?

– Eu nunca me virei sozinha – falou.

– Você não está sozinha, mamãe.

Ant pôs a cabeça para fora da janela do carro.

– Eu também tô aqui! – gritou. – Não se esqueçam de mim!

Elsa sentiu uma onda de amor por seus filhos, uma sensação em seu âmago semelhante a um anseio; respirou fundo, exalou o ar do Texas, que era tão parte da sua vida quanto Deus e os filhos. Tinha nascido naquele condado e sempre pensou que morreria ali.

– Aqui é o nosso lar – falou. – Achei que vocês fossem crescer aqui e ser os primeiros Martinellis a cursar uma faculdade. Em Austin, pensei. Ou em Dallas, um lugar grande o suficiente para realizar os seus sonhos.

– Aqui sempre vai ser o nosso lar, mãe. O fato de estarmos indo embora não muda isso. Pense na Dorothy. Depois de todas as aventuras que viveu, ela bateu os calcanhares e foi para casa. E, na verdade, que escolha nós temos?

– Você tem razão.

Elsa fechou os olhos por um momento, lembrando-se de outra ocasião em que se sentiu com medo e sozinha, quando estava doente. Foi a primeira vez que seu avô se debruçou sobre ela e sussurrou em seu ouvido: *Seja corajosa*. Em seguida: *Ou finja que é. Dá no mesmo*.

A lembrança a acalmou. Poderia fingir ser corajosa. Para os filhos. Enxugou os olhos, surpresa com as próprias lágrimas, e disse:

– Vamos lá.

Voltou à caminhonete, sentou-se e fechou a porta.

Loreda acomodou-se ao lado do irmão e abriu um mapa.

– São 150 quilômetros de Dalhart a Tucumcari, Novo México. Essa vai ser a nossa primeira parada. Acho melhor a gente não dirigir à noite. Ao menos foi o que o vovô me disse quando estávamos estudando o mapa.

– Você e seu avô traçaram uma rota?

– Sim. Ele me ensinou algumas coisas. Acho que o vovô sempre soube que ele e a vovó não viriam. Ele me ensinou um monte de coisas... como caçar coelhos e pássaros, dirigir e botar água no radiador. Em Tucumcari a gente precisa pegar a Rota 66 no sentido oeste. – Loreda enfiou a mão no bolso e tirou uma velha bússola de bronze. – Ele me deu isto. Ele e a vovó trouxeram da Itália.

Elsa deu uma olhada na bússola. Não fazia ideia de como usar aquilo.

– Tudo bem.

– Podemos ser um clube – disse Ant. – Como o dos escoteiros, só que nós somos exploradores. O Clube Martinelli de Exploradores.

– O Clube Martinelli de Exploradores – repetiu Elsa. – Gostei. Lá vamos nós, exploradores.

Enquanto se aproximavam de Dalhart, Elsa percebeu que diminuíra a velocidade da caminhonete sem nem perceber.

Fazia anos que não voltava àquele lugar, desde o dia em que a mãe dera uma olhada em Loreda e comentara sobre a cor da sua pele. Elsa podia ter ficado magoada com a crítica dos pais, mas jamais deixaria o mesmo acontecer com os filhos.

Dalhart havia sido tão arruinada pela Depressão e pela seca quanto Lonesome Tree, isso era óbvio. A maioria das lojas estava coberta de tapumes. Algumas pessoas faziam fila na igreja, cuias de metal nas mãos, esperando uma refeição gratuita.

O carro passou pelos trilhos da ferrovia com um solavanco. Elsa entrou pela Avenida Principal.

– Não devíamos ter entrado aqui – disse Loreda. – A gente devia passar por Dalhart, não entrar na cidade.

Elsa viu a Wolcott Tractor Supply: fechada, a vitrine coberta por tábuas de madeira.

Parou na frente da casa onde tinha crescido. A porta da frente estava caída no chão e a maioria das janelas, vedada com tábuas. Uma tabuleta na porta informava que a casa fora desapropriada.

O jardim da frente estava arruinado. Areia preta, terra, dunas por toda parte. Viu o jardim da mãe, as rosas que Minerva Wolcott amara mais do que à própria filha. Pela milésima vez, perguntou-se por que os pais não a amaram, ou por que sua versão do amor tinha sido tão fria e condicional. Como uma coisa dessas acontece? Elsa aprendeu a amar profundamente no dia em que Loreda nasceu.

– Mamãe? – disse Loreda. – Você conhece o pessoal que morava aqui? A casa parece abandonada.

Elsa sentiu uma espécie de vertigem temporal, uma sensação desagradável de mundos colidindo. Viu a expressão preocupada com que os filhos a encaravam.

Achou que seria triste ver aquele lugar, mas na verdade era o contrário. Aquela não era sua casa, e as pessoas que moraram lá não eram sua família.

– Não – respondeu ela, por fim. – Eu não conhecia as pessoas que moravam aqui… e eles também não me conheciam.

A estrada que saía do Texas se estendia por quilômetros em meio a um deserto de dunas de areia interrompido por uma série de cidadezinhas. Quando entraram no Novo México, viram mais gente viajando para o Oeste, em velhos calhambeques carregados com suas posses e filhos, em carros puxando trailers, em carroças puxadas a mulas e cavalos. Havia gente andando em fila única, empurrando carrinhos de bebê e carrinhos de mão.

Quando começou a cair a noite, passaram por um homem vestido de trapos, andando descalço, chapéu enterrado na testa, o cabelo preto e comprido batendo no colarinho puído.

Loreda encostou o nariz no vidro, observando o homem.

– Vá mais devagar – pediu.

– Não é ele – disse Elsa.

– Poderia ser.

Elsa reduziu a velocidade.

– Não é ele.

– E se fosse? – comentou Ant. – Ele foi embora.

– Shh – fez Elsa.

Era muito tarde para isso. Todos estavam exaustos depois de horas na estrada. O marcador indicava que estavam quase sem combustível.

Elsa avistou um posto e entrou, dirigindo-se à bomba.

O galão custava 19 centavos. Para encher o tanque, 1,90 dólar.

Elsa fez as contas de cabeça, recalculando a quantia em dinheiro que teriam quando seguissem viagem.

Um frentista veio até a bomba.

Do outro lado da rua havia um hotelzinho barato, com calhambeques e caminhões parados na frente. Algumas pessoas sentadas em cadeiras na frente dos quartos, com os veículos carregados estacionados na porta. Uma placa neon – apagada – dizia: TEMOS VAGAS e $3,00/NOITE.

Três dólares.

– Fiquem aqui – disse Elsa aos filhos.

Atravessou o chão de cascalho para pagar a gasolina. Algumas pessoas andavam por lá no cair da noite: um homem maltrapilho perto de uma bomba d'água, com um cachorro sarnento sentado ao lado. Um garoto chutando uma bola.

Uma campainha soou quando ela abriu a porta. Seu estômago roncava de fome, lembrando-a de que tinha dado seu almoço às crianças. Andou até a caixa registradora, operada por uma mulher de cabelos ruivos.

Tirou a carteira da bolsa, contou 1 dólar e 90 centavos e pôs o dinheiro no balcão.

– Dez galões de gasolina.

– Primeiro dia na estrada? – perguntou a mulher, pegando o dinheiro enquanto registrava a venda.

– Sim. Comecei a viagem hoje. Como você percebeu?

– Não tem nenhum homem com você?

– Como...

– Homens não deixam as mulheres pagarem a gasolina. – A atendente chegou mais perto. – Não guarde o seu dinheiro na bolsa, boneca. Tem maus elementos andando por aí. Principalmente nos últimos tempos. Fique de olho.

Elsa assentiu e guardou o dinheiro na carteira. Ao fazer isso, viu de relance sua mão esquerda, notando que continuava usando a pequena aliança de casamento.

– Isso não vale nada – disse a caixa, com uma expressão de tristeza. – Pode continuar usando. Uma mulher solteira corre mais perigo na estrada. E não fique no hotel do outro lado da rua. Está cheio de vagabundos. Mais ou menos 6 quilômetros adiante, passando a torre d'água, tem uma estrada de terra seguindo para o sul. Entre nela. Pouco mais de 1 quilômetro adiante você vai ver um belo bosque. Se não quiser acampar, continue por mais 10 quilômetros pela estrada principal em direção ao oeste. Você vai ver um hotelzinho vistoso chamado Terra do Encanto. Não tem como errar.

– Obrigada.

– Boa sorte.

Elsa voltou depressa para a caminhonete. Tinha deixado as crianças sozinhas – com todos os seus pertences, um tanque cheio de gasolina e a chave na ignição – num lugar cheio de vagabundos por perto.

Primeira lição.

Elsa subiu no carro. As crianças pareciam tão cansadas e com tanto calor quanto ela.

– Bem, exploradores. Vamos pôr ordem nas coisas. Nós precisamos de um plano. Tem um bom hotel mais adiante, com camas e talvez água quente. Custa pelo menos 3 dólares por noite. Se decidirmos ficar em lugares como esse, vamos gastar 15 dólares. Ou podemos acampar e economizar o dinheiro.

– Acampar! – disse Ant. – Aí, sim, é uma verdadeira *aventura*.

Elsa olhou para Loreda.

– Acampar – concordou a menina. – Muito divertido.

Elsa continuou dirigindo. De tempos em tempos, os faróis iluminavam mais gente andando ao lado da estrada, seguindo para o Oeste, levando o que podia, puxando carretas. Um garoto de bicicleta transportava um cachorro cinzento e desgrenhado no cesto do guidom.

Seis quilômetros depois, Elsa pegou a estrada de terra. Passou por vários calhambeques estacionados para passar a noite, com fogueiras já acesas. Encontrou um aglomerado de árvores bem afastado da estrada. Virou naquela direção e estacionou.

– Vou ver se consigo caçar um coelho pra gente – disse Loreda, tirando a espingarda da prateleira.

– Hoje não – replicou Elsa. – Vamos ficar todos juntos.

Ela saiu da caminhonete e foi pegar a cama que tinham trazido. Ajoelhou-se num local plano e agradável, não muito longe do carro, e começou a fazer uma fogueira com parte da lenha e dos gravetos que haviam trazido.

– Nós vamos dormir na barraca hoje? – perguntou Ant. – A gente nunca tiramos férias antes.

– A gente nunca *tirou* – corrigiu Elsa automaticamente, enquanto voltava à caminhonete para pegar comida. Trouxe dois dos mais valiosos mantimentos: um pedaço de salame que parecia um tronco e metade de um pão de forma.

– Sanduíche de salame! – vibrou Ant.

Elsa acomodou uma frigideira de ferro no fogo, pôs uma colherada de banha para aquecer, descascou a película de plástico e cortou o salame em fatias finas. Tirou as beiradas para a carne não grudar e jogou duas fatias na gordura escaldante.

Ant se ajoelhou ao seu lado, o cabelo tão sujo quanto o rosto.

Na frigideira preta, a fritura do salame espalhava pingos de gordura quente.

Ant espetou o fogo com uma vareta.

– Toma essa, fogo!

Elsa abriu o pão empacotado e tirou duas fatias, com uma casca marrom-clara em volta do miolo branco. O pão praticamente não pesava nada. O Sr. Pavlov tinha implorado que aceitassem aquele pão para levar na viagem. É um presente, falou ele. Elsa esmagou algumas preciosas azeitonas e fatiou uma cebola.

Arrumou os anéis de cebola cuidadosamente numa camada dourada de óleo e pôs uma fatia de salame crocante por cima.

– Loreda! – chamou. – Pode voltar. A comida está pronta.

Elsa levantou-se devagar e voltou à caminhonete para pegar mais pratos e a jarra de água. Quando contornou a caçamba, ouviu alguma coisa. Um estrondo.

Viu um homem em pé ao lado do carro, com a tampa do tanque de gasolina numa das mãos e uma mangueira na outra. Mesmo no lusco-fusco, percebeu que era magro com um caniço e estava maltrapilho, com a camisa cheia de remendos.

Por uma fração de segundo, ficou imobilizada pelo medo, tempo suficiente para ele atacar. Agarrou-a pela garganta e a empurrou contra a caminhonete.

– Cadê o seu dinheiro?

– Por favor… – Elsa não conseguia respirar direito. – Eu… tenho… filhos.

– Todos nós temos filhos – replicou o homem, mostrando os dentes apodrecidos. Bateu a cabeça dela no carro. – Cadê?

– N-não.

Apertou mais a garganta dela. Elsa agarrou as mãos dele, tentando afastá-lo.

Ouviu um clique.

Uma arma sendo engatilhada.

Loreda surgiu de trás da caminhonete, a espingarda apontada para a cabeça do homem.

Ele deu uma risada esganiçada.

– Você não vai atirar em mim.

– Eu consigo acertar um pombo em pleno voo. E nem gosto de machucar os pombos. Em você, eu meio que quero atirar.

O homem examinou Loreda, avaliando a situação. Elsa viu quando ele acreditou na ameaça.

Ele soltou Elsa, deu um passo para trás e levantou as mãos. Foi recuando devagar, passo a passo. Quando chegou à orla das árvores e saiu em campo aberto, virou-se e saiu andando.

Elsa soltou um suspiro engasgado. Não sabia ao certo o que a deixara mais abalada: o ataque ou a expressão determinada da filha.

Aquilo provocaria uma mudança neles, nos três. Como ela não tinha pensado naquilo? Em Lonesome Tree eles lutavam contra a natureza pela sobrevivência. Conheciam os perigos do mundo físico.

Ali havia outros perigos. Seus filhos iriam aprender que as pessoas também podiam ser perigosas. Havia uma escuridão no mundo que eles desconheciam completamente; Loreda já estava perdendo essa inocência. Nunca mais seria a mesma.

– É melhor nós dormirmos na carroceria – disse Elsa. – Não imaginei que alguém tentaria roubar nossa gasolina.

– Acho que tem muita coisa que ainda não sabemos – comentou Loreda.

– Obrigada – disse Elsa.

De uma forma estranha, parecia que o mundo tinha se deslocado, levando junto a eles e tudo que conheciam.

Continuaram dirigindo para o Oeste, dia após dia, 1.500 quilômetros de estradas estreitas e esburacadas, avançando lentamente, só parando quando precisavam comer, pôr gasolina ou dormir. Elsa se acostumou com os baques e barulhos da caminhonete e o ruído metálico do fogão e das caixas na traseira. Mesmo quando saía do veículo, seu corpo continuava sentindo os sacolejos, deixando-a zonza.

Os dias longos e quentes na estrada os exauriam. Nas primeiras horas de viagem eles ainda conversavam, falando entusiasmados sobre explorações e aventuras, mas o calor, a fome e a estrada sacolejante afinal os calara, até mesmo a Ant.

Agora estavam acampados em um trecho bem ermo, perto da estrada, onde coiotes uivavam e vultos cadavéricos caminhavam sozinhos, muitos tão desesperados que seriam capazes de roubar o travesseiro debaixo da cabeça de alguém ou a gasolina do tanque. Era o que mais preocupava Elsa: a gasolina no tanque. Gasolina, agora, era algo vital.

Ela estava deitada no colchonete com os filhos dormindo bem perto. Embora fosse necessário, não conseguia dormir, atormentada por pesadelos sobre o que os esperava.

Ouviu um barulho. O estalido de um galho partindo.

Nada se mexeu.

Tomando cuidado para não acordar as crianças, levantou-se da cama, calçou os sapatos e saiu andando pela terra compactada. Pedregulhos e gravetos espetavam as solas finas do seu último par de sapatos. Precisava ficar atenta para não pisar em nada afiado.

Já bem longe do carro, levantou o vestido e se agachou para se aliviar.

Quando voltou à caminhonete, o céu assumira uma coloração rósea como a de uma peônia, interrompido aqui e ali pela estranha silhueta de um cacto. De longe, alguns pareciam homens velhos e espinhosos, erguendo os punhos para um deus indiferente. Elsa ficou atônita com a inesperada beleza da manhã. Lembrou-a dos amanheceres na fazenda. Olhou para o céu, sentiu o calor honesto do sol na pele.

– Cuide de nós, Senhor.

De volta ao acampamento, acendeu uma fogueira e começou a preparar o desjejum. O cheiro do café e dos bolos de polenta salpicados de mel assando no forninho sobre as labaredas despertou as crianças.

Ant pôs seu chapéu de caubói, cambaleou até perto do fogo e começou a desabotoar a braguilha.

– Não tão perto do acampamento – avisou Elsa, dando um tapinha no bumbum dele.

Ant deu uma risadinha e se afastou um pouco mais para urinar. Elsa viu que ele fazia desenhos na terra com o jato da urina.

– Eu sei que ele se diverte com pouca coisa – comentou Loreda. – Mas essa do xixi é novidade.

Elsa tinha muito em que pensar para sorrir.

– Mãe? – disse Loreda. – Qual é o problema?

Não havia por que mentir.

– Estamos prestes a pegar a pior parte do deserto. Se atravessarmos à noite, podemos ter esperança de não fundir o motor. Mas, se alguma coisa der errado...

Elsa estremeceu ao imaginar o carro fervendo, parado no meio de um deserto escaldante e sem nenhuma fonte de água. Já tinha ouvido histórias horríveis sobre o deserto de Mojave. Carros abandonados, pessoas morrendo, pássaros bicando ossos ressecados pelo sol.

– Vamos viajar o máximo que pudermos hoje e depois dormimos até escurecer – falou ela.

– A gente vai conseguir, mãe.

Elsa olhou para o deserto ressecado e inclemente que se estendia em direção ao Oeste, salpicado por cactos. Ao longo daquela estreita faixa de estrada que ia de leste a oeste havia alguns pontos de civilização, mas só de tempos em tempos. Entre as cidades estendiam-se grandes trechos de nada.

– Não tem outro jeito – falou.

Que Deus me ajude foram as palavras mais animadoras em que conseguiu pensar.

DEZOITO

Entraram na cidade envoltos numa nuvem de poeira, com os pertences chacoalhando atrás. Em algum momento, o taco de beisebol de Ant tinha se soltado e começara a rolar no piso da caçamba, batendo nas coisas.

O para-brisa amarronzado turvava o mundo, e eles não podiam desperdiçar água para limpá-lo. A cada parada num posto de gasolina, o frentista limpava a poeira da estrada e os insetos com um trapo.

Quando entraram no posto de gasolina, viram uma mercearia não muito distante. Havia uma multidão reunida na frente: mais gente do que já tinham visto desde que passaram por Albuquerque.

A maioria não eram moradores da cidade. Dava para perceber pelas roupas rotas e as mochilas. Eram mendigos errantes – homens sem-teto, daqueles que subiam e desciam de trens no meio da noite. Alguns estavam indo a algum lugar; a maioria não estava indo a parte alguma. Elsa não conseguia deixar de prestar atenção em cada um deles, procurando o rosto do marido. Sabia que Loreda fazia o mesmo.

Parou ao lado da bomba de gasolina.

– Por que tem tanta gente ali? – perguntou Loreda.

– Será que é um desfile ou alguma coisa assim? – perguntou Ant.

– Eles parecem bravos – observou Elsa. Ficou esperando um frentista para pôr gasolina, mas não apareceu ninguém.

– Pode levar muito tempo até encontrarmos outro posto – disse Loreda.

Elsa entendeu. Ela e a filha agora compartilhavam outro tipo de consciência na estrada. Se não se abastecessem ali, não conseguiriam atravessar o deserto.

Um frentista uniformizado veio correndo na direção da caminhonete.

– Não saia daí, moça. Tranque as portas.

– O que está acontecendo? – perguntou Elsa, abaixando o vidro.

– O pessoal não aguenta mais – respondeu o frentista, colocando gasolina no tanque deles. – Aquela mercearia é do prefeito.

Elsa ouviu alguém gritar na multidão:

– Estamos com fome! Queremos comida!

– Ajude a gente!

A multidão empurrou a porta com força.

– Abra a porta! – gritou um homem.

Alguém atirou uma pedra. Uma vidraça se quebrou.

– Queremos pão!

A turba invadiu a loja, berrando e gritando. Espalharam-se pelo interior, quebrando coisas. Vidros se estilhaçavam.

Tumultos por causa da fome. Nos Estados Unidos.

O frentista acabou de encher o tanque, desatarraxou a tampa do galão que ficava no capô, encheu-o de água e fechou. Durante todo o tempo, ficou observando a confusão dentro da loja.

Elsa abaixou o vidro apenas o suficiente para pagar a gasolina.

– Cuide-se – disse ela ao frentista.

– Que tempos são estes que estamos vivendo? – replicou ele.

Elsa pegou a estrada. Pelo espelho retrovisor, viu mais gente invadindo a loja, com bastões e punhos erguidos.

Às quatro da tarde, Elsa parou no acostamento da estrada, na única sombra que conseguiu encontrar, e tirou um cochilo na carroceria da caminhonete. Foi um sono agitado, desconfortável, atormentado por pesadelos com a terra ressecada e um calor impossível. Quando acordou, horas depois, ainda se sentindo meio grogue e com o corpo dolorido, sentou-se e tirou o cabelo úmido do rosto. Viu os filhos sentados no chão ali perto, ao redor de uma fogueira. Loreda lia para Ant.

Saiu da caminhonete e foi em direção às crianças.

Um calhambeque supercarregado passou roncando, o brilho dos faróis iluminando uma família de quatro pessoas de ombros curvados andando pelo acostamento ao cair da noite, a mãe empurrando um carrinho de bebê; ao lado dela havia um cartaz branco alertando os viajantes: DAQUI EM DIANTE, LEVE ÁGUA.

Um ano antes, Elsa teria considerado insano que qualquer mulher pensasse em andar de Oklahoma, do Texas ou do Alabama até a Califórnia, ainda mais empurrando um carrinho de bebê. Mas agora entendia por quê. Quando seus filhos estão morrendo, você faz qualquer coisa para salvá-los, até atravessar montanhas e desertos.

Loreda se aproximou. Ficaram observando a mulher com o carrinho de bebê.

– A gente vai conseguir – disse a menina, rompendo o silêncio.

Elsa não soube o que responder.

– Já passamos pelo Dust Bowl – continuou Loreda, usando o termo recém-criado para descrever a área que tinham deixado para trás. Tinham lido um jornal alguns dias antes e ficaram sabendo que o dia 14 de abril fora apelidado de Domingo Negro. Aparentemente, 300 mil toneladas de solo arável das Grandes Planícies se espalharam pelo ar naquele dia. Era mais terra do que havia sido escavada para construir o Canal do Panamá. A terra chegou à cidade de Washington, que provavelmente era a única razão de ter virado notícia. – O que são alguns quilômetros de deserto para exploradores como nós?

– Não chega a ser um cisco no olho – respondeu Elsa. – Vamos lá.

Voltaram para a caminhonete. Elsa pousou a mão no metal morno e empoeirado do capô. Um temor intenso – de muitos resultados desfavoráveis – aglutinou-se numa só expressão. *Por favor.* Confiou em Deus para protegê-los.

Depois de um jantar tardio de feijão e salsichas e quase nenhuma conversa, Elsa entrou com os filhos na carroceria da caminhonete para eles dormirem no colchonete que tinham trazido de casa.

– Tem certeza que não tem problema você dirigir sozinha à noite? – perguntou Loreda pela quinquagésima vez.

– Agora está mais fresco. Isso vai ajudar. Vou dirigir o máximo que conseguir e depois paro para dormir. Não se preocupe. – Levou a mão ao colar com a bolsinha de veludo que usava no pescoço. Tirou a moeda de cobre, examinando o perfil escarpado de Abraham Lincoln.

– O *penny* – disse Loreda.

– Agora ele é nosso.

Ant tocou na moeda para dar sorte. Loreda só ficou olhando.

Elsa guardou a moeda no devido esconderijo, deu um beijo de boa-noite nos filhos e voltou ao banco do motorista. Deu a partida no motor e acendeu os faróis; duas lanças douradas penetrando a escuridão quando ela engatou a marcha e começou a dirigir.

Na estrada, a noite encobria tudo menos o caminho apontado pela luz. Nenhum veículo viajava para o leste.

A estrada era plana, negra e áspera como uma frigideira de ferro.

Enquanto os quilômetros se sucediam, o mesmo acontecia com seu temor, falando com ela na voz de seu pai: *Você nunca vai conseguir. Não deveria ter tentado. Você e seus filhos vão morrer aqui.*

De tempos em tempos passava por um veículo abandonado, uma fantasmagórica evidência de famílias que fracassaram.

De repente o motor tossiu; a caminhonete deu um solavanco. O terço pendurado no retrovisor oscilou, as contas batendo umas nas outras. Uma nuvem de vapor saiu do capô.

Não não não não.

Parou no acostamento. Depois de uma rápida olhada nos filhos adormecidos – que estavam bem –, foi até a frente da caminhonete.

O capô estava tão quente que foram necessárias várias tentativas para abri-lo. Vapor ou fumaça subiram no escuro. Não sabia dizer se era uma coisa ou outra.

A esperança era de que fosse vapor.

Não podia pôr mais água antes de o motor esfriar. Tony tinha martelado esse fato na cabeça dela enquanto se preparavam para a viagem. Ela desamarrou o galão de água do capô.

Só o que podia fazer era esperar. E se preocupar.

Olhou para os dois lados da estrada; nenhum farol até onde a vista alcançava.

O que aconteceria quando o sol nascesse? Um calor infernal.

A que distância estaria do fim do deserto? Eles deveriam ter uns três galões de água restantes nos cantis.

Não entre em pânico. Eles precisam que você não entre em pânico.

Baixou a cabeça fazendo uma prece. Sentia-se pequena embaixo daquele imenso céu estrelado. Imaginou que o deserto ao redor estava cheio de animais que sobreviviam na escuridão. Cobras. Insetos. Coiotes. Corujas.

Rezou para a Virgem Maria. Na verdade, implorou.

Por fim, protegendo o rosto com um lenço, abriu o radiador e despejou a água. Em seguida amarrou o galão na caminhonete e voltou ao volante.

– Por favor, Deus… – falou, virando a chave na ignição.

Um clique, e nada.

Tentou mais uma vez, e outra vez, pisando no acelerador, o pânico aumentando a cada tentativa frustrada.

– Calma, Elsa.

Ela respirou fundo e tentou de novo.

O motor tossiu e voltou à vida.

– Obrigada – murmurou.

Retornou à estrada e continuou a viagem.

Mais ou menos por volta das quatro da manhã, a estrada começou a se inclinar para cima, tornando-se parecida com uma gigantesca serpente, cheia de curvas.

O vento entrando pela janela aberta era refrescante. O suor de Elsa secou e começou a comichar.

Continuou dirigindo pela estrada íngreme e sinuosa, seguindo os fachos de luz dos faróis, tentando não olhar para o abismo quase desmoronando ao seu lado.

Finalmente, quando mal conseguia manter os olhos abertos, saiu da estrada e parou numa área de terra cercada por árvores altas.

Deitou-se no colchonete ao lado dos filhos, exausta, e fechou os olhos.

– Mãe. *Mãe.*

Elsa abriu os olhos.

A luz do sol quase a cegou.

Loreda estava em pé ao lado da caminhonete.

– Vem cá.

– Eu queria dormir só mais um...

– Não. Vem cá. Agora.

Elsa soltou um gemido. Quanto tempo tinha dormido? Dez minutos? Deu uma olhada no relógio e viu que eram nove da manhã.

Saiu da caminhonete, zonza de cansaço. Subiu uma colina com Loreda, em direção a uma clareira, onde Ant esperava com impaciência, descalço e dando pulinhos.

– Eu preciso tomar um café – disse Elsa.

– Olhe lá.

Elsa olhou para trás, procurando um bom lugar para fazer uma fogueira.

– *Olhe lá*, mãe – insistiu Loreda, sacudindo a mãe.

Elsa virou a cabeça.

Estavam em um grande planalto no alto de uma montanha. Abaixo e ao longe havia grandes fileiras de plantações, áreas verdes. Grandes retângulos em tom marrom, terra recém-arada.

– Califórnia – disse Ant.

Elsa nunca tinha visto uma terra tão bonita. Tão fértil. Tão *verde*.

Califórnia.

O Estado Dourado.

Elsa pegou os filhos nos braços e girou com eles, rindo tão intensamente que parecia vir do fundo da sua alma. A luz retornando à escuridão. Alívio.

Esperança.

Loreda deu um grito.

A mãe reduziu a velocidade. O veículo resistiu, sacolejou e desacelerou, fazendo uma curva fechada da estrada.

Os carros atrás buzinaram. Eles estavam numa caravana de calhambeques, uma corrente de carros descendo uma serra, quase tocando os para-choques.

Loreda se agarrou ao trinco de metal da porta até seus dedos doerem e as juntas queimadas de sol ficarem brancas.

A estrada era uma curva atrás da outra, algumas tão fechadas e inesperadas que Elsa derrapava.

A mãe fez uma curva depressa demais, gritou de medo e reduziu a marcha.

Loreda gritou de novo. Quase colidiram com as ruínas de um calhambeque emborcado de lado numa valeta.

– Para de se mexer, Ant.

– Não consigo. Eu tô quase fazendo xixi nas calças.

Loreda escorregou para o lado mais uma vez. O trinco da porta prendeu sua pele, fazendo-a gemer de dor.

Então, por fim, um grande vale abriu-se diante deles, uma explosão de cor, diferente de tudo que Loreda já tinha visto.

Uma relva verde e brilhante, salpicada de flores coloridas, um matagal com flores silvestres. Laranjeiras e limoeiros. Oliveiras crescendo em pomares prateados com tons de verde.

Campos verdejantes e cultivados dos dois lados da estrada larga e asfaltada. Tratores aravam grandes porções de terra, preparando o solo para o plantio. Loreda pensou nos fatos que reuniu enquanto se preparavam para aquela viagem. Este era o Vale de San Joaquin, aninhado entre as Montanhas da Costa, a oeste, e as Montanhas Tehachapi, a leste. Cem quilômetros ao norte de Los Angeles.

Outra cordilheira de montanhas dominava o horizonte ao norte, erguendo-se como que saídas de um conto de fadas. Eram os picos que John Muir achou que deveriam ser chamadas de Cordilheiras de Luz.

Enquanto observava o grande Vale de San Joaquin, Loreda sentiu um anseio se formando dentro dela, algo que nunca havia imaginado. A visão de toda aquela inesperada beleza, tantas cores, tanta majestade, de repente a fez querer ver *mais*. As belezas dos Estados Unidos – ver o azul selvagem do Pacífico, ouvir o rugido do Atlântico, as Montanhas Rochosas. Todos os lugares que ela e o pai tinham sonhado que veriam. Imaginou como seria São Francisco, a cidade construída sobre montanhas, ou Los Angeles, com suas praias de areia branca e pomares de laranjeiras.

A mãe estacionou no acostamento e ficou agarrada ao volante.

– Mãe?

Ela parecia não ouvir. Saiu da caminhonete e andou até um campo de deslumbrantes flores silvestres. Dos dois lados, hectares e mais hectares de terra recém-arada, pronta para o plantio. O ar cheirava a terra fértil e a brotos recentes.

A mãe respirou fundo, exalou. Loreda viu um tremor em suas mãos e percebeu pela primeira vez que a mãe estivera com medo.

– Tudo bem – disse a mãe, por fim. – A primeira reunião do Clube dos Exploradores na Califórnia. Para que lado nós vamos?

Loreda já esperava por essa pergunta.

– Estamos no Vale de San Joaquin, acho. Hollywood e Los Angeles ficam ao sul. O Vale Central e São Francisco ficam para o norte. Acho que a maior cidade por essas partes é Bakersfield.

A mãe foi até a traseira da caminhonete para preparar sanduíches, enquanto Loreda matraqueava sobre todos os fatos relevantes que tinha memorizado. Os três foram até um campo cheio de flores silvestres e relva alta e se sentaram para comer.

A mãe deu uma mordida no sanduíche, engoliu um bocado.

– A única coisa que eu sei fazer é plantar. Não quero ir para uma cidade. Não há empregos. Então, Los Angeles, não. São Francisco também não.

– O mar está a oeste de nós.

– Com certeza eu adoraria ver o mar, mas não agora – disse a mãe. – O que nós vamos ganhar vendo o mar? Nós precisamos trabalhar e ter um lugar pra morar.

– Vamos ficar aqui – disse Ant.

– Como você chamou, Loreda? Vale de San Joaquin? É muito bonito – disse a mãe. – Parece haver muito trabalho por aqui. Eles estão se preparando pra plantar alguma coisa.

Loreda olhou para o campo de flores silvestres e as montanhas ao longe.

– Vocês têm razão. Não há necessidade de desperdiçar gasolina. Só precisamos encontrar um lugar para ficar.

Depois de comerem, voltaram à caminhonete e se aprofundaram no vale por uma estrada reta como uma flecha, em direção às distantes montanhas arroxeadas. Campos verdejantes se espalhavam dos dois lados da estrada; em alguns deles Loreda viu filas de homens e mulheres encurvados trabalhando a terra.

Passaram por pastos de gado na engorda e um matadouro com um cheiro forte.

Ao passarem por um cartaz de anúncio do Wonder Bread, Loreda viu um aglomerado de vultos escuros no chão ao lado da placa.

Um dos vultos se sentou; era um garoto esquálido, vestido de trapos, com um chapéu sem aba em um dos lados.

– Mamãe...

A mãe reduziu a velocidade.

– Estou vendo.

Devia haver uns vinte deles ali: garotos, homens jovens, na maioria vestidos de andrajos. Macacões surrados e remendados, chapéus sujos, camisas com o colarinho puído. A terra ao redor era plana e marrom, ressecada como uma última esperança.

– Tem gente que não quer trabalhar – disse a mãe em voz baixa.

– Você acha que o papai tá por aí? – indagou Ant.

– Não – respondeu a mãe, perguntando-se quanto tempo eles continuariam à procura de Rafe. A vida inteira?

Provavelmente.

Chegaram a uma encruzilhada, onde uma mercearia e um posto de gasolina ficavam um em frente ao outro na estrada asfaltada. Campos cultivados espalhavam-se ao redor. Uma placa dizia BAKERSFIELD: 34 QUILÔMETROS.

– Nós precisamos de gasolina – disse a mãe –, e, como é o nosso primeiro dia na Califórnia, pirulitos de alcaçuz pra todo mundo!

– Obaaa! – bradou Ant.

A mãe saiu da estrada e entrou no terreno de cascalho, parando ao lado das bombas. Um frentista uniformizado veio correndo para ajudar.

– Pode encher o tanque, por favor – pediu a mãe, pegando a bolsa.

– A senhora paga lá dentro. A mercearia e o posto de gasolina são do mesmo dono.

– Obrigada – disse a mãe ao frentista.

Os três saíram do carro e ficaram observando um campo cultivado. Homens e mulheres se abaixavam ao lado de tufos de verde. Gente trabalhando na lavoura era sinal de *emprego*.

– Alguma vez você viu alguma coisa tão linda, Loreda?

– Nunca.

– Vamos ver os doces, mamãe? – perguntou Ant.

– Sem dúvida.

Loreda e Ant atravessaram a estrada correndo, em direção à loja, gargalhando e se empurrando, Ant segurando a mão de Loreda, a mãe se apressando para manter o passo.

Um velho estava num banco em frente, fumando um cigarro, usando um chapéu de caubói surrado caído nos olhos.

O interior da mercearia era escuro e cheio de sombras. Um ventilador girava preguiçosamente no teto, projetando sombras e agitando o ar ao redor, mas sem refrescar muito. A loja cheirava a assoalho de madeira e serragem e morangos frescos. Cheiro de prosperidade.

Loreda salivou diante de todas aquelas comidas à venda. Salame, garrafas de Coca-Cola, cachorros-quentes empacotados, caixas cheias de laranjas, pães. Ant correu para os doces de um *penny* no balcão. Vidros grandes cheios de balas, palitinhos de alcaçuz e pastilhas de hortelã.

A caixa registradora ficava num balcão de madeira. O atendente era um homem de ombros largos com camisa branca e calça marrom com suspensórios azuis. Um chapéu de feltro marrom cobria seu cabelo aparado. Ficou imóvel e rígido como uma cerca, observando os recém-chegados.

De repente Loreda imaginou o estado em que se encontravam depois de mais de uma semana na estrada (e anos numa fazenda moribunda). Magros, macilentos, os rostos chupados. Vestidos estampados de poeira e esperança. Sapatos cheios de furos ou, no caso de Ant, sem sapato nenhum. Rostos sujos, cabelos sujos.

Loreda arrumou o cabelo caído no rosto, prendendo alguns tufos esvoaçantes no lenço vermelho desbotado que cobria sua cabeça.

– É melhor a senhora controlar esses seus filhos – disse o homem atrás do balcão. – Eles não podem pegar nas coisas com as mãos sujas.

– Peço desculpas pela nossa aparência – disse a mãe, aproximando-se do balcão enquanto abria a bolsa. – Nós estávamos viajando e...

– Sim. Eu sei. Tipos como vocês chegam à Califórnia todos os dias.

– Eu abasteci a caminhonete – disse a mãe, tirando 1,90 dólar da carteira.

– Espero que seja o suficiente para vocês irem para longe daqui – disse o homem.

Depois disso, pairou um silêncio no ar.

– O que o senhor disse? – perguntou a mãe.

O homem tirou uma arma de debaixo do balcão e a colocou entre eles.

– É melhor vocês irem embora.

– Crianças – disse a mãe –, voltem para a caminhonete. Vamos sair daqui já.

Ela jogou as moedas no chão e saiu com os filhos da loja.

A porta bateu atrás deles.

– Quem ele pensa que é? – esbravejou Loreda, furiosa e envergonhada. – Só porque não passou por dificuldades o pateta acha que tem o direito de ofender a gente?

O homem a fizera se sentir *pobre* pela primeira vez na vida.

A mãe abriu a porta do veículo.

– Entrem – falou, numa voz tão calma que era quase assustadora.

DEZENOVE

Elsa ficou contente ao ver aquele lugar se afastando no espelho retrovisor. Não sabia o que estava procurando, para onde estava dirigindo, mas imaginou que saberia quando chegasse. Um restaurante, talvez. Não havia razão para não poder servir às mesas. Ao chegar a Bakersfield, sentiu-se desorientada pelo tamanho da cidade. Tantos automóveis e lojas e gente circulando, por isso pegou uma estrada menor e continuou dirigindo. Para o sul, pensou, ou talvez para o leste.

Recusava-se a se deixar derrubar pelo preconceito de um homem, depois de tudo que havia passado para chegar ali. Ficou irritada por Loreda e Ant terem sofrido na pele um preconceito tão sórdido, mas a vida era cheia desse tipo de injustiça. Era só pensar no jeito como seu pai falava dos italianos, dos irlandeses, dos negros e dos mexicanos. Ah, ele aceitava o dinheiro deles e sorria, mas suas palavras tornavam-se ofensivas assim que saíam. Ou no que a mãe tinha visto quando olhou para a neta recém-nascida: a cor da pele estava errada.

Infelizmente, a discriminação fazia parte da vida e não era algo de que Elsa poderia proteger totalmente seus filhos. Nem na Califórnia, nesse novo começo. Simplesmente precisava ensiná-los a serem melhores.

Passaram por uma placa indicando as Fazendas DiGiorgio, viram pessoas trabalhando nas plantações.

Alguns quilômetros mais adiante, perto de uma cidade que parecia agradável, Elsa viu uma sequência de chalés afastados da estrada, todos muito bem cuidados, sombreados por árvores. O do meio tinha uma placa de ALUGA-SE na janela.

Elsa tirou o pé do acelerador e encostou a caminhonete.

– O que foi? – perguntou Loreda.

– Olhe que casas bonitas – respondeu Elsa.

– Será que a gente tem como pagar isso?

– Não vamos saber se não perguntarmos. Quem sabe, certo?

Loreda não pareceu convencida.

– A gente podia ter um cachorrinho se morasse aqui – falou Ant. – Eu queria muito ter um cachorrinho. Vou chamar ele de Rover.

– Todo cachorro se chama Rover – comentou Loreda.

– Não é verdade. O cachorro do Henry se chamava Spot. E o...

– Esperem aqui.

Elsa saiu da caminhonete e fechou a porta. Nos primeiros degraus, sentiu um sonho se abrindo para recebê-la de bom grado. *Um cachorro para Ant, amigas para Loreda, um ônibus escolar parando na frente da casa para buscar as crianças. Flores se abrindo. Um jardim...*

Ao se aproximar da casa, a porta se abriu. Uma mulher saiu, usando um vestido florido bonito e um avental vermelho rendado, com uma vassoura na mão. Os cabelos cacheados eram sedosos e um par de óculos de armação fina aumentava seus olhos.

Elsa sorriu.

– Olá – falou. – A casa é linda. Quanto é o aluguel?

– São 11 dólares por mês.

– Puxa. É alto. Mas acho que posso dar um jeito, com certeza. Eu poderia pagar 6 dólares agora e o resto...

– Quando arranjar um emprego.

Elsa ficou aliviada com a atitude compreensiva da mulher.

– Isso.

– É melhor você entrar no carro e continuar na estrada. Meu marido vai chegar logo.

– Talvez 8 dólares...

– Nós não alugamos para okies.

Elsa franziu a testa.

– Nós não somos de Oklahoma, somos do Texas.

– Texas. Oklahoma. Arkansas. É tudo a mesma coisa. Vocês são *todos* iguais. Esta é uma boa cidade cristã. – Ela apontou para a estrada. – Vá naquela direção. Pouco mais de 20 quilômetros. É onde mora gente do seu tipo.

A mulher voltou para dentro da casa e fechou a porta.

Pouco tempo depois, ela tirou a placa de ALUGA-SE da janela, substituindo-a por um cartaz dizendo: PROIBIDA A ENTRADA DE OKIES.

Qual era o problema daquela gente? Elsa sabia que não estava tão bem arrumada quanto poderia, e obviamente encontrava-se numa situação difícil, mas... a maior parte do país estava na mesma situação. E ela tinha oferecido 8 dólares por mês. Não estava pedindo caridade nem esmola.

Elsa voltou à caminhonete.

– Então, como foi? – perguntou Loreda.

– A casa não é tão bonita vista de perto. Não tem espaço para um cachorro. Aquela mulher falou de algum lugar uns 20 quilômetros mais adiante. Deve ser um acampamento ou hotel para as pessoas que vêm para o Oeste.

– O que é um okie? – perguntou Loreda.

– Alguém para quem eles não querem alugar.

– Mas...

– Chega de perguntas – falou Elsa. – Preciso pensar.

Passaram por outros campos cultivados. Havia poucas casas de fazenda por lá, e a maior parte da paisagem era um xadrez de lavouras recentes, verdes e amarronzadas, terras recém-aradas. O primeiro sinal de civilização foi uma escola, bonita, com uma bandeira dos Estados Unidos hasteada na frente. Pouco mais adiante havia um hospital rural em bom estado de conservação, com uma única ambulância estacionada na entrada.

– Acho que já percorremos os 20 quilômetros – disse Elsa, reduzindo a velocidade.

Não havia nada por perto. Nenhuma indicação, nenhuma fazenda, nenhum hotel.

– Isso é um acampamento, mamãe? – perguntou Ant.

Elsa parou no acostamento. Viu pela janela um agrupamento de tendas, calhambeques e barracos num matagal afastado da estrada. Deviam ser umas cem, aglomeradas aqui e ali como pequenas comunidades, mas sem nenhum planejamento ou urbanização. Pareciam uma flotilha de veleiros cinzentos e carros abandonados num mar marrom. Não havia entrada para o acampamento, só trilhas no mato, e nenhum sinal dando boas-vindas a quem chegasse.

– Esse deve ser o lugar que ela mencionou – disse Elsa.

– Oba! Um acampamento – falou Ant. – Talvez tenha outros garotos.

Elsa entrou numa das trilhas lamacentas e seguiu em frente. Uma valeta de irrigação de água suja percorria a lateral do acampamento à esquerda.

A primeira tenda que encontraram tinha um teto em forma de bico, as laterais inclinadas e uma chaminé se projetando para a frente, parecendo um cotovelo dobrado. A área em frente às abas abertas estava entulhada de pertences: baldes de metal amassados, barris de uísque, latões de gasolina, um cepo com um machado fincado e uma calota velha. Não muito longe, viu um veículo sem pneus. Alguém tinha erguido tábuas nas laterais e jogado um plástico em cima para criar um lugar seco para morar.

– Eca – disse Loreda.

Parecia não haver nenhuma organização na distribuição das tendas, dos barracos e dos calhambeques estacionados.

Crianças magras como caniços e vestidas com trapos corriam pela cidade de tendas, seguidas por cachorros sarnentos latindo. Mulheres se agachavam nas margens da valeta, lavando roupa na água marrom.

O que parecia uma pilha de lixo se revelou uma moradia; lá dentro, três crianças e dois adultos se amontoavam em torno de um fogão improvisado. Uma família.

Um homem estava sentado numa pedra, usando só uma calça rasgada, descalço e com os pés sujos, a camisa e as meias secando no chão à sua frente. Em algum lugar, um bebê chorava.

Okies.

Gente do seu tipo.

– Eu não gosto deste lugar – choramingou Ant. – Cheira mal.

– Vamos voltar, mãe – falou Loreda. – Vamos embora daqui.

Elsa não conseguia acreditar que pessoas pudessem viver daquele jeito na Califórnia. Nos Estados Unidos. Não eram mendigos, nem vagabundos ou andarilhos. Aquelas tendas, barracos e calhambeques abrigavam *famílias*. Crianças. Mulheres. Bebês. Gente que tinha ido até ali atrás de um recomeço, gente procurando trabalho.

– Nós não podemos ficar desperdiçando gasolina – disse Elsa, sentindo o estômago embrulhando. – Vamos ficar aqui uma noite, descobrir como são as coisas. Amanhã vou arranjar um trabalho e seguimos nosso caminho. Pelo menos tem um rio.

– Rio? *Rio?* – retrucou Loreda. – Aquilo não é um rio, e isso é... Nem sei o que é, mas não é lugar para nós.

– Este lugar não serve para ninguém, Loreda, mas nós só temos 27 dólares. Quanto tempo você acha que isso vai durar?

– Por favor, mãe.

– Nós precisamos de um plano – explicou Elsa. – Chegar à Califórnia. Foi só nisso que nós pensamos. Nitidamente não é o bastante. Precisamos de informações. Alguém aqui vai poder nos ajudar.

– Parece que eles não conseguem nem ajudar uns aos outros – comentou Loreda.

– Uma noite – insistiu Elsa, abrindo um sorriso forçado. – Vamos, exploradores. A gente consegue aguentar qualquer coisa por uma noite.

Ant choramingou outra vez.

– Mas cheira mal.

– Uma noite – repetiu Loreda, olhando para Elsa. – Promete?

– Prometo. Uma noite.

Elsa examinou o mar de tendas e viu uma lacuna entre elas, um espaço vazio entre uma tenda surrada e um barraco feito de restos de madeira. Dirigiu até lá e estacionou numa grande clareira no meio da grama e do mato.

A tenda mais próxima ficava a uns 5 metros de distância. Na frente havia um monte de badulaques – baldes e caixas, uma cadeira de madeira de pernas finas e um fogão a lenha enferrujado com a chaminé torta.

Já com a caminhonete estacionada, começaram a trabalhar. Armaram a grande tenda que trouxeram, estacaram-na no lugar e puseram o colhão em um canto, no chão de terra, cobrindo-o com lençóis e cobertores.

Só descarregaram os mantimentos de que precisariam para a noite. As malas, a comida (tudo precisava ser constantemente vigiado naquele lugar) e baldes para trazer água e para usar como banquinhos. Elsa fez uma pequena fogueira na frente da tenda e distribuiu baldes para todos se sentarem.

Percebeu que agora ela e os filhos não pareciam diferentes de todos ali. Jogou um pedaço de toucinho na chapa do fogão, esperou até começar a estalar e acrescentou um precioso pedaço de presunto com alguns tomates enlatados, um dente de alho e uma batata cortada em cubos.

Loreda e Ant ignoraram os baldes e se sentaram com as pernas cruzadas na grama terrosa, jogando baralho.

Quando Elsa olhou para a filha, foi acometida por uma persistente tristeza. Era estranho como se podia deixar de ver pessoas que estavam bem próximas, como as imagens se fixavam na cabeça. Loreda estava terrivelmente magra, os braços finos como palitos de fósforo, os joelhos e tornozelos ossudos. As queimaduras de sol tinham deixado o lado esquerdo do rosto cheio de sardas e a pele descascada.

Loreda tinha 13 anos; deveria estar se fortalecendo, não emagrecendo daquele jeito. Uma nova preocupação, ou já antiga, tornada mais vívida naquele momento.

Quando a noite caiu, o acampamento se animou. Elsa ouviu conversas ao longe, pratos sendo servidos ou esvaziados e fogueiras crepitando. Pontos alaranjados – pequenas fogueiras – despontavam aqui e ali. A fumaça flutuava de tenda em tenda, transportando o cheiro da comida. Um fluxo constante de gente chegava pela estrada.

Elsa ouviu passos e ergueu a cabeça. Uma família se aproximava da tenda: um homem, uma mulher e quatro crianças – dois garotos adolescentes e duas meninas mais novas. O homem, alto e magro, usava um macacão manchado e uma camisa rasgada. Atrás dele vinha uma mulher de cabelos castanhos maltratados na altura do ombro, já com algumas mechas grisalhas. Usava um vestido folgado de algodão e um avental. Parecia não haver nada naqueles ossos além da camada de pele; nenhum músculo, nenhuma gordura. As duas meninas magrelas vestiam sacos de estopa com buracos para os braços e o pescoço; estavam descalças e com os pés sujos.

– Olá, vizinhos – disse o homem. – Pensamos em vir dar as boas-vindas a todos. – Ele ofereceu uma batata-asterix. – A gente trouxe isto. Não é muito, eu sei. Mas a gente não tá muito bem de vida, como podem ver.

Elsa ficou comovida com a generosidade daquele gesto.

– Muito obrigada. – Ela pegou um dos baldes, virou-o de ponta-cabeça e forrou com seu suéter. – Sente-se, por favor – falou para a mulher, que abriu um sorriso cansado e se acomodou no balde, arrumando o vestido caseiro para cobrir os joelhos sujos.

– Eu me chamo Elsa. Aqueles são meus filhos, Loreda e Anthony. – Ela estendeu a mão e pegou duas preciosas fatias de pão de um pacote. – Por favor, aceitem isso.

O homem pegou o pão com as mãos calosas.

– Eu me chamo Jeb Dewey. Essa aqui é minha esposa, Jean, e nossos filhos, Mary e Buster, Elroy e Lucy.

As crianças se dirigiram a uma área gramada. Loreda embaralhou as cartas para uma nova rodada.

– Há quanto tempo vocês estão aqui? – perguntou Elsa aos dois quando as crianças se afastaram, e se sentou num balde emborcado ao lado de Jean.

– Quase nove meses – respondeu a mulher. – Nós colhemos algodão no outono, mas o inverno aqui é difícil. É preciso ganhar o suficiente com o algodão para passar os quatro meses sem colheita. E não se deixe enganar quando alguém disser que faz calor na Califórnia no inverno.

Elsa olhou para a tenda dos Deweys, a uns 5 metros de distância. Devia ter uns 9 metros quadrados; igual à dos Martinellis. Mas... como seis pessoas conseguiram viver nove meses num lugar tão apertado?

Jean percebeu o olhar de Elsa.

– Pode ser um pouco difícil. Varrer é um emprego em tempo integral. – Ela abriu um sorriso, e Elsa percebeu que ela devia ter sido uma mulher bonita antes de ser corroída pela fome. – Mas não é como no Alabama, isso eu posso dizer. A gente tá melhor aqui.

– Eu era agricultor – disse Jeb. – Não era uma fazenda grande, mas o bastante pra nós. Agora o dono da fazenda é o banco.

– A maioria do pessoal aqui é agricultor? – perguntou Elsa.

– Alguns. O velho Milt, que mora naquele calhambeque azul com o eixo quebrado, era um grande advogado. Hank era carteiro. Sanderson fazia chapéus chiques. Não dá para saber nada olhando para esses sujeitos nesses dias de hoje.

– Cuidado com o Sr. Eldridge. Ele pode ser incômodo quando bebe. Não é o mesmo desde que a esposa e o filho morreram de disenteria – disse Jean.

– Mas deve dar para arranjar trabalho – falou Elsa, inclinando-se para a frente.

Jeb deu de ombros.

– A gente sai toda manhã para procurar. Eles tão contratando em Salinas agora, se você quiser seguir para o norte. Nós colhemos frutas no norte no começo do verão. Mas é preciso pensar nos preços da gasolina antes de começar a rodar por aí. Mas o que nos sustenta é o algodão.

– Eu não entendo nada de algodão – disse Elsa.

Jean sorriu.

– Machuca muito quando a gente se espeta, mas é o que salva a gente. Seus filhos também podem trabalhar.

– Meus filhos? Mas como eles vão estudar?

– Ah... – Jean suspirou. – Tem uma escola. Na estrada, a mais ou menos uns 2 quilômetros. Mas... no último outono todos nós precisamos trabalhar, até as crianças, para colher o suficiente para não passar fome. As meninas não conseguiam colher muito, mas eu não podia deixar as duas sozinhas o dia inteiro.

Elsa olhou para as duas meninas. Que idades deviam ter, 4 e 5 anos? E passavam o dia inteiro numa plantação de algodão? Preferiu mudar logo de assunto.

– Algum lugar para receber correspondência?

– Na loja de ferragens de Welty. Eles guardam as cartas pra gente.

– Bem... – Jean se levantou, arrumando o vestido. Pelo gesto, Elsa teve um vislumbre do como ela era antes da Califórnia: a esposa quieta e respeitada de um agricultor numa cidade pequena. Provavelmente cuidando de coisas como desfiles de Quatro de Julho, vestidos de casamento e reuniões sociais. – Eu preciso pôr a comida para esquentar. Melhor ir andando.

– Não é tão ruim quanto parece – comentou Jeb. – Você vai ver. Você só precisa ir à agência de assistência social de Welty assim que puder. Fica a uns 3 quilômetros daqui. É preciso se registrar para receber o auxílio emergencial. Diga que vocês estão aqui. Nós demoramos uns dois meses para nos registrar, e isso nos custou caro. Não que sirva para muita coisa, porque...

– Eu não quero dinheiro do governo. – Elsa não queria que pensassem que tinha percorrido todo aquele trajeto para receber esmolas. – Eu só quero um emprego.

– Sei – disse Jeb. – Nenhum de nós quer viver de esmola. O presidente Roosevelt e seus programas do New Deal fizeram umas coisas para ajudar os operários, mas os pequenos agricultores e o pessoal que trabalha em fazendas ficaram meio esquecidos. Os grandes fazendeiros têm todo o poder neste estado.

– Não se preocupe – falou Jean. – Vocês podem aprender a viver com qualquer coisa, desde que estejam juntos.

Elsa gostaria de ter sorrido, mas não sabia se tinha conseguido. Levantou-se, apertou a mão deles e ficou vendo a família inteira andando na direção da tenda suja e apertada.

– Mãe? – chamou Loreda, parando ao seu lado.

Não chore.

Não se atreva a chorar na frente da sua filha.

– Isso aqui é horrível – disse Loreda.

– É, sim.

O cheiro terrível permeava todas as coisas. *Morreram de disenteria.* Não era de admirar, com as pessoas bebendo a água daquela valeta de irrigação e vivendo… naquelas condições.

– Amanhã eu vou encontrar trabalho – disse Elsa.

– Eu sei que vai – concordou Loreda.

Elsa precisava acreditar nisso.

– Essa vida não é para nós – continuou. – Eu não vou deixar que seja.

Elsa acordou com os sons de um novo dia: fogueiras sendo acesas, abas de tendas sendo abertas, panelas de ferro batido batendo nos fogões, crianças reclamando, bebês chorando, mães cuidando dos filhos.

A vida.

Como se fosse uma comunidade normal, não o fim da linha de pessoas desesperadas.

Tomando cuidado para não acordar as crianças, saiu da tenda, fez uma fogueira e preparou um café com o que restava da água dos cantis que trouxeram.

Dezenas de homens, mulheres e crianças andavam pelo campo, em direção à estrada. Ao nascer do sol, pareciam gravetos ambulantes. Ao mesmo tempo, mulheres andavam na direção da valeta e se abaixavam nas pranchas de madeira na margem lamacenta para pegar água.

– Elsa!

Jean estava na frente da sua tenda, sentada numa cadeira ao lado do fogão. Ela acenou para Elsa.

Elsa serviu duas canecas de café e as levou até a tenda ao lado, oferecendo uma delas a Jean.

– Muito obrigada – disse Jean, pegando a caneca. – Eu estava pensando em tomar um café, mas aí sentei aqui e não consegui mais me mexer.

– Você dorme mal?

– Desde 1931. E você?

Elsa sorriu.

– A mesma coisa.

Pessoas passavam por elas num fluxo constante.

– Estão todos indo procurar trabalho? – perguntou Elsa, consultando o relógio. Passava um pouco das seis da manhã.

– Sim. Recém-chegados. Jeb e os meninos saíram às quatro da manhã, e acho pouco provável que consigam alguma coisa. Vai ficar melhor quando começarem a descaroçar e desfiar o algodão. Agora eles só estão plantando.

– Ah.

Jean empurrou uma maçã na direção de Elsa.

– Faça um pedido.

– Aonde eles estão indo procurar trabalho? Eu não vi muitas fazendas…

– Não é como na nossa terra. Aqui os fazendeiros têm grandes negócios, milhares e milhares de hectares. Os proprietários quase nunca pisam nas terras que possuem, muito menos trabalham nelas. Também estão com o dinheiro e o governo do lado deles. O governo do estado se preocupa mais em encher os bolsos dos grandes fazendeiros do que em cuidar dos trabalhadores. – Fez uma pausa. – E o seu marido?

– Ele nos deixou no Texas.

– Isso está acontecendo por toda parte.

– Não consigo acreditar que pessoas vivam desse jeito – falou Elsa, e imediatamente se arrependeu, ao ver Jean desviando o olhar.

– Para onde podemos ir que seja melhor? Eles chamam a gente de okies. Não importa onde a gente nasceu. Ninguém nos contrata, mas também quase ninguém tá contratando ninguém. Talvez depois da safra de algodão você consiga dinheiro para sair daqui. Nós ainda não conseguimos, não com quatro filhos.

– Talvez em Los Angeles…

– A gente fala sobre isso o tempo todo, mas quem sabe se lá vai ser melhor? Aqui pelo menos tem trabalho na época da colheita. – A mulher levantou a cabeça. – Você tem gasolina pra desperdiçar indo para algum outro lugar?

Não.

Elsa não conseguia ouvir mais nada.

– É melhor eu sair para procurar trabalho. Você pode dar uma olhada nos meus filhos?

– Claro. E não se esqueça de se registrar na junta estadual. Hoje à noite vou apresentar você para as outras mulheres. Boa sorte, Elsa.

– Obrigada.

Depois de deixar Jean, Elsa trouxe dois baldes de água fétida da valeta e ferveu em pequenas porções, em seguida coou num pedaço de pano.

Lavou o rosto e o torso do jeito que deu, lavou a cabeça e vestiu um vestido de algodão relativamente limpo. Prendeu os cabelos molhados num coque e cobriu a cabeça com o lenço.

Foi o melhor que conseguiu. Suas meias de algodão estavam folgadas porém limpas, e não havia nada a fazer quanto aos sapatos furados. Ainda bem que ela não tinha um espelho. Ah, havia um espelho em algum lugar, soterrado em uma das caixas na traseira da caminhonete, mas não valia a pena procurar.

Deixou um copo cheio de água limpa dentro da tenda para as crianças e verificou se ainda estavam dormindo.

Escreveu um bilhete para Loreda:

Fui procurar trabalho/ não saia daqui/ a água no copo é boa para beber.

E tomou a direção da caminhonete.

Pegou a estrada principal.

Todas as fazendas que via tinha uma fila de gente na frente, esperando trabalho. Outros andavam em fila ao lado da estrada, procurando. Tratores reviravam o solo nos campos de terra marrom; aqui e ali, via um arado puxado a cavalo sulcando a terra.

Depois de mais ou menos meia hora, viu um cartaz de PRECISA-SE DE EMPREGADA afixado numa cerca.

Saiu da estrada e virou numa longa entrada de terra ladeada por árvores de flores brancas. Centenas de hectares de uma plantação baixa e esverdeada se estendiam dos dois lados da entrada. Batatas, talvez.

Estacionou na frente de um casarão com uma grande varanda guarnecida de tela e um belo jardim florido.

À sua chegada, um homem saiu da casa. Fumava um cachimbo e estava bem vestido, com uma calça de flanela, camisa branca e engomada e um chapéu de feltro que devia ter custado uma fortuna. O cabelo era bem cortado, costeletas aparadas, assim como o bigodinho fino como um lápis.

Foi até Elsa.

– Uma caminhonete, é? Você deve ser nova por aqui.

– Cheguei ontem, do Texas.

Ele avaliou Elsa com um olhar, depois inclinou a cabeça.

– Siga naquela direção. Minha esposa está precisando de uma faxineira.

– Muito obrigada! – Elsa saiu logo do veículo, antes que o homem mudasse de ideia. *Um trabalho!*

Andou depressa em direção ao casarão. Passou por um portão aberto e um jardim de rosas que a envolveram com um perfume que a lembrou de sua infância, subiu os poucos degraus até a porta e bateu.

Ouviu o som de saltos altos sobre tacos de madeira.

A porta se abriu, revelando uma mulher baixa e rechonchuda, com um vestido da moda, com a barra da saia irregular e um lenço de seda rendado no pescoço. Mechas de cabelo cuidadosamente platinadas dividiam-se ao meio e emolduravam seu rosto até a altura do queixo.

A mulher olhou para Elsa e deu um passo para trás. Cheirou o ar e cobriu o nariz com o lenço bordado.

– São os nossos empregados que lidam com andarilhos...

– O seu... O homem de chapéu disse que a senhora precisava de ajuda em algumas tarefas domésticas.

– Ah.

Elsa sabia muito bem o quanto parecia maltrapilha. Todos aqueles esforços para se apresentar para o trabalho não significavam nada para aquela mulher.

– Venha comigo.

A casa era grande: portas de carvalho, luminárias de cristal, janelas gradeadas de onde se viam os campos verdes lá fora, transformando-os em um caleidoscópio de cor. Tapetes persas espessos, mesas de mogno esculpidas.

Uma garotinha entrou na sala, balançando atrevidamente os cachos volumosos, com um vestido de bolinhas rosadas e sapatos de couro preto.

– Mamãe, o que essa moça suja quer?

– Não chegue muito perto, querida. Ela pode transmitir doenças.

Os olhos da garota se arregalaram. Ela deu uns passos para trás.

Elsa não conseguia acreditar no que tinha ouvido.

– Senhora...

– Não fale comigo a não ser que eu lhe faça uma pergunta – disse a mulher. – Você pode limpar o assoalho. Mas fique sabendo: eu não quero ver você vadiando e vou revistar seus bolsos antes que vá embora. E não toque em nada a não ser na água, no balde e na vassoura.

VINTE

Loreda acordou com o cheiro. Cada inspiração a lembrava de que os três passaram a noite no último lugar do mundo em que ela desejaria estar.

Continuou deitada o máximo que pôde, sabendo que a claridade do dia revelaria imagens que ela não queria ver, mas, por fim, o aroma de café a fez se levantar. Afastou-se devagar de Ant, que resmungou, e vestiu um suéter por cima do vestido.

Calçou os sapatos e saiu da tenda, esperando ver a mãe sentada sobre um balde emborcado perto da fogueira, tomando café. Mas nem a mãe nem a caminhonete estavam lá. Só encontrou um copo com água e um bilhete.

Olhou para a estrada e para o terreno adiante, marcado por passos e trilhas de pneus e um aglomerado de tendas e veículos. O acampamento – que devia ter ao todo uns 20 hectares – abrigava umas cem tendas e dezenas de caminhonetes transformadas em moradias. Viu casebres construídos com sucata e pranchas de madeira. Mulheres andavam pelo acampamento cuidando de crianças maltrapilhas, enquanto cachorros sarnentos corriam soltos, latindo por comida e atenção. Aquela gente vivia ali havia muito tempo, o suficiente para estender varais e criar espaços para pilhas de lixo. Ninguém *queria* viver daquele jeito, mas eles estavam lá. A Grande Depressão.

Pela primeira vez, Loreda entendeu. Não eram apenas os banqueiros fugindo com o dinheiro dos outros, ou um cinema fechando as portas, ou gente na fila do sopão.

Tempos difíceis significava pobreza. Falta de empregos. Nenhum lugar para onde ir.

Jean saiu da tenda e acenou para Loreda.

A menina andou na direção dela, de certa forma contente por ter um adulto por perto.

– Bom dia, Sra. Dewey – falou.

– Sua mãe saiu há uma hora, para procurar trabalho.

– Minha mãe nunca teve um emprego de verdade.

Jean sorriu.

– Você falou como uma adolescente agora. Isso não tem importância. A falta de experiência, quero dizer. Os empregos por aqui são basicamente nas plantações. Eles não contratam a gente para trabalhar em restaurantes ou lojas, nada disso. Esses empregos ficam para os locais.

– Mas isso tá errado.

Jean deu de ombros, como que dizendo: *Que diferença isso faz?*

– Quando os tempos ficam difíceis e os empregos, escassos, o pessoal põe a culpa nos forasteiros. É a natureza humana. E é o que nós somos agora. Na Califórnia foram os mexicanos, e antes deles os chineses, acho.

Loreda olhou para o acampamento apinhado.

– Minha mãe nunca desiste – falou. – Mas talvez dessa vez seja o caso. A gente podia ir para Hollywood. Ou São Francisco.

Ela detestou a forma como sua voz embargou naquele momento. De repente estava pensando no pai, em Stella e nos avós na fazenda. Naquele momento, mais do que qualquer coisa, ela queria estar em casa, com a avó dando um de seus abraços com alguma coisa escondida para ela comer.

– Venha cá, querida – disse Jean, abrindo os braços.

Loreda aceitou o abraço, surpresa com o quanto ajudou, mesmo vindo de uma estranha.

– Você vai ter que crescer, imagino – disse Jean. – Provavelmente sua mãe gostaria que você continuasse inocente, mas isso é passado.

Loreda conteve as lágrimas. Não queria crescer, muito menos num lugar como aquele. Olhou para o rosto triste e bondoso de Jean.

– Então o que eu devo fazer?

– Primeiro, ir até a valeta de irrigação e trazer bastante água. Você precisa ferver e coar antes de beber. Eu vou lhe dar um pedaço de gaze. Lavar a roupa também seria de grande ajuda para a sua mãe.

Loreda deixou Jean na porta da tenda, pegou dois baldes e foi até a valeta. Já havia uma fila de mulheres agachadas nas margens, algumas com tábuas de lavar roupa na água amarronzada. Crianças brincavam na beira da água suja.

Loreda encheu dois baldes com aquela água feia e os levou para a tenda. Passou por uma família de seis pessoas morando num barraco de zinco e restos de madeira.

Quando chegou à tenda, Ant estava acordado, sentado no chão. Dava para ver que ele tinha chorado.

– Todo mundo saiu e me deixou aqui – choramingou. – Achei que…

– Me desculpe – disse Loreda, colocando os baldes no chão.

Ant se levantou e a agarrou. Loreda lhe deu um abraço apertado.

– Eu fiquei com medo.

– Eu também, Antsy – disse Loreda, tão reconfortada pelo abraço quanto o irmão. Quando Ant se afastou, já não tinha mais lágrimas nos olhos e estava sorrindo de novo.

– Quer brincar de lançamento? Minha bola de beisebol deve estar em algum lugar.

– Não. Eu preciso ferver essa água para preparar o desjejum. Depois nós vamos lavar a roupa.

– A mamãe não mandou a gente fazer isso – resmungou Ant.

– Nós precisamos ajudar.

De repente, Ant levantou a cabeça.

– Ela vai voltar, não vai?

– Vai voltar, sim. Ela tá procurando trabalho para a gente poder sair daqui.

– Ufa. Você acha que ela vai conseguir?

– Espero que sim.

Depois de um desjejum de flocos de milho insosso, Loreda lavou os pratos e guardou tudo nas caixas, que ficaram prontas para quando a caminhonete voltasse. Dessa forma eles poderiam sair daquele lugar fedorento assim que a mãe aparecesse.

Por volta do meio-dia, os dedos de Elsa doíam e as mãos ardiam, vermelhas devido à soda cáustica e à água sanitária. Já tinha esfregado o piso da cozinha, o assoalho das salas de jantar e de estar e passado óleo aromático de limão nos tacos até ficarem lustrosos. Tirou dezenas de livros com capas de couro das estantes e espanou atrás deles, incapaz de não cheirar o couro, o papel e até de ler uma ou duas frases.

Sua vida de leitora parecia muito longínqua.

Quando acabou a limpeza, escaldou dois frangos gordos em água fervente e depenou-os, a boca salivando ante a ideia de um frango assado. Uma hora depois, levou a roupa molhada para espremer com a prensa de rosca, girando a manivela até os ombros doerem. Tudo isso sob o olhar vigilante da dona da casa, que não deu a Elsa uma pausa para o almoço, um copo de água nem falou qualquer coisa.

– Acho que está bom – disse a mulher pouco depois das cinco da tarde, quando Elsa estava de novo na cozinha, passando uma camisa masculina. – Pode ir.

Elsa largou o ferro de passar devagar e deu um suspiro de alívio. Estava com fome e com sede.

– Senhora, eu notei que a despensa poderia ser mais bem organizada, e...

– Tocar na nossa comida? Claro que não. A criminalidade aqui está nas alturas desde que a sua laia chegou. Nossas escolas estão cheias de crianças sujas.

– Senhora, acho que como cristã a senhora deveria...

– Como se *atreve* a questionar minha fé? Fora daqui! – falou, apontando para a porta. – E não volte mais. Os mexicanos trabalham melhor do que esses okies imundos. Não são insolentes e não ficam na cidade quando acaba a colheita. Nós nunca deveríamos tê-los deportado.

Elsa estava cansada e desanimada demais para discutir. Ao menos tinha arranjado trabalho. O dinheiro de hoje era um começo. Precisava pensar dessa forma.

– Está bem, senhora – falou, e ficou esperando ser paga.

– O que foi? – perguntou a mulher, cruzando os braços.

– Meu pagamento.

– Ah, certo.

A mulher enfiou a mão no bolso, tirou algumas moedas e as jogou na mão estendida de Elsa.

Quarenta centavos.

– Quarenta centavos? – perguntou Elsa. – Por dez horas?

– Prefere que eu pegue de volta? Também posso dizer ao meu marido como você foi insubordinada.

Quarenta centavos.

Elsa saiu andando, passou pela porta e deixou-a bater. Entrou na caminhonete e pegou a estrada, tentando não entrar em pânico.

Quarenta centavos por um dia inteiro de trabalho.

Agora sabia por que o pessoal do acampamento saía para procurar trabalho a pé. Gasolina era um luxo ao qual ela não podia mais se dar.

Amanhã se juntaria aos que saíam do acampamento antes do amanhecer, com esperança de encontrar trabalho nas plantações. O pagamento devia ser melhor do que isso.

Mas jamais deixaria os filhos trabalharem na lavoura. Eles iriam à escola e teriam uma boa educação.

Na estrada principal, viu um homem andando sozinho no acostamento, com os ombros curvados e ar derrotado, levando uma mochila esfarrapada. Os cabelos pretos caíam em mechas sujas pelo chapéu furado. Um dos pés estava descalço.

Rafe.

Não podia ser, mas...

Reduziu a velocidade até parar e abrir a janela. Não era o seu marido, é claro.

– Quer uma carona, amigo? – perguntou.

O homem a olhou de esguelha, a pele do rosto chupado esticada sobre os ossos pontudos.

– Não. Mas obrigado. Não tenho nenhum lugar para ir, e já peguei um ritmo.

Elsa ficou olhando para ele por um bom tempo, pensando: *É, nenhum de nós tem para onde ir.* Suspirou e pisou no acelerador.

Ao longo daquele dia no acampamento, Loreda aprendeu a flexibilidade do tempo. Até então, o tempo parecia algo fundamental, confiável. Mesmo em meio a grandes tristezas – quando perdeu o pai e a melhor amiga, ou a doença de Ant –, o tempo a acalmava com sua coerência. *O tempo cura todas as feridas*, como diziam a ela, ressaltando sua bondade essencial. Na verdade, sabia que algumas feridas se aprofundavam com o tempo em vez de sarar; mesmo assim, confiava na constância dele. O sol nascia e se punha todos os dias; no intervalo havia tarefas, refeições e pontos de referência, um cronograma da vida diária.

Ali, sob o peso da infelicidade, o tempo se arrastava.

Não havia aonde ir e nada para fazer. Não podia deixar Ant sozinho para caçar pombos ou coelhos. Por isso ficou sentada com o irmão no colchão cheio de calombos, lendo *O mágico de Oz* em voz alta. Mas o livro, com seu terrível tornado no Kansas, não parecia tão fantástico quanto antes, quando era lido num lugar que parecia em estado de calamidade. Na verdade, Loreda achou que o livro poderia causar pesadelos.

Passava um pouco das cinco e meia quando Loreda ouviu o ronco familiar da caminhonete. Empurrou Ant e pulou da cama.

Lá fora, uma multidão chegava pela estrada esburacada.

A mãe estacionou perto da tenda. Loreda esperou com impaciência até ela desligar o motor e sair do veículo. Quando afinal desceu, a mãe ficou simplesmente parada, os ombros caídos, parecendo cansada. Derrotada.

– Mãe?

Elsa logo se aprumou e sorriu, mas Loreda percebeu que aquele sorriso era uma mentira. A expressão de derrota nos olhos azuis dela era assustadora.

– Eu lavei a roupa e pus o feijão de molho – disse Loreda, de repente querendo de volta *sua mãe*, a mulher que era um burro de carga incansável, que nunca chorava ou desistia, que nunca tinha medo de nada. – Nós podemos ir embora depois do jantar.

– Hoje eu arranjei um trabalho – disse a mãe. – Trabalhei o dia inteiro por 40 centavos.

– Quarenta centavos? Isso não dá nem para...

– Eu sei.

– Quarenta *centavos*?

– Agora sabemos o que vamos ter que enfrentar, Loreda. Não podemos gastar dinheiro em aluguel nem em gasolina.

– Espera aí. Você prometeu que a gente só ia ficar um dia.

– Eu sei. Mas eu estava enganada. Ainda não podemos ir a lugar nenhum. Precisamos ganhar dinheiro, não só ficar gastando.

– Você quer que a gente fique aqui? *Aqui*? – Loreda sentiu seu horror se transformar numa raiva trêmula e aterrorizante, dirigida à mãe. Em algum pequeno recôndito interno ela sabia que não era justo, mas não havia nada que pudesse fazer para se conter. – Não. *Não*.

– Me desculpe. Não sei o que mais podemos fazer.

– Você *mentiu*. Como ele. Todo mundo mente...

A mãe puxou a filha para um abraço. Loreda pensou em se desvencilhar, mas a mãe a segurou firme, mantendo o abraço até a filha desistir, relaxar o corpo e chorar.

– Eu falei com a Jean. A temporada de colheita de algodão deve ser a ocasião perfeita para economizar dinheiro e pagar todas as contas. Se tivermos cuidado e economizarmos cada tostão, talvez a gente consiga sair daqui em dezembro.

Loreda se afastou, sentindo-se trêmula e insegura. Com raiva.

– Não podemos voltar para o Texas? A gente tem o suficiente para a gasolina.

– O médico disse que vai demorar pelo menos um ano para o pulmão do Ant sarar. Você lembra como ele ficou mal.

– Mas é que no começo ele se recusou a usar a máscara de gás. Talvez agora...

– Não, Loreda. Nós não temos essa opção. – A mãe tirou o cabelo do rosto de Loreda com um gesto carinhoso. – Eu preciso da sua ajuda com o Ant. Ele não vai entender.

– *Eu* não entendo. Nós moramos nos Estados Unidos. Como isso pode estar acontecendo com a gente?

– São tempos difíceis – respondeu Elsa.

– Que mentira.

A mãe foi até a caminhonete e começou a desatar a pequena estufa à lenha que Rose e Tony usavam na cabana anos antes, antes de construírem a casa da fazenda.

Loreda odiou com todas as fibras do seu ser a ideia de desempacotar aquela estufa. Uma estufa significava um lar; significava estar morando em algum lugar, se assentar. Eles imaginaram aquela estufa aquecendo uma casa nova. Com um suspiro, subiu com a mãe e começou a soltar as tiras. As duas juntas, gemendo, tiraram a pesada estufa da caminhonete e a deixaram no gramado em frente à tenda, ao lado dos baldes e da bacia de metal.

– Maravilha – disse Loreda. Agora eles ficaram iguais ao resto dos pobres, da gente desesperada que morava em tendas naquele acampamento horroroso.

– É – concordou a mãe.

Não havia nada mais a dizer.

Entraram na tenda, onde Ant estava deitado no chão de terra ao lado do colchão, brincando com seus soldadinhos de chumbo.

– Mamãe! Você voltou.

Loreda viu a tristeza lampejar na expressão da mãe.

– Eu sempre vou voltar. Vocês dois são a minha vida. Certo? Nunca duvidem disso.

Naquela noite, Elsa ficou acordada até bem depois de os filhos terem feito suas orações e adormecido, um de cada lado. O brilho da lua iluminava as paredes de lona, deixando o pequeno ambiente na penumbra. Tomando cuidado para não acordar as crianças, encontrou um pedaço de papel e um lápis e se sentou para escrever.

Queridos Tony e Rose,

Saudações da Califórnia!

Depois de uma dura viagem, que foi mais divertida do que qualquer um esperava, chegamos ao Vale de San Joaquin. É um lugar bonito. Montanhas. Plantações verdes e crescendo, uma terra fértil e amarronzada.

Nossa tenda fica perto de um rio. Fizemos amizade com um pessoal do Sul. As crianças estão animadas com o primeiro dia de aula amanhã. Como vão as coisas com vocês?

Vocês podem escrever para nós aos cuidados da loja de ferragens do posto do correio de Welty, Califórnia.

Rezem por nós como rezamos por vocês.

Com amor,

Elsa, Loreda e Ant

Na manhã seguinte, Elsa acordou antes de o sol nascer e começou a trazer água para o acampamento, deixando-a para ferver na estufa.

Na escuridão, a fumaça flutuava de tenda em tenda; ouviu o barulho metálico de baldes cheios de água, de toucinho estalando em frigideiras de ferro. Alguns já começavam a andar em direção à estrada. Homens, mulheres, crianças.

Às sete da manhã ela acordou os filhos, mandou que se vestissem e os levou para fora da tenda, onde serviu um mingau quente (não suficiente para encher a barriga, mas ela sabia que precisava economizar cada moeda), e usou a água recém-fervida, coada e resfriada para lavar a cabeça e o rosto de todos. Sentiu-se muito grata pelos filhos terem lavado a roupa no dia anterior.

Ant tentou se desvencilhar.

– Por que a gente precisa ficar mais limpo?

– Porque hoje é o primeiro dia na escola – respondeu Elsa.

– Obaaaa! – comemorou Ant, saltitante.

Loreda deu um passo para trás.

– Você só pode estar brincando.

– Educação é tudo, Loreda. Você sabe disso. Vai ser a primeira Martinelli a fazer uma faculdade.

– Mas...

– Sem *mas*. Tempos difíceis não duram para sempre. Educação, sim, e vocês já estão atrasados nos estudos. Vamos logo. Temos uma longa caminhada pela frente.

– Como é que eu vou para a escola descalço? – perguntou Ant. – Você pensou nisso?

Elsa olhou para o filho, horrorizada. Como tinha esquecido um fato tão importante?

– Eu... nós...

– Elsa?

Ela se virou e viu Jean vindo em sua direção, trazendo um par de sapatos surrado e furado.

– Eu vi você trazendo água – falou. – Imaginei que estivesse banhando as crianças para a escola.

– Eu esqueci que meu filho não tem sapato. Como pude...

Jean pôs a mão no ombro dela, num gesto reconfortante.

– Nós fazemos o melhor possível, Elsa. Aqui, esses sapatos eram do Buster. Não servem mais nele. Pode me devolver quando não servirem mais no Ant.

Elsa não conseguia encontrar palavras para expressar sua gratidão. Era uma generosidade gigantesca, vindo de alguém que tinha tão pouco.

– É assim que a gente vai vivendo – disse Jean, dando tapinhas no braço de Elsa.

– M-muito obrigada.

– A escola fica a 1,5 quilômetro na direção sul – explicou Jean, apontando com a cabeça. – Eles não são muito receptivos por lá.

– Eu diria que até agora isso se aplica a todo o estado – comentou Elsa.

– É verdade.

– Depois de acertar as coisas na escola, é melhor fazer seu registro. A agência de assistência social fica ao norte daqui, em Welty, a mais ou menos uns 3 quilômetros. É bom eles saberem que vocês estão aqui.

Assistência social.

O estômago de Elsa se contraiu ao pensar nisso. Aquiesceu.

– Então, ao sul para a escola e depois para o norte, 3 quilômetros daqui até a cidade. Entendi.

Elsa pegou os sapatos de Ant e ficou feliz ao ver o filho arrumado.

– Tudo bem, família Martinelli – falou, enquanto amarrava os cadarços do menino. – Vamos lá.

Andaram até a estrada e seguiram para o sul, juntando-se a um grupo de crianças que ia na mesma direção. Deviam ser umas nove, com idades variando de 6 a 10 anos. Loreda era a mais velha do grupo. Elsa era o único adulto.

Um ônibus escolar passou roncando, espalhando cascalho e poeira. Mas não parou para as crianças migrantes.

Passaram pelo hospital do condado com uma ambulância cinza estacionada na frente e finalmente chegaram à escola. O gramado e as árvores verdejantes conferiam uma aparência convidativa. Um bando de crianças rindo e conversando andava pelo pátio. Estavam limpos e bem-vestidos. As crianças migrantes andavam entre elas, rígidas e em silêncio.

– Olhe para eles, mamãe – disse Loreda. – Todo mundo de roupa nova.

Elsa levantou o queixo de Loreda com um dedo, viu as lágrimas se acumulando nos olhos da filha.

– Eu sei o que você está sentindo, mas não se *atreva* a chorar – falou. – Nem por causa disso, nem por tudo o que você passou para chegar aqui. Você é uma Martinelli e vale tanto quanto qualquer um na Califórnia.

Elsa pegou os filhos pela mão e atravessou o gramado, passando por baixo da tremulante bandeira dos Estados Unidos.

Lá dentro, o corredor pululava de crianças. Elsa notou os olhares que lançavam a eles e que os mais bem-vestidos os evitavam. Um quadro de avisos anunciava excursões, atividades escolares e a próxima reunião de pais de alunos.

Elsa entrou no primeiro escritório que avistou. Parou com os filhos na frente de um longo balcão. Uma placa dizia: BARBARA MOUSER, ADMINISTRAÇÃO.

Elsa pigarreou.

– Com licença...

A mulher sentada a uma mesa atrás do balcão ergueu os olhos da papelada.

– Eu vim matricular os meus filhos.

A mulher deu um suspiro profundo e se levantou. Usava um vestido azul bonito com um cinto de pano, meias de seda e sapatos marrons. Elsa notou que tinha as unhas bem cuidadas e o rosto, suave e rechonchudo.

A mulher se aproximou do balcão e se dirigiu a Elsa e aos seus filhos.

– Você trouxe algum boletim? Documentos de transferência? Registros escolares?

– Nós saímos com um pouco de pressa. Onde morávamos os tempos estavam...

– Está difícil para vocês, okies, eu sei.

– Nós somos do Texas, senhora – disse Elsa.

– Como eles se chamam?

– Loreda e Anthony Martinelli. O apelido dele é...

– Endereço?

Elsa não sabia responder à pergunta.

– Nós... hã...

A mulher se virou e gritou:

– Srta. Guyman, venha aqui. Desabrigados. Okies.

– Nós somos texanos – repetiu Elsa com firmeza.

A mulher empurrou um pedaço de papel para Elsa.

– Você sabe ler e escrever?

– Pelo amor de Deus – replicou Elsa. – É claro que sei.

– Nomes e idades. – Ela deu um lápis a Elsa.

Enquanto Elsa anotava os nomes dos filhos, uma mulher mais nova entrou no escritório, de touca e com um imaculado uniforme branco de enfermeira. Andou na direção das crianças e começou a apalpar o cabelo de Loreda.

– Não está com piolhos – disse a enfermeira. – Nem febre... ainda. Que idade tem essa menina – perguntou. – Onze?

– Treze – respondeu Elsa.

– Ela sabe ler?

– Claro que sabe. É uma ótima aluna.

A enfermeira verificou o cabelo de Ant.

– Tudo bem – disse, por fim. – A maioria dos da sua laia começa a trabalhar no campo aos 11 anos. Fico surpresa de sua filha estar na escola.

– A nossa *laia* faz parte dos americanos trabalhadores que estão passando por tempos difíceis – replicou Elsa.

– Venham comigo – disse a Sra. Mouser. – Mas não cheguem muito perto.

Elsa e os filhos seguiram atrás da mulher, que parou no fim do corredor.

– Garoto. Pode entrar aqui.

Ant agarrou a manga de Elsa, olhando para a mãe.

– Está tudo bem – disse ela.

O menino balançou a cabeça, implorando para sair daquela situação.

– Entre – ordenou Elsa.

Ant respirou fundo, os ombros curvados. Fez um aceno desalentado, abriu a porta e desapareceu na sala de aula.

– Vamos, nada de vadiagem – disse a administradora, seguindo em frente.

Elsa teve de se esforçar para continuar andando. Loreda não saía do seu lado.

Na última porta, assinalada com o número sete, a administradora parou.

– Você – disse a Loreda. – Entre aí. Está vendo aquelas três carteiras no fundo? Sente-se numa delas. Não toque em nada nem em ninguém no caminho. E pelo amor de Deus, não tussa.

Loreda olhou para Elsa.

– Você vale tanto quanto qualquer um aí dentro – disse Elsa.

Loreda entrou na sala de aula.

Elsa viu a maneira como as crianças, limpas e bem-vestidas, desdenhavam da sua filha. Algumas garotas chegaram a se afastar um pouco quando ela passou por elas. Um garoto de cabelos vermelhos tapou o nariz, provocando risos na classe.

Elsa precisou reunir todas as suas forças para se afastar da porta fechada.

Elsa voltou à estrada principal e seguiu para o norte. Passou pela entrada do acampamento e continuou andando. Após algum tempo, chegou a uma cidade pequena e bem-cuidada, com uma grande placa em forma de bola de algodão dando as boas-vindas a Welty, Califórnia. A Avenida Principal tinha quatro quarteirões; ela viu um teatro fechado por tapumes, a prefeitura com colunas na frente e uma sequência de lojas. Andou de loja em loja, sem ver sinal de PRECISA-SE em nenhuma vitrine.

O gabinete de assistência social era fora da Avenida Principal, numa praça cheia de bancos e árvores floridas. Um longa fila de gente esperava para entrar.

Elsa entrou na fila. As pessoas não se olhavam nem se falavam.

Elsa entendia. Pelas expressões fechadas e contraídas dos homens e mulheres ao redor, percebeu que todos tinham esperado até não ter outra opção a não ser pedir ajuda. E sentiam vergonha por precisar de alguma coisa do governo. Ou de qualquer um, aliás. Assim como ela, todos já tinham trabalhado para ganhar a vida, sem depender de esmolas.

Felizmente, Elsa ficou sem pensar em nada enquanto esperava.

Por fim, chegou a sua vez. Embaixo de um toldo temporário, um jovem de terno marrom, camisa imaculada e uma gravata fina preta atendia às pessoas. O chapéu marrom de abas largas encaixava-se com um ângulo jovial na sua cabeça.

– Você veio aqui pelo auxílio emergencial? – perguntou, erguendo os olhos, enquanto batia a caneta na mesa.

– Não. Eu vou arranjar um emprego, mas me disseram que é preciso se registrar. Por precaução.

– Bom conselho. Gostaria que mais gente o seguisse. Nome?

– Elsinore Martinelli.

Anotou alguma coisa num cartão vermelho.

– Idade?

– Oh, céus – respondeu Elsa com uma risada nervosa. – Vou fazer 36 no mês que vem.

– Marido?

Fez uma pausa.

– Não.

– Filhos?

– Loreda Martinelli, 13 anos. Anthony Martinelli, 8.

– Endereço?

– Hã...

– Beira da estrada – disse o jovem com um suspiro. – Aqui perto?

– Uns 3 quilômetros ao sul.

O jovem aquiesceu.

– Acampamento de desabrigados na Sutter Road. Quando vocês chegaram à Califórnia?

– Dois dias atrás.

O jovem anotou tudo no cartão vermelho, antes de erguer a cabeça.

– Nós mantemos registro de todos que chegam ao estado. Sua data de residência é a partir do seu registro, não da data da chegada. A Califórnia só presta assistência quando você se torna residente, o que acontece após um ano morando no estado. Volte no dia 26 de abril.

– Um ano? – Elsa franziu a testa. – Mas... eu ouvi dizer que não tem trabalho no inverno. As pessoas não precisam do auxílio nesse período?

O homem olhou penalizado para ela.

– Os agentes federais vão prestar alguma ajuda. Mantimentos. A cada duas semanas. – Ele inclinou a cabeça. – É aquela fila ali.

Elsa olhou para trás, viu uma fila maior ainda um pouco mais adiante.

– Que tipo de mantimentos?

– Feijão. Leite. Pão. Comida.

– Então todo esse pessoal está na fila por comida?

– Sim, senhora.

Elsa se sentiu extremamente triste pelas mulheres que estavam lá, magras como caniços, envergonhadas, de cabeça baixa.

– Esse não é o meu caso – falou. – Eu consigo dar de comer aos meus filhos.

Por enquanto.

VINTE E UM

Ao final do período escolar, Elsa ficou esperando os filhos embaixo da bandeira. Lutou contra um acesso de tontura e percebeu que tinha se esquecido de trazer um lanche quando saiu de casa pela manhã. Depois de ter se registrado para o auxílio emergencial, tinha passado mais algumas horas andando e procurando trabalho. Não demorou muito para perceber que nenhum lojista ou dono de restaurante contrataria alguém que parecesse tão pobre e maltrapilha como ela.

O sinal da escola tocou; crianças começaram a sair. As portas do ônibus escolar se abriram com um chiado para alguns alunos.

Elsa viu Loreda e Ant vindo em sua direção.

Ant estava com um olho roxo e o colarinho rasgado.

– Anthony Martinelli, o que aconteceu? – perguntou.

– Nada.

– Anthony...

– Nada, já disse.

Ela deu um abraço no filho mais novo.

– Você tá me sufocando – disse Ant, tentando se afastar.

Elsa hesitou para largá-lo, mas Ant se soltou. Saiu andando na frente, a lancheira vazia numa das mãos.

– O que aconteceu, Loreda?

– Um menino do quinto ano chamou Ant de okie ignorante. Ant o mandou retirar o que disse, mas o garoto não retirou, e Ant deu um soco nele. O garoto reagiu.

– Eu vou falar com...

– As professoras sabem, mãe. O diretor veio dizer que o garoto não devia ter batido no Ant para não pegar alguma doença. Ele falou: "Você sabe que não pode encostar nele, Johnson."

– Mas ele só tem 8 anos – murmurou Elsa.

Loreda ficou em silêncio.

– Vou falar com ele sobre oferecer a outra face – disse Elsa.

Era tudo no que conseguia pensar. O que ela sabia sobre brigas no pátio da escola e o que tornava um garoto um homem?

Ant continuou andando na frente, sozinho, na beira da estrada, parecendo pequeno. Vulnerável. Os poucos carros que passavam levantavam poeira e buzinavam para ele sair do caminho.

– Que tal ensinar ele a chutar um garoto mais velho nas partes íntimas?

– Eu não vou ensinar meu filho a chutar... essas partes de um garoto.

– Maravilha. Então ensine a ele como fazer uma bolsa de gelo. Deixe o Ant virar um saco de pancada. Diga que nós vamos viver para sempre desse jeito.

– Ah, Loreda – replicou. – Eu sei que está difícil...

– Sabe? Eles comeram frango frito e torta de frutas no almoço, mãe. Um deles tinha uma coisa chamada Twinkie. Cheirava tão bem que sem querer eu estalei a língua e algumas meninas riram de mim. Uma delas falou: "Olha só pra ela, comendo uma batata." E outra falou: "Deve ser roubada."

– Meninas assim, grosseiras, que acham graça em rir da infelicidade alheia, não valem nada. São como manchinhas nas pulgas na traseira de um cachorro.

– Mas dói.

– Dói – concordou Elsa, lembrando-se da época de escola. – Eu sei.

Quando viraram na entrada do acampamento à beira da margem da valeta, Elsa chamou Anthony. Ele parou e ficou esperando.

– Será que o papai ficaria chateado comigo por ter brigado?

– Por ter se defendido? Não. Mas de agora em diante vamos brigar com palavras. Certo?

– Tá. Tudo bem. E se eu disser *Vai se foder*?

Elsa quase deu risada.

– Não, Ant. Você não pode dizer isso.

Ant ficou cabisbaixo.

– Eu vou apanhar de novo. Eu sei.

– Vai mesmo – disse Loreda com um suspiro.

Tudo que Elsa conseguiu pensar foi: *Todos nós vamos.*

Naquela noite, depois de um jantar de ensopado de batata com presunto, Elsa pôs Ant na cama. Ninguém tinha falado muito durante a refeição. Loreda saiu da tenda logo depois, dizendo que não estava aguentando o calor. Elsa acomodou Ant na cama e sentou-se com ele.

– Vai melhorar, não vai, mamãe? – perguntou Ant quando terminou suas orações.

– É claro que vai. – Elsa afagou o cabelo dele, fazendo cafuné até o filho adormecer. Saiu da cama e o examinou.

O hematoma no olho parecia pior. Alguém tinha batido nele, zombado dele... Tinha vontade de bater em alguma coisa. Com força.

Será que cometera um erro levando os filhos para lá? Eles tinham abandonado tudo que conheciam e amavam para recomeçar ali, mas e se não houvesse um novo começo? E se as mesmas dificuldades e a fome que haviam deixado para trás continuassem ali? Ou se a situação piorasse?

Elsa puxou a caixa de metal amassada que trouxera do Texas. Abriu-a com cuidado e contou o dinheiro: menos de 28 dólares. Quanto tempo isso duraria se ela não arranjasse logo um emprego?

Fechou a caixa, escondeu-a no recipiente onde guardava as panelas e os caldeirões e saiu da tenda. Viu Loreda sentada num balde emborcado.

O acampamento estava escuro. Elsa ouviu o som de um violino vindo de algum lugar.

Loreda levantou a cabeça.

– Isso me lembrou o vovô.

Elsa só conseguiu assentir. Uma onda de saudades de casa ameaçou abatê-la.

Jean aproximou-se da tenda.

– Venham comigo.

Loreda se levantou. Parecia tão abatida e desmoralizada por aquele dia quanto Elsa.

As três saíram andando pelo acampamento, passando por tendas abertas e carros fechados. Cães corriam latindo.

Numa clareira próxima à valeta, uma multidão tinha se formado. Havia pelo menos quinze pessoas reunidas ali, homens e mulheres. Dois homens tocavam violino sentados em pedras na margem.

Jean levou Elsa e Loreda até duas mulheres em pé ao lado de uma árvore espinhosa.

– Meninas, estas são Elsa Martinelli e sua filha, Loreda.

As mulheres sorriram para elas. Elsa não conseguiu calcular que idade teriam. Perto dos 40 anos, talvez. As duas tinham uma aparência cansada, com sorrisos desalentados e olhos bondosos.

– Seja bem-vinda, Elsa. Eu sou Midge – disse a mulher mais magra. – Sou do Kansas, que agora eles estão chamando de Dust Bowl. E é bem isso mesmo.

Elsa sorriu e segurou os ombros de Loreda.

– Nós somos de Panhandle, no Texas. Sabemos o que é poeira.

– Eu sou Nadine – disse a outra mulher, que tinha uma voz bonita e arrastada. Usava óculos de armação fina e lentes redondas e abriu um rápido sorriso. – Da Carolina do Sul. Dá para acreditar que eu saí de um lugar onde se podia pescar nos rios e lagos? Todos aqueles folhetos anunciando a Califórnia como a terra do leite e do mel. *Tsc.* Há quanto tempo vocês estão aqui?

– Só alguns dias – respondeu Loreda. – Mas parece mais tempo.

Nadine deu risada e ajeitou os óculos.

– É. O tempo aqui passa de um jeito estranho.

– Você se registrou para o auxílio emergencial? – perguntou Midge.

Elsa aquiesceu.

– Sim, mas... por enquanto não estou precisando de auxílio.

Midge, Nadine e Jean trocaram um olhar cúmplice.

Não disseram *Mas vai precisar*, mas era como se tivessem dito. Elsa sentiu de novo aquele terrível desconforto no estômago.

– Fique com a gente, boneca – disse Nadine. – Nós nos ajudamos nesses tempos.

Depois de quase quatro semanas na Califórnia, eles já tinham estabelecido uma rotina: enquanto Loreda e Ant iam à escola, Elsa procurava trabalho. Qualquer trabalho. Por qualquer pagamento. Saía cedo toda manhã e caminhava até a estrada, às vezes indo para o norte, às vezes para o sul, sempre com a esperança de encontrar serviço capinando nas plantações ou lavando roupa. Na maioria dos dias voltava para casa de mãos vazias. Cada vez que precisava comprar comida, suas economias desfalcavam. Quando ficou sem feijão, teve que comprar mais. Ant precisava de leite enlatado. O garoto estava em fase de crescimento.

Depois de um longo dia procurando trabalho sem encontrar nada, Elsa estava à beira da margem da valeta de irrigação, sentada num engradado de maçãs que tinha encontrado na beira da estrada. Logo iria anoitecer, e havia umas trinta pessoas ali: mulheres lavando roupa, homens conversando e fumando cachimbo, crianças brincando e dando risada. O dia continuava quente, dando uma amostra do que viria nos próximos meses.

Alguém tocava uma gaita; um cachorro uivou em harmonia. Ant tinha feito amizade com Mary e Lucy Dewey, e os três corriam por perto, brincando de esconde-esconde. Loreda lia sozinha, sem conversar com ninguém. Elsa sabia que a filha estava determinada a não fazer amizades ali.

Jean puxou um balde de metal até a valeta e sentou-se ao lado de Elsa.

– Já está começando a fazer calor – falou. – Meu Deus, essas tendas são tão desconfortáveis no verão.

– Talvez até lá já estejamos todos trabalhando e possamos nos mudar.

– Pode ser – disse Jean, de um jeito nada esperançoso. – Como seus filhos estão indo na escola?

– Sinceramente, não muito bem. Mas não vou deixar que desistam.

– Mantenha-se firme. Você é forte – disse Jean, observando as pessoas reunidas ao longo da margem.

Elsa olhou para a amiga.

– Às vezes você não cansa de ser forte?

– Ah, querida, claro que sim.

Cinco semanas após terem chegado à Califórnia, eles receberam a primeira carta de Tony e Rose. Todos ficaram animados.

Queridos,

Sinto dizer, mas as tempestades de areia continuam. Mesmo assim, houve outra reunião esta semana. O governo está oferecendo aos fazendeiros 10 centavos por hectare se nós concordarmos em testar uma nova técnica chamada "semeadura de contorno". O trabalho anda devagar, mas Tony voltou a passar muitas horas no trator, e vocês sabem que ele prefere ficar no trator do que em qualquer outro lugar. A Administração para o Progresso dos Trabalhadores está pagando homens desempregados para nos ajudar. Agora só nos resta ter esperança de que essas horríveis tempestades de areia vão parar logo. E de que, se chover, todo esse trabalho árduo renderá frutos.

Ontem um homem chegou à cidade prometendo fazer chover, dizendo ser capaz de fazer isso. Devo dizer que foi uma coisa digna de se ver. Ele disparou alguma coisa para o céu. Estamos todos esperando para ver se funciona. Acho que não se pode apelar a Deus desse jeito, mas quem sabe?

Sentimos saudades de todos e esperamos que estejam bem.

Tomara que o aniversário da Elsa seja uma grande festa. O mais feliz dos dias!

Com amor,
Rose e Tony

No último dia de maio, Elsa acompanhou os filhos até a escola e ficou por lá. Não foi procurar trabalho. Tinha algo a fazer.

Sem um marido para ajudar, ela sentia o pesado fardo de precisar trabalhar e cuidar dos filhos. Tanto trabalho e tão poucas horas para fazer tudo. Não surpreendia que houvesse tão poucas mulheres sozinhas por ali. Loreda fazia até mais que a sua parte; aliás, naqueles dias todos no acampamento estavam fazendo mais do que a própria parte de tudo. Até Ant cumpria suas tarefas sem reclamar. Era o responsável por garantir que sempre houvesse lenha para a fogueira, catando gravetos e papel. Passava um bocado de tempo andando pelo acampamento e ao lado da estrada, recolhendo o que conseguisse encontrar; também trazia jornais da escola. No dia anterior tinha encontrado um engradado de maçã quebrado – um tesouro.

Elsa demorou duas horas para transportar água suficiente para lavar todas as roupas. Depois de ferver e coar a água e guardá-la nos latões de cobre que tinham trazido do Texas, estava suada e exausta. Quando terminou de lavar as roupas, pendurou tudo na armação de metal no interior da tenda. Demorava mais tempo para secar lá dentro, mas ao menos não eram roubadas. Em seguida, pôs um pouco de lentilha de molho.

Concluídas essas tarefas, arrastou os latões de água para a tenda e foi buscar mais água. Baldes e mais baldes; carregou-os desde a valeta, ferveu, coou a água e despejou na banheira.

Por fim, fechou as abas da tenda e se despiu – algo que não fazia havia semanas. No último mês, tinham aprendido, todos eles, como sobreviver naquelas terríveis condições, enfurnados como prisioneiros. Banhos tinham se tornado um luxo, não uma necessidade.

Entrou na banheira e se agachou. A água não estava muito quente, mas ainda assim era o paraíso. Usando a última lasca de sabonete, lavou o corpo e os cabelos, tentando não se importar por sentir só o couro cabeludo em algumas partes.

Começou a tremer quando a água esfriou, então saiu da banheira e se enxugou, reservando a água da banheira para as crianças. O calor irradiava pela lona e subia do chão de terra enquanto ela escovava os cabelos louros que rareavam. Não tinha um espelho para olhar seu reflexo, mas também não fazia questão. Cobriu a cabeça com seu lenço mais limpo, desejando que ao menos naquele dia ela tivesse um chapéu.

Todas as mulheres usavam chapéu.

Não pense nelas. Nem em si mesma.

Aquilo era para os seus filhos.

Elsa desembrulhou seu melhor vestido.

Melhor vestido. Feito no ano anterior com fronhas e sacos de farinha. A última vez que o usou foi na igreja de Lonesome Tree.

Não pense nisso.

Vestiu-se com esmero, calçando as meias de algodão folgadas e os sapatos surrados. Em seguida saiu da tenda sob o escaldante sol da tarde.

Jean estava na porta da sua tenda, com uma vassoura na mão.

Elsa acenou e andou na direção dela.

– Acho que você está procurando problemas – disse Jean, parecendo preocupada.

– Se for isso, já não é sem tempo.

– Vou estar aqui esperando quando você voltar.

Nadine se aproximou.

– Ela vai mesmo? – perguntou para Jean.

Jean assentiu.

– Vai.

– Bem, boneca – disse Nadine –, espero que consiga o que deseja.

Elsa se sentiu grata pelo apoio.

Saiu do acampamento. Na estrada, os poucos automóveis que passavam buzinavam, tentando fazê-la andar pelo acostamento. Quando chegou à escola, estava coberta por uma fina camada de poeira vermelha.

Espanou o máximo de pó que conseguiu. Elsa *não* seria covarde. Com o queixo erguido, atravessou o gramado e contornou o prédio da administração em direção à biblioteca.

Viu o cartaz na porta anunciando a reunião de pais e professores.

Abriu a porta no momento em que o sinal da escola soou e as crianças saíram pelos corredores.

Na biblioteca, as paredes eram forradas de livros, com um balcão de consultas e luzes brilhantes no teto. Umas dez mulheres estavam reunidas ali, bebericando café em xícaras de louça. Elsa notou a elegância das roupas que usavam – meias de seda, vestidos da moda com bolsas combinando, cabelos estilosos e bem cortados. Num dos lados do recinto, uma mesa comprida, forrada por uma toalha branca, oferecia bandejas de biscoitos e sanduíches e um bule prateado com café.

As mulheres se viraram para encarar Elsa. A conversa diminuiu até cessar por completo.

Elsa ponderou o que a levara a acreditar que um banho e um vestido de saco de farinha limpo iriam ajudar. Ela não pertencia àquele lugar. Como poderia ter imaginado o contrário?

Não. Eu sou americana. Sou mãe. Estou aqui pelos meus filhos.

Deu um passo adiante.

Todos os olhos se voltaram para ela. Expressões de surpresa.

Ao chegar à mesa, serviu-se de uma xícara de café e pegou um sanduíche. Sua mão tremia quando o levou à boca.

Uma mulher mais velha, com um tailleur de tweed e sapatos de salto, de cabelos crespos que escapavam de um chapéu de feltro, afastou-se das outras e andou resolutamente na direção de Elsa. Ao se aproximar, ergueu uma sobrancelha.

– Eu sou Martha Watson, presidente da Associação de Pais de Alunos. Imagino que você esteja perdida.

– Eu vim para a reunião. Meus filhos estudam na escola e estou interessada no currículo.

– Pessoas como você não influenciam o nosso currículo. O que você faz é trazer doenças e problemas para nossas escolas.

– Eu tenho o direito de estar aqui – disse Elsa.

– Ah, é mesmo? Você tem um endereço na comunidade?

– Bem...

– Você paga impostos para sustentar esta escola?

A mulher fungou, como se Elsa cheirasse mal, e se afastou, batendo palmas.

– Vamos, mães. Precisamos planejar o bingo do final do ano. Temos que levantar dinheiro para construir uma escola para esses migrantes sujos.

As mulheres foram atrás de Martha, gingando como filhotes atrás da mamãe gansa.

Elsa fez o que sempre fazia diante do escárnio e do desdém. Foi embora, derrotada, saindo da biblioteca para o pátio deserto da escola.

Estava quase chegando no mastro da bandeira quando parou.

Não.

Aquela não era a mulher que ela queria continuar sendo. Não era a mãe que queria ser. Aquelas mulheres olharam para ela, julgaram-na e acharam que a conheciam. Acharam que ela pertencia à ralé.

Mas ela não era ralé. E seus filhos também não.

Você consegue.

Será mesmo?

Elas são umas grosseironas, Elsa. Era o que Rose diria. *A única maneira de lutar contra a grosseria é se manter firme.*

Seja corajosa, diria o vovô Walt. *Ou finja que é.*

Agarrando a alça da bolsa, Elsa voltou para a escola. Hesitou por alguns segundos em frente à biblioteca, mas logo abriu a porta.

As mulheres (um bando de gansas, pensou Elsa novamente) viraram-se na direção dela. Boquiabertas.

Martha assumiu o comando.

– Eu achei que já havíamos dito que...

– Eu ouvi o que disse. – Elsa estava literalmente tremendo por dentro. Sua voz saiu trêmula. – Mas agora vocês vão me ouvir. Meus filhos estudam nesta escola. Eu vou fazer parte disso. Ponto final.

Ela foi até a fileira de trás e sentou-se, pressionando os joelhos, segurando a bolsa no colo.

Martha olhou para ela, os lábios cerrados.

Elsa continuou firme.

– Certo. Não se pode impor boas maneiras a esse tipo de gente. Senhoras, sentem-se.

As mulheres ocuparam suas cadeiras, tomando cuidado para não se aproximarem de Elsa.

Durante toda a reunião – mais de duas horas –, ninguém olhou para Elsa lá atrás. Na verdade, evitaram-na intencionalmente enquanto falavam entre si, dizendo coisas como: *migrantes sujos... vivem como porcos... piolhos... não sabem de nada... não deveriam achar que pertencem à comunidade.*

Elsa entendeu o recado, mas não se importou, e isso lhe fez bem.

Aliás, foi quase empolgante. Pela primeira vez, não tinha deixado alguém dizer qual era o seu lugar.

– A reunião está encerrada – anunciou Martha.

Ninguém se mexeu. As mulheres continuaram sentadas, eretas, olhando para Martha.

Elsa entendeu.

As mulheres não queriam passar por ela.

Ela pode transmitir doenças.

Elsa fingiu um espirro. Todas se agitaram.

Então se levantou e andou casualmente em direção à porta, sem pressa nenhuma. Ao passar pela mesa com o bufê, viu tudo o que havia ali: sanduíches de picles com pasta de amendoim com pão de forma sem casca, ovos recheados, salada de gelatina e uma travessa de cookies.

Por que não?

Elas já achavam que ela era uma okie suja. Que cachorro surrado não se lança às sobras?

Pegou a travessa de cookies e jogou todos na bolsa. Depois tirou o lenço da cabeça e o encheu de sanduíches. Fechou a bolsa.

– Não se preocupem, senhoras – falou, girando a maçaneta da porta. – Da próxima vez eu trago algo para comer. Tenho certeza de que vocês vão *adorar* um ensopado de esquilo.

Saiu da biblioteca e bateu a porta.

Meia hora depois, Elsa sentiu as primeiras lufadas do acampamento – o fedor de muita gente vivendo sem instalações sanitárias num dia quente de maio.

Ao chegar à tenda, encontrou Loreda e Ant sentados nas caixas da frente jogando baralho. Loreda tinha começado a preparar um ensopado de lentilha. A fumaça escapava da pequena chaminé de metal da estufa, espalhando-se para os lados.

Quando Elsa chegou, Ant levantou-se para recebê-la, mas Loreda continuou sentada. A filha levantou a cabeça e disse "Oi" com aquela nova voz de dentes cerrados que assumira.

Ant pegou um jornal local sujo e rasgado. No alto, a manchete dizia em letras pretas e garrafais: "Elementos criminosos fora de controle no fluxo de migrantes no estado. Mil chegam à Califórnia todos os dias."

– Eu achei isso no lixo da escola e roubei. Para acender o fogo – falou.

– Não foi roubado se estava no lixo – retrucou Loreda.

– Eu tenho uma surpresa – anunciou Elsa.

– Uma surpresa *boa*? – perguntou Loreda, sem levantar a cabeça. – Ou aconteceu mais alguma coisa ruim?

Elsa cutucou Loreda com a ponta do sapato.

– Boa. Venha ver.

Ela levou as crianças na direção da tenda dos Deweys. Ao se aproximarem, Elsa sentiu cheiro de broa de milho no forno.

Elsa se anunciou pelas abas fechadas da tenda.

As abas se abriram. Lucy, de 5 anos, apareceu com seu vestido de estopa, magra como um galho de alfafa. Ao seu lado estava Mary, de 4 anos, tão perto da irmã que as duas pareciam siamesas.

Lucy sorriu, mostrando um vão de dois dentes.

– Olá, Sra. Martinelli – falou. – O que estão fazendo aqui?

– Eu trouxe algumas coisas – respondeu Elsa.

Na penumbra do interior da tenda que cheirava a suor, Elsa viu Jean sentada numa caixa, costurando à luz de velas.

– Elsa – cumprimentou, levantando-se.

– Venha aqui fora – convidou Elsa. – Eu trouxe um presente.

Todos se reuniram lá fora, ao redor da pequena estufa, onde a broa de milho assava numa caçarola de ferro. Jean sentou-se na cadeira perto da estufa.

As quatro crianças se sentaram no chão de terra cheio de ervas daninhas, todas de pernas cruzadas, esperando em silêncio.

Elsa abriu a bolsa e tirou um punhado de cookies.

Os olhos de Ant brilharam.

– Uau! – Ele estendeu as mãos em concha.

Elsa pôs um cookie coberto de açúcar em cada par de mãos, em seguida ofereceu um pequeno sanduíche de picles com pasta de amendoim a Jean, que negou com a cabeça.

– As crianças precisam mais.

Elsa a encarou.

– Você também precisa comer.

Jean deu um suspiro. Pegou o sanduíche, deu uma mordida e gemeu baixinho de prazer.

Elsa experimentou um biscoito. Açúcar. Manteiga. Farinha. A mordida a fez voltar no tempo, para a cozinha de Rose.

– E como foi? – perguntou Jean em voz baixa.

– Elas me elegeram presidente. Perguntaram onde eu tinha comprado meu vestido.

– Foi tão bem assim, é?

– Peguei toda a comida delas. Esse foi o ponto alto.

– Estou orgulhosa de você, Elsa.

Elsa não se lembrava de ninguém ter dito isso para ela. Nem mesmo Rose. Era surpreendente como umas poucas palavras podiam deixar alguém tão animada.

– Obrigada, Jean.

As crianças saíram correndo, dando risada. Era notável – e inspirador – ver como uma guloseima açucarada conseguia animá-las. Mais tarde, eles comeriam os sanduíches.

Quando as duas ficaram a sós, Jean disse em voz baixa:

– Eu estou numa enrascada, Elsa.

– O que aconteceu?

Jean pôs uma das mãos no estômago chupado e lançou um olhar triste a Elsa.

– Grávida? – murmurou ela, sentando-se num engradado ao lado de Jean.

Um bebê nascer ali?

Meu Deus.

– Como é que eu vou dar de comer para esse? Acho que nunca vou ter leite...

Em outros tempos, Elsa teria dito *Deus proverá* e acreditaria nisso, mas sua fé estava passando pelos mesmos tempos difíceis que assolavam o país. Agora, a única ajuda com que as mulheres podiam contar era a delas mesmas.

– Eu vou estar aqui para o que precisar – disse Elsa, antes de acrescentar: – Talvez seja a maneira como Deus provê. Ele me pôs no seu caminho e você, no meu.

Jean segurou a mão de Elsa. Até então, Elsa nunca soubera a diferença que uma amiga podia fazer, como alguém pode levantar seu espírito o suficiente para você se manter de pé.

VINTE E DOIS

Queridos Tony e Rose,

A Califórnia é linda em junho. Flores vermelhas brotaram das plantações de algodão. Imagine essa visão se estendendo por milhares de hectares, com as montanhas ao fundo.

Os amigos que fizemos prometem muito trabalho para todos quando a safra estiver pronta para a colheita.

Devo admitir que é difícil me imaginar trabalhando na plantação de outra pessoa. Com certeza vai me fazer pensar em vocês e nas muitas horas maravilhosas que passamos cuidando das nossas uvas, das frutas e dos legumes.

Sentimos muitas saudades de vocês e esperamos que estejam bem.

Com amor,

Elsa, Ant e Loreda

Em junho, Elsa constatou que se acordasse às quatro da manhã e entrasse na fila com Jeb e os garotos, geralmente conseguia trabalho nas plantações de algodão, capinando e desbastando a colheita. Não todos os dias, mas na maior parte deles ela trabalhava doze horas por 50 centavos. Não pagava bem, mas ela gastava com cautela e eles iam sobrevivendo. Quando os sapatos de Loreda furaram, em vez de comprar um novo par, Elsa recortou pedaços de papelão para forrar o antigo.

Naquele dia, depois de uma jornada longa e cansativa, ela voltava para casa com outros do acampamento que tinham encontrado trabalho nas Fazendas Welty, com quase 8 mil hectares de algodão plantados na Califórnia; a plantação mais próxima ficava a cerca de 4 quilômetros ao norte do acampamento, depois da cidade de Welty.

Jeb andava ao seu lado, voltando do trabalho com os filhos.

– Estão dizendo que a Welty pode reduzir as diárias – falou.

– Como é possível eles pagarem menos ainda? – perguntou Elsa.

Outro homem falou:

– Tem muita gente desesperada entrando no estado. Mais de mil por dia, segundo me disseram.

– A maior parte vai aceitar qualquer coisa, se puderem pôr comida na mesa – observou Jeb.

– Esses fazendeiros malditos podem pagar cada vez menos – opinou outro homem. – Meu nome é Ike – apresentou-se a Elsa, estendendo a mão de dedos finos para cumprimentá-la. – Eu moro no acampamento de Welty.

– Elsa, prazer.

Cinquenta centavos. Era o que tinham ganhado naquele dia, e não duraria muito, e nunca havia como saber até quando receberiam aquele dinheiro, ou quando conseguiriam trabalho de novo ou quanto receberiam. E se amanhã eles oferecessem 40 centavos? Que escolha haveria a não ser concordar?

– Vai ficar melhor quando a gente estiver colhendo algodão – disse Jeb.

Ike pigarreou.

– Sei não, Jeb, eu ando com um mau pressentimento. O preço do algodão está baixo, e a maldita Lei de Ajuste Agrícola tá pressionando os plantadores de novo. O governo quer que eles plantem menos para aumentar os preços. Você sabe o que isso significa. Mais cedo ou mais tarde, se os plantadores forem espremidos, nós vamos ser moídos.

– E quanto aos meses de verão? – perguntou Elsa. – Depois de o algodão ser desbastado, serão meses até estar pronto para a colheita. Que tipo de trabalho a gente vai conseguir?

– A maioria vai para o norte para colher frutas. Depois voltamos no outono para o algodão.

– Compensa o dinheiro da gasolina? – perguntou Elsa.

Jeb deu de ombros.

– É trabalho, Elsa. A gente trabalha onde puder, quando puder.

Elsa viu mulheres cozinhando em frente a algumas moradias improvisadas. Ouviu o som de um violino mais alto à medida que se aproximava, e aquilo a fez sorrir.

Na porta da tenda, Loreda e Ant estavam sentados nos baldes. Ao lado, um caldeirão de feijão borbulhava na estufa.

– Mãe? – disse Loreda. – Preciso falar com você.

Não podia ser coisa boa. Ultimamente, a irritação de Loreda vinha aumentando exponencialmente. Não reclamava muito, nem revirava os olhos e se afastava intempestivamente, mas de alguma forma isso era pior. Elsa sabia que a filha vinha passando por uma dieta regular de indignação, e cedo ou tarde iria explodir.

– Claro.

– Espere aqui, Ant – falou Loreda, se levantando.

Elsa acompanhou a filha até a valeta que eles pateticamente chamavam de rio. Embaixo de uma árvore esguia e florida, Loreda parou e virou-se para Elsa.

– As aulas terminaram dois dias atrás.

– Eu sei, Loreda.

– E também sabe que sou a única garota com 13 anos que fica no acampamento durante o dia?

Elsa percebeu onde aquilo ia dar. Já estava esperando. Temendo aquela conversa.

– Sei.

– Tem crianças de 7 anos trabalhando nas plantações, mamãe.

– Eu sei, Loreda, mas...

Loreda chegou mais perto.

– Eu não sou surda, mamãe. Escuto o que as pessoas dizem. O inverno na Califórnia é rigoroso. Não tem trabalho. Só vamos poder contar com o auxílio emergencial em abril. Então o único dinheiro que temos é o que ganharmos trabalhando na lavoura. Vai ter que nos sustentar pelos quatro meses sem trabalho e sem o dinheiro do auxílio.

– Eu sei.

– Amanhã eu vou trabalhar com você.

Elsa quis dizer – gritar – NÃO.

Mas Loreda tinha razão. Eles precisavam economizar para o inverno.

– Só durante o verão. Depois você volta para a escola – disse Elsa. – Jean pode cuidar do Ant.

– Você sabe que ele também vai querer trabalhar, mãe – replicou Loreda. – Ant é forte.

Elsa saiu andando, fingindo não ter ouvido.

Em julho, não havia mais trabalho nas plantações de algodão; agora só haveria trabalho na época da colheita da safra. Ainda assim, todos os dias novos migrantes continuavam chegando ao Vale San Joaquin, a pé e de carro. Mais mão de obra, menos trabalho. Os jornais publicavam a indignação e a aflição dos cidadãos, preocupados com o dinheiro de seus impostos sendo gasto para ajudar os não residentes. As escolas e os hospitais estavam lotados, diziam, incapazes de atender à demanda de tantos forasteiros. Eles se preocupavam com falências e com a perda de seu estilo de vida, com a falta de segurança causada pela onda de crimes e doenças pelos quais culpavam os migrantes.

Elsa convocou uma reunião do Clube dos Exploradores e perguntou se os filhos queriam continuar no acampamento à beira da valeta ou acompanhar os Deweys – e muitos outros moradores do acampamento – até o Vale Central, ao norte, em busca de trabalho colhendo frutas. Como sempre, era uma escolha difícil, em que cada um estava ciente da precariedade da sobrevivência de todos. Gastar ou economizar dinheiro.

No fim, fizeram a escolha que a maioria dos migrantes fazia: embalaram seus pertences em caixas, desarmaram a tenda e recarregaram a caminhonete para a viagem. Seguiram para o norte, junto com os Deweys; no condado de Yolo, chegaram a outro acampamento cheio de tendas e armaram as suas. Lá, aprenderam a colher pêssegos. Elsa detestava levar Ant às plantações junto com ela, mas não havia escolha. Era mãe solteira, e o filho era novo demais para ficar sozinho o dia inteiro, todos os dias. Com os três trabalhando na colheita, o que ganhavam só dava para se alimentar e se vestir. Com certeza não havia como economizar.

Quando a temporada de pêssegos acabou, eles levantaram acampamento de novo. Pelo restante do verão, acompanharam a horda de migrantes que ia de plantação em plantação, de colheita em colheita, aprendendo a colher o que estivesse na estação e a passar despercebidos pelas pessoas de bem, que precisavam que suas safras fossem colhidas, mas não queriam ver quem as estava colhendo e queriam que fossem embora no final da estação. Ninguém ia à cidade, a um cinema ou nem mesmo à biblioteca. Ficavam nos acampamentos, sobrevivendo juntos. Jean ensinou Elsa a fazer bolinhos de milho moído, e Elsa mostrou a Jean como fazer polenta com flocos de milho, que ficava deliciosa com uma colherada de sopa ou ensopado. Comiam guisados feitos com sopa de tomate enlatada e macarrão com salsichas fatiadas. Durante todo aquele longo e abafado verão, todos esperavam pela notícia.

Chegou a época da colheita do algodão.

A notícia se espalhou pelo Vale Central em setembro. Elsa e os filhos se prepararam no meio da noite e voltaram para o Vale de San Joaquin e ao acampamento à beira da valeta de irrigação, sua primeira parada na Califórnia.

Chegaram ao matagal seco e esburacado depois de um longo e quente dia de viagem. O calhambeque de Jeb seguia na frente, levantando poeira.

– Caramba – disse Ant, olhando pelo para-brisa sujo e cheio de insetos esmagados. – Olha só aquilo.

Durante o período em que estiveram fora, a população do acampamento tinha aumentado drasticamente. Agora devia haver umas duzentas tendas, lotadas de americanos desesperados em busca de empregos inexistentes. O lugar parecia o que havia restado da passagem de um tornado, com carros quebrados e lixo por toda parte.

Jeb entrou à direita, para longe do amontoado de tendas e barracos de papelão. Encontrou um bom lugar, razoavelmente plano, com espaço para as duas tendas lado a lado, mas possibilitando um pouco de privacidade.

Elsa parou ao lado dele e estacionou.

– É uma longa caminhada até o rio – comentou Loreda, e logo balançou a cabeça. – Não acredito que acabei de chamar aquilo de rio.

Elsa fingiu não ouvir.

– Vamos lá, exploradores. Está na hora de montar acampamento.

Eles montaram a tenda, tiraram a estufa da caminhonete e bateram o colchão sujo e cheio de calombos para redistribuir as penas. Empilharam os baldes na banheira de cobre e os puseram na frente da tenda, junto da tábua de lavar roupa e a vassoura.

– Maravilha – disse Loreda, voltando com dois baldes de água. – Estamos de volta ao lugar onde começamos. Lar, doce lar.

Elsa enrolou um jornal, leu a manchete, "Auxílio emergencial arruína as finanças do estado", e começou a acender o fogão.

Loreda ficou ao seu lado.

– Você sabe que as aulas já começaram, não sabe?

– Sei.

– E que eu não vou voltar a estudar, certo?

Elsa deu um suspiro. Tudo que ela queria – tudo o que sempre quis, na verdade – era ser uma boa mãe. Como poderia fazer isso se Loreda não tivesse uma boa formação? Mas eles estavam na Califórnia havia menos de cinco meses, trabalhando o máximo que podiam, e Elsa tinha menos de 20 dólares na bolsa. Levando em conta a despesa com gasolina para trabalhar nas colheitas do norte, o pagamento irrisório e o custo dos mantimentos, não havia como juntar dinheiro. E o inverno estava chegando. A sobrevivência da família dependia do dinheiro do algodão, e Loreda conseguia colher tanto algodão quanto Elsa. Dobraria o rendimento.

– Sim – concordou Elsa. – Eu sei que você precisa colher algodão, mas Ant vai continuar na escola. Ponto final. – Olhou para a filha. – E assim que terminar a colheita, você volta também.

No dia seguinte, Loreda acordou antes de o sol nascer e ouviu passos. Às quatro da manhã, ouviu o que já esperava: a voz de Jeb na porta da tenda.

– Está na hora.

Loreda e a mãe pularam da cama já vestidas, enrolaram os sacos de lona de 3,5 metros de comprimento, comprados por 50 centavos cada, e saíram da tenda.

Jeb e os garotos, Elroy e Buster, já estavam lá.

Os cinco andaram até a estrada principal, viraram à direita e continuaram andando até chegarem à primeira plantação da Welty.

Já havia umas quarenta pessoas na fila, com algumas provavelmente tendo dormido na beira da estrada para garantir seu lugar. Homens, mulheres, até crianças de 6 anos de idade. Mexicanos, negros, okies. Os okies eram a maioria. Pequenas partículas felpudas de algodão flutuavam pelo ar, pousando no rosto de Loreda, aninhando-se nos seus cabelos.

Uma fileira de caminhões já estava de prontidão para ser carregada de algodão, as caçambas forradas com tela de galinheiro.

Ao nascer do sol, uma campainha soou. A multidão ficou ansiosa. Nem todos seriam selecionados para trabalhar. Àquela altura, havia centenas na fila.

Os portões da plantação se abriram e um homem alto e corado, usando um chapelão, saiu e ficou examinando a multidão, andando e escolhendo os que iriam trabalhar.

– Você – falou, apontando para Jeb.

Jeb correu na direção do portão.

– Você – disse a Elsa, e depois a Loreda: – E você...

Loreda saiu correndo e entrou na fila a que fora designada.

Abriu o grande saco de lona e enlaçou a alça de couro no ombro.

A campainha soou mais uma vez. Loreda enfiou a mão no primeiro algodoeiro e deu um grito de dor. Quando tirou a mão, estava coberta de sangue. Só então viu os espinhos da planta. Pontiagudos como agulhas. Estremeceu e tentou de novo, dessa vez mais devagar; mesmo assim, sentiu a pele sendo cortada. Cerrou os dentes e continuou a colher.

Depois de quatro horas sob o sol causticante, Loreda só conseguia sentir o calor e o cheiro de pó e de suor. Sua garganta estava tão seca que doía só de respirar. Já tinha tomado toda a água do cantil – tão quente que quase fervia – e não restava mais nada. A sacola ficava mais pesada a cada minuto e suas mãos doíam.

Pouco antes do meio-dia, ela entrou na fila formada para as gigantescas balanças, arrastando o saco pesado. Tirou a alça do ombro e pôs a carga no chão, e logo entendeu por que ninguém mais tinha largado o saco na fila: era uma péssima ideia. Agora teria de arrastar a sacola até as balanças com as mãos doloridas e sangrando.

Ficou aliviada quando finalmente chegou sua vez. Um capataz enganchou uma corrente no saco e o pendurou na balança.

– Trinta quilos. – O capataz carimbou um cartão e entregou a Loreda. – Você pode descontar isso na cidade. Mas seja mais rápida se quiser continuar trabalhando.

Loreda pegou a sacola vazia e voltou ao trabalho.

Setembro foi uma sequência de dias longos, quentes e cansativos nas plantações de algodão. As mãos de Elsa sangravam, as costas e os joelhos doíam. Uma hora escaldante atrás da outra. De sol a sol, recurvada, tirando bolotas de algodão do meio de espinhos afiados como navalhas. Não havia banheiros nas plantações, por isso não era fácil para as mulheres em alguns dias do mês, e Loreda tinha tido a primeira menstruação fazia pouco tempo.

Mesmo assim, era *trabalho*. Trabalho regular.

Em meados de outubro, Elsa e Loreda haviam aprendido como colher quase 100 quilos de algodão por dia. Isso significava 4 dólares para a família. Parecia uma fortuna, mesmo com os dez por cento descontados em Welty no pagamento dos vales. Demorou para chegarem à marca de 100 quilos, mas todo mundo sabia que havia uma curva de aprendizado no processo de colheita.

Em novembro, quando finalmente o clima abrandou e todo o algodão já fora colhido, a caixa de metal de Elsa estava estufada de cédulas. Ela também tinha estocado alimentos, comprado sacas de farinha, arroz, feijão e açúcar, bem como latas de leite e um pouco de toucinho defumado. Não havia refrigeração no acampamento, nem gelo, por isso precisou aprender a cozinhar de outra forma – tudo vinha de sacos e latas. Nada de massas frescas ou tomates secos ao sol, nem pão caseiro ou azeite de oliva aromatizado com nozes. As crianças aprenderam a adorar feijão com carne de porco temperada com melaço de milho, torradas com carne-seca, salsichas assadas no fogo e bolachas salgadas fritas em óleo e passadas no açúcar. Loreda chamava isso de "comida americana".

Elsa tentava economizar o máximo possível para o inverno, mas depois de tantos meses de privações sentia prazer ao ver a alegria dos filhos com a barriga cheia.

Muitos dos moradores do acampamento, Jeb e os meninos inclusive, tinham seguido em frente, em busca de mais alguns dias de trabalho em plantações mais distantes, mas Elsa preferiu ficar onde estava, junto com Jean e as filhas.

Chegara o momento de Loreda voltar para a escola.

Naquela manhã de sábado, Elsa saiu da cama e varreu o chão de terra da tenda. Não sabia como era possível, mas a sujeira brotava da noite para o dia, no escuro, como cogumelos. Ela varreu os detritos e abriu as abas da tenda para arejá-la.

Lá fora, uma camada de neblina cinzenta e refrescante recobria o acampamento, turvando a visão daquele mar de tendas. Elsa pegou um jornal velho da caixa de frutas que usavam para guardar todos os restos de papel que encontrassem e leu as notícias locais enquanto passava o café.

O aroma fez Loreda sair cambaleando da tenda, os cabelos emaranhados e cheios de nós, os cachos caindo até os ombros.

– Você me deixou dormir – murmurou.

– Hoje não tem trabalho – disse Elsa. – E segunda-feira você volta para a escola.

Loreda se serviu de uma caneca de café. Puxou o balde para mais perto do fogão e se sentou.

– Eu prefiro colher algodão.

Elsa desejou ter o dom de Rafe com as palavras, seu jeito eloquente de esculpir um sonho. Loreda precisava disso agora, precisava de uma centelha que reacendesse o fogo que tinha antes do abandono do pai e das vicissitudes que o extinguiram.

Infelizmente, Elsa não sabia muito sobre sonhos, mas sabia sobre a escola e as dificuldades da falta de adaptação.

– Eu tenho uma ideia – falou.

Loreda olhou para ela com ceticismo.

– Vamos fazer o desjejum e ir a algum lugar.

– Mal consigo conter minha alegria.

Elsa não pôde deixar de sorrir, apesar da tristeza sentida pela desesperança da filha.

Preparou para as crianças um rápido desjejum de aveia cozida em leite enlatado com açúcar e foi se vestir. Por volta das nove horas, todos saíram, passando por um campo marrom envolvido pelo véu diáfano da neblina.

– Aonde a gente tá indo, mamãe? – perguntou Ant, segurando a mão dela.

Elsa adorava ver que o filho ainda andava de mãos dadas com ela em público.

– Para a cidade.

– Ah! – exclamou Loreda. – Que alegria ficar na fila pra descontar os poucos dólares que ganhamos essa semana.

Elsa cutucou a filha com o cotovelo.

– Nenhum membro do Clube dos Exploradores tem o direito de se sentir infeliz numa aventura de sábado. Nova regra.

– E quem nomeou você a presidente? – perguntou Loreda.

– Eu. – Ant deu uma risadinha. – Mamãe pra presidente, mamãe pra presidente! – entoou, marchando na relva molhada.

Elsa levou a mão ao coração.

– Sinto-me muito honrada. Porque... nunca esperei uma coisa dessas. Uma mulher presidente.

Por fim, Loreda deu uma risada e todos ficaram mais animados.

Pegaram a estrada e andaram até Welty. Quando chegaram à pitoresca cidadezinha, com sua placa de boas-vindas em forma de bola de algodão, a neblina tinha se dissipado e fora substituída por um sol surpreendentemente quente. As montanhas ao longe mostravam uma nova camada de neve. As árvores ao longo da Avenida Principal exibiam seus enfeites do outono.

– Esperem aqui – disse Elsa na porta do escritório das Fazendas Welty. Lá dentro, entrou na fila e esperou sua vez para descontar os vales.

– Está tudo aqui – disse o homem no balcão, pegando os vales de 20 dólares e dando a ela 18 dólares em troca. Elsa enrolou o dinheiro o mais apertado que pôde, calculando mentalmente o total de suas economias. Agora parecia bastante, mas ela sabia que não restaria muito até fevereiro.

Mas hoje não iria pensar nisso. Voltou para a rua, onde as crianças esperavam perto de um poste de iluminação.

Foi um daqueles momentos contundentes em que Elsa realmente *viu* o estado dos filhos: Loreda, magra como um caniço, com um vestido surrado, sapatos que não serviam mais e cabelos compridos e desgrenhados; Ant, esquelético e com o cabelo sujo, por mais que Elsa tentasse mantê-lo limpo, e – felizmente – ainda cabendo nos sapatos doados de Buster.

Elsa forçou um sorriso ao encontrar os dois. Pegou Ant pela mão e desceu a Avenida Principal, onde as lojas abriam as portas ao público. Sentiu o aroma de café e de doces saindo do forno ao passar pela lanchonete, o cheiro familiar de fardos de feno e sacos de grãos ao passar pela loja de rações.

E lá estava o destino que tinha em mente quando saíram do acampamento naquela manhã.

O Salão de Beleza Betty Ane.

Elsa passava por aquela bela fachada sempre que vinha à cidade, vendo mulheres bem-vestidas entrando e saindo com penteados estilosos.

Tomou a direção do salão, instalado num bangalô rústico com um quintal cercado na frente.

Loreda parou e balançou a cabeça.

– Não, mamãe. Você sabe como eles vão tratar a gente.

Elsa já sabia que não adiantava fazer falsas promessas; também sabia que não importa quantas vezes se é derrubado, sempre é preciso se levantar. Apertou a mão de Ant com mais força e abriu o portão.

Loreda não entrou com ela. Elsa percebeu e continuou andando. *Vamos, Loreda, seja corajosa.*

Foi com Ant até a porta e a abriu.

Uma campainha soou.

O salão era decorado com o mobiliário do que fora o vestíbulo do bangalô. Duas cadeiras cor-de-rosa em frente a espelhos. Fios elétricos serpeavam pelo chão, convergindo para uma máquina no canto. Fotografias emolduradas de estrelas de cinema nas paredes rosadas.

No meio do salão, viu uma mulher de meia-idade, de avental branco e uma vassoura na mão. Parecia moderna de um jeito quase forçado, com o cabelo platinado e ondulado à altura do queixo e sobrancelhas finas como se desenhadas a lápis. Os lábios bem delineados foram pintados com um batom vermelho-vivo.

– Ah... – falou ao ver Elsa e o filho.

Loreda parou ao lado de Elsa, pegou a mão dela e puxou-a para trás.

– Vamos embora, mãe.

Elsa respirou fundo.

– Esta é a minha filha, Loreda. Está com 13 anos e vai voltar às aulas na segunda-feira, depois de uma temporada colhendo algodão. Ela imagina que vai ser alvo de zombarias, porque... bem...

Loreda soltou um gemido sofrido.

– Esperem um pouco, vou falar com o meu marido – disse a esteticista, saindo da sala.

– Provavelmente vai chamar a polícia – disse Loreda. – Vai dizer que somos andarilhos. Ou coisa pior.

Algum tempo depois, a mulher voltou ao salão e olhou para elas, tirando um pente do bolso.

– Eu sou a Betty Ane – falou, andando na direção deles, os saltos altos batendo no piso de madeira. Parou em frente a Loreda. Perto, mas não muito.

Por favor, pensou Elsa, apertando a mão de Loreda, *seja gentil com minha filha.*

No mesmo instante, um homem grande de terno marrom entrou no salão vindo de outro cômodo, trazendo uma grande caixa de papelão.

– Este é Ned, meu marido – disse Betty Ane.

– Já entendi – replicou Elsa. – Você e o Ned querem que a gente saia daqui. Que fiquemos com a nossa laia.

Ned tirou o chapéu.

– Não, senhora. Nós chegamos aqui em 1930. Era difícil ganhar a vida, mas não tanto como agora. – Ele estendeu a caixa para eles. – Alguns casacos e suéteres e coisas do gênero. Costuma fazer frio aqui no inverno. Nós temos um chuveiro no nosso banheiro. Com água quente. Por que vocês não ficam à vontade? Um banho quente e roupas novas podem ser uma ajudazinha em tempos difíceis.

Betty Ane abriu um sorriso bondoso para Loreda.

– E estou vendo uma garota que precisa de um novo penteado para o primeiro dia na escola. Deus sabe como é difícil ter 13 anos mesmo sem tudo isso. – Ela examinou Loreda com um ar de aprovação. – Você é muito bonita, boneca. Eu vou fazer a minha magia.

VINTE E TRÊS

Loreda sentou-se na cadeira de veludo estofada e olhou para seu reflexo no espelho. Betty Ane tinha aparado o cabelo preto da menina numa linha reta na altura do queixo, com os cachos caindo em cascata a partir do topo. O rosto, tratado com sabonete perfumado, estava bem bronzeado pelo trabalho nas plantações de algodão. Um vestido novo roxo acentuava o azul cintilante dos olhos de Loreda, e Betty Ane convenceu Elsa a deixar a filha usar um pouco de batom rosa-claro nos lábios.

– Tinha esquecido como eu era – comentou Loreda, passando a mão nas pontas sedosas do cabelo.

Betty Ane estava de pé atrás dela.

– Acho que você é a garota mais bonita que eu já vi. – Ela virou a cabeça. – Elsa, sua vez.

Loreda detestou sair da cadeira. Parecia mágica, um portal para um mundo de fantasia onde forasteiras acampadas se transformavam em princesas.

Suas pernas tremiam um pouco, para dizer a verdade. Loreda tinha visto mais do que o próprio rosto no espelho. Tinha visto a garota que era antes de tudo aquilo. Uma sonhadora, uma menina convicta. Alguém que conheceria *outros lugares*. Como tinha conseguido esquecer tudo isso?

Sentiu uma esperança recém-encontrada, ou reencontrada, mas aquilo também alimentou sua raiva. Agradeceu a Betty Ane e se afastou do espelho. A mãe passou a mão no seu ombro quando trocaram de lugar.

– Diga uma coisa, essa é a cor natural do seu cabelo? – perguntou Betty Ane quando Elsa se sentou. – É linda.

Loreda continuou andando. Sem olhar para Ant, que brincava com um carrinho no chão, saiu para a rua.

Até o ar tinha um cheiro diferente agora.

Aprumou os ombros, de repente percebendo como a vida na lavoura a havia deixado menor e mais encurvada. Tinha passado meses tentando ser uma roda numa engrenagem, invisível.

Não mais.

Caminhou confiante com o vestido que para ela era novo, com golas arredondadas. Os surrados sapatos marrons quase não incomodavam por cima das meias brancas rendadas.

Encontrou a biblioteca na Pepper Street, afastada do centro, num terreno bonito e gramado, com uma bandeira dos Estados Unido hasteada tremulando na frente.

Uma biblioteca.

Mágica.

Abriu a porta e entrou sem hesitar, o corpo ereto, a garota que fora criada para ser. Uma garota que acreditava na educação e sonhava em ser repórter. Ou romancista. Enfim, alguma coisa interessante.

A primeira coisa que notou foi o cheiro de livros. Respirou fundo e se sentiu transportada para um momento em Lonesome Tree. *Na cama, com a luz acesa, lendo...*

Em casa.

– Posso ajudar em alguma coisa?

– Sim. Por favor. Eu adoraria encontrar um livro para ler.

A bibliotecária saiu de trás do balcão. Era uma mulher robusta, de cabelos cacheados e grisalhos e óculos com armação preta.

– Você tem o cartão da biblioteca?

– Não. – Loreda sentiu vergonha ao admitir. Sempre teve cartões de biblioteca no Texas. – Nós... nós somos novos no estado.

– Bem... – A bibliotecária abriu um sorriso gentil. – Treze anos?

– Sim, senhora.

– Está na escola?

– Sim, senhora.

A bibliotecária aquiesceu.

– Venha comigo.

Ela levou Loreda pelos corredores até uma grande mesa de madeira cheia de jornais.

– Pode esperar aqui. Vou ver se encontro alguma coisa para você.

Loreda sentou-se à mesa de carvalho, com um abajur em cima. Não conseguiu deixar de acender e apagar a luz algumas vezes, maravilhada com a eletricidade já disponível nas casas.

A bibliotecária voltou com um livro.

– Qual é o seu nome?

– Loreda Martinelli.

– Eu sou a Sra. Quisdorf. Você pode vir buscar o seu cartão depois, mas por enquanto leve este livro. – Pôs na mesa um velho exemplar de *Os inquéritos de Nancy: o segredo do velho relógio.*

Loreda tocou no livro, levantou-o à altura do rosto e sentiu o cheiro familiar que a fazia pensar em ler à noite... com Stella depois das aulas; ouvir o pai contando histórias para dormir. Loreda se sentiu reviver, como uma flor que murchara na estiagem ao sentir a primeira gota de chuva da primavera.

– A senhora tem algum que eu possa levar para o meu irmão? Ele tem 8 anos. E talvez um para a minha mãe? Eu vou devolver todos, prometo.

A Sra. Quisdorf pensou um momento e finalmente sorriu.

– Srta. Martinelli, acho que é o tipo de garota de que eu gosto.

Naquela noite, quando as crianças já dormiam, Elsa varreu o chão da tenda – mais uma vez – e reorganizou a pilha de caixas de frutas vazias que serviam como despensa, com açúcar, farinha, toucinho, feijão, leite enlatado, arroz e manteiga. Um verdadeiro banquete. Mas, mesmo com o agravamento da Depressão, o preço dos alimentos tinha aumentado. Cinco galões de querosene estavam custando 1 dólar. Um quilo de manteiga custava 50 centavos. Três quilos de arroz custavam quase meio dólar. A subida dos preços era assustadora.

E hoje tinha gastado 75 centavos em cortes de cabelo para ela e os filhos. Tomara que não se arrependesse quando o inverno chegasse.

Pegando a caixa de roupas que ganhara naquele dia, saiu da tenda e foi falar com Jean, sentada numa cadeira perto do fogão a lenha, cerzindo meias à luz de um lampião. Jeb e os meninos tinham saído com a caminhonete, na esperança de encontrar algum trabalho sazonal de outono nos vinhedos, mas ninguém esperava que conseguissem alguma coisa nessa época do ano.

– Oi, Jean – falou Elsa, saindo do escuro para a luz pálida do lampião. Ela e as crianças tinham separado o que servia na caixa de roupas e reservaram o restante para os Deweys.

– Elsa, você está tão bonita!

Elsa sentiu as faces corarem ao deixar a caixa de roupas no chão.

– Bem que a Betty Ane tentou.

Jean cutucou o balde de madeira mais próximo com o pé.

– Sente-se aí.

Elsa se acomodou no balde, ignorando o incômodo nas nádegas ossudas. Puxa, aquelas cadeiras do salão de beleza pareciam celestiais.

– Por que você diz esse tipo de coisa?

Elsa revirou a caixa de roupas até encontrar o que buscava. Sentiu a lã macia com os dedos.

– Que tipo de coisa?

– Ninguém nunca disse que você é bonita?

Elsa parou de mexer nas roupas e ergueu os olhos.

– Eu adoro amigas mentirosas.

– Eu não estou mentindo.

– Eu... não sei bem como reagir a elogios, acho – disse Elsa, afastando do rosto o cabelo sedoso na altura do queixo. Pegou um macio cobertor de bebê de cor lilás e o mostrou a Jean. – Olhe só isso.

Jean pegou o cobertor e ficou olhando.

– Ontem parecia que ele estava dançando – disse Jean, pondo a mão na barriga arredondada.

Elsa sabia que Jean rezava todos os dias para sentir algum movimento no útero, e que a cada movimento sentia alegria e medo ao mesmo tempo.

– Essa noite eu tive um sonho. Que trabalhava numa lanchonete. Servindo torta de maçã para mulheres que ainda usavam chapéus combinando com os vestidos.

Jean aquiesceu.

– Acho que todos nós temos esse sonho.

O inverno chegou ao Vale de San Joaquin com força, uma assustadora combinação de clima ruim com falta de trabalho. Dia após dia, a chuva caía dos céus cor de chumbo, gotas pesadas martelando os automóveis, os barracos de zinco e as tendas aglomerados no acampamento. Poças de lama se formavam e escorriam, transformando-se em valetas. Os tons de marrom descoloriam tudo.

Elsa lamentava cada dólar que gastava, contando e recontando seu dinheiro todos os dias. Mantinha-se frugal, mas mesmo assim suas economias diminuíam. Detestava a ideia de ela e as crianças terem que comprar galochas naquele mês. Não encontraram nenhuma que servisse no Exército da Salvação nem na caixa de doações da igreja presbiteriana.

No final de dezembro, suas economias tinham se reduzido tanto que ela vivia num constante estado de medo. O algodão não havia rendido o suficiente para passar o inverno; agora ela percebia. Precisava de ajuda para alimentar os filhos; era uma conclusão triste, de cortar o coração. Só poderia receber o auxílio do estado em abril, mas havia as doações do governo federal. Era melhor do que ficar na fila do sopão, com cuia e colher na mão, mas sabia que esse poderia ser o seu futuro se não tomasse cuidado. Honestamente, já estaria fazendo isso se não soubesse que os postos de ajuda estavam no limite; não queria tirar comida da boca de gente que não tinha outra opção, pelo menos enquanto ainda tivesse algum dinheiro.

– Não há razão para se envergonhar por isso – disse Jean quando Elsa falou a respeito.

As duas estavam na tenda de Elsa, tomando uma caneca de café na relativa quietude do meio da manhã. Loreda e Ant tinham saído para a escola horas antes. A chuva fazia barulho na lona, estremecendo as estacas.

– Sério? – disse Elsa, olhando para a amiga.

As duas sabiam que não era verdade. *Havia* razão para se envergonhar. Americanos não deveriam aceitar esmola do governo. Deveriam trabalhar muito e conseguir vencer por si próprios.

– Nenhum de nós tem escolha – disse Jean. – Não se consegue muita coisa, só arroz e feijão, mas já faz diferença.

Aquilo era verdade.

Elsa concordou.

– Bom, eu não vou conseguir ajuda ficando parada aqui, desejando que a vida fosse diferente.

– Não é mesmo? – disse Elsa.

As duas sorriram.

Jean saiu da tenda e fechou as abas. Elsa abotoou o casaco com capuz, saiu com suas galochas folgadas e começou a andar até Welty. Naquele clima, era uma caminhada lenta.

Quase uma hora depois, toda suja de lama e encharcada pela chuva, Elsa entrou na longa fila na frente da agência federal de assistência. Passou mais de duas horas ali. Quando entrou no escritório, estava tremendo de frio.

– Els-s-s-inore Martinelli – disse ao jovem sentado a uma mesinha.

Ele remexeu num estojo de lata cheio de cartões vermelhos e tirou um deles.

– Martinelli. Registro de chegada no estado em 26 de abril de 1935. Dois filhos. Sem marido.

Elsa assentiu.

– Nós estamos aqui há quase oito meses.

– Um quilo de feijão, quatro latas de leite, um pão. Próximo. – Ele carimbou o cartão. – Volte em duas semanas.

– Isso é para nos sustentar por duas semanas? – perguntou Elsa.

O jovem levantou a cabeça.

– A senhora está vendo quanta gente precisa de ajuda? – perguntou. – Nós estamos sobrecarregados. Simplesmente não há dinheiro suficiente. O Exército da Salvação tem um sopão na Rua Sete.

Elsa pegou a caixa de mantimentos, mantendo-a desajeitadamente nos braços. Com um suspiro cansado, saiu do escritório para a chuva.

– Juntem-se a nós, levantem suas vozes. Trabalhadores do vale, uni-vos!

Elsa olhou para o homem de pé na esquina, gritando; usava um casaco comprido e um capuz. Debaixo da chuva.

De punho erguido, para enfatizar.

– Uni-vos! Não se deixem amedrontar. Compareçam à reunião da Aliança dos Trabalhadores.

Elsa viu como as pessoas se afastavam dele. Ninguém podia ser visto com um comunista.

Um carro de polícia apareceu, as luzes piscando. Dois policiais saíram, agarraram o homem e começaram a bater nele.

– Vocês estão vendo isso? – gritou o comunista. – Isso é os Estados Unidos. A polícia está me prendendo por causa das minhas ideias.

Os policiais o empurraram para dentro da viatura e partiram.

Elsa acomodou melhor a caixa de mantimentos nos braços e começou a longa caminhada de volta ao acampamento. Já era final da tarde quando chegou.

Havia quase mil pessoas morando lá agora, um número quase cinco vezes maior do que quando eles tinham chegado.

Ela andou até sua tenda com lama até os tornozelos.

Alguns vagavam por perto, em busca de qualquer coisa que pudessem aproveitar.

Parou na tenda dos Deweys.

– Tem alguém em casa?

Lucy abriu a tenda. Elsa viu a família toda – todos os seis – reunida lá dentro. Jeb e os meninos não conseguiram arranjar trabalho, assim como todos os demais.

Jean abriu um sorriso cansado, a mão pousada na barriga redonda. O vestido estava esgarçado e faltava um botão.

– Oi, Elsa. Como foi?

Elsa enfiou a mão na caixa e tirou duas latas de leite e algumas fatias de pão.

Não era muito, mas já era alguma coisa. As duas famílias dividiam todas as dádivas que surgiam pelo caminho.

– Isso é para você – falou, entregando os mantimentos.

– Muito obrigada – disse Jean, com uma expressão agradecida.

Elsa voltou para a sua tenda e entrou. O chão estava enlameado. Não havia como as pessoas não ficarem doentes. Viu Ant no colchão onde dormiam, fazendo os deveres de casa.

Loreda pregava um botão preto no vestido roxo que ganhara no salão de beleza, sentada num engradado de maçã.

– Então, como foi?

– Tudo bem. – As mãos de Elsa estavam tão frias que ela quase deixou a caixa cair.

Loreda se levantou e envolveu Elsa num cobertor, que em seguida se sentou com cuidado no colchão.

– Você precisava ter visto quanta gente tinha na fila, Loreda – comentou. – A fila para o sopão era duas vezes maior.

– Tempos difíceis – disse Loreda, secamente. Era o que eles sempre diziam.

– O que Tony e Rose diriam se soubessem que estamos vivendo de esmola?

– Diriam que Ant precisa de leite – respondeu Loreda.

Agora Elsa sabia o que Tony sentiu quando a sua terra morreu. Pedir esmola envolvia uma vergonha profunda e duradoura.

A pobreza era uma coisa que dilacerava a alma. Uma caverna que se fechava ao redor, com sua réstea de luz diminuindo um pouco mais no fim de cada dia repetitivo e sem esperanças.

O dia de Natal amanheceu claro e luminoso, o primeiro dia sem chuva depois de quase uma semana. Elsa acordou em meio a um silêncio dadivoso. Tinha dormido demais. Todos eles. Naqueles dias não havia razão para acordar antes do amanhecer. Não adiantava procurar trabalho, e a escola estava fechada devido ao feriado.

Saiu da cama devagar, movimentando-se como uma velha. Na verdade, ela se sentia como uma velha. A combinação de frio, fome e medo a envelhecia. Tudo o que desejava era voltar para a cama com os filhos, para todos dormirem aninhados sob as cobertas. Era sua única fuga. Mas ela sabia como isso podia ser perigoso. A sobrevivência exigia garra, coragem e esforço. Era muito fácil desistir de tudo. Por mais que sentisse medo, todos os dias precisava ensinar aos filhos como sobreviver.

Pegou a jarra de água e saiu para fazer o café.

O campo despertou junto com ela. Pessoas saíam das tendas, piscando como marmotas sob a inesperada luz do sol. Sorrindo e acenando. Alguém tocava um violino. Um banjo entrou na música. Alguém em algum lugar começou a cantar.

Elsa jogou um cobertor sobre os ombros e foi seguindo a música até encontrar um grupo reunido à beira da valeta, agora engrossada por uma correnteza forte e marrom. Viu Jean e Midge juntas ao lado de uma árvore. Alguns homens acomodavam-se em rochas ou troncos caídos ao longo da margem, tocando os instrumentos que tinham trazido com eles. Mulheres ouviam ao lado dos baldes cheios de água.

Jean e Midge começaram a cantar.

– *Que o círculo seja inquebrantável...*

Outras vozes se juntaram a elas.

– *... com a graça de Deus.*

Elsa sentiu a música envolvê-la. Ouvia nela o melhor do seu passado, as missas com Rose e a família, Tony tocando violino, as ceias, até uma vez quando Rafe dançou com ela no Dia dos Pioneiros.

Voltou para a tenda e acordou as crianças para participarem da reunião. Os três ficaram ao lado de Jean e Midge.

Pouco depois, Jeb e os filhos apareceram. Uma multidão se formou ao redor.

Elsa segurava os filhos pela mão. Ficaram à beira da margem enlameada, olhando para o céu luminoso e cantando hinos e canções cristãs, e afinal ninguém lá se importava que as igrejas locais proibissem a sua entrada, ou que suas roupas estivessem sujas e rotas, ou que a ceia de Natal fosse frugal. Todos ganhavam força uns com os outros. Elsa e Jean se olharam quando cantaram o verso *seja inquebrantável.*

Quando afinal os homens pararam de tocar, todos se olharam nos olhos pela primeira vez em semanas, desejando-se um feliz Natal.

Elsa pegou os filhos pela mão e voltou para a tenda.

Loreda avivou o fogo, serviu duas canecas de café e deu uma a Elsa.

Ant trouxe um banquinho e dois engradados de fruta para fora. Todos se sentaram na frente da tenda, perto do calor da estufa. Tinham feito uma árvore de Natal com latas pregadas umas nas outras e a enfeitaram com o que conseguiram encontrar – bugigangas, fitas de cabelo, tiras de pano.

Elsa tirou um envelopinho amassado e sujo de terra do bolso e abriu a carta que havia recebido na semana anterior, pela caixa postal do correio.

– Uma carta da vovó e do vovô! – comemorou Ant.

Elsa desdobrou o papel e leu em voz alta.

Minha querida filha e queridos netos,

Esta semana tivemos mais uma tempestade de areia, e depois disso uma onda de frio.

Devo dizer que o inverno está sendo frio e enfadonho. Estamos com inveja do calor da Califórnia. O Sr. Pavlov nos diz que a essa altura vocês já viram uma palmeira. E talvez o mar. Que bela paisagem.

Seu avô acha que o programa de conservação do solo promete bons resultados. Muito do que plantamos sofreu bastante com a estiagem prolongada, mas, depois de uma leve chuva, este mês vimos um brotinho nascendo.

Graças a Virgem Maria, o poço continua dando água. Temos água para a casa e para as galinhas, então vamos seguindo, ainda esperando por uma colheita. Os 10 centavos que o governo nos paga por hectare nos mantém funcionando.

Sua última carta falava sobre colheita de algodão. Devo admitir que é difícil ver você na lavoura, Elsa, mas desejo a maior força para vocês todos na labuta nesses tempos difíceis.

Os tempos difíceis não duram para sempre. O amor, sim. Estamos mandando junto alguns presentinhos para nossos queridos netos se lembrarem de nós.

Com amor,

Rose e Anthony

Elsa tirou dois *pennies* do envelope e deu um para cada filho.

Os olhos de Ant se iluminaram.

– Dinheiro para compra pirulito! – exultou.

– E tem mais presentes na minha mala – disse Elsa, aquecendo as mãos na caneca de café. – Porque eu conheço um garotinho que gosta de xeretar.

Ant entrou correndo na tenda e voltou com dois pacotes, um embrulhado em jornal, o outro num pedaço de pano.

Abriu o dele. Elsa tinha feito um belo colete com um pedaço de forro do banco de um automóvel abandonado no acampamento e também comprara uma barra de chocolate Hershey.

Os olhos de Ant se arregalaram. Ele sabia que uma barra de chocolate custava 5 centavos. Uma fortuna.

– Chocolate! – Tirou o papel bem devagar, descobrindo um cantinho marrom, que mordiscou como se fosse um ratinho. Saboreando.

Loreda abriu seu presente. Elsa tinha consertado seus sapatos, fazendo novas solas com borracha de pneu, que durariam mais e seriam mais confortáveis que as de papelão. Embaixo dos sapatos Loreda encontrou o cartão da biblioteca e a continuação do livro que tinha acabado de ler, *The Hidden Staircase*.

Olhou para a mãe.

– Você voltou lá? Na chuva?

A Sra. Quisdorf escolheu esse livro para você. Mas o cartão é o verdadeiro presente. Pode transportar você para qualquer lugar, Loreda.

Loreda passou os dedos no cartão com reverência. Elsa sabia que um cartão de biblioteca – uma coisa que sempre pareceu normal e garantida em toda a sua vida – significava que ainda havia um futuro. Um mundo além daquela labuta.

Ant se balançava no banquinho, todo animado.

– Agora a gente pode dar o presente da mamãe?

Loreda foi até a caminhonete e pegou um pacotinho embrulhado em jornal.

– Abre logo! – disse Ant, dando pulinhos.

Elsa desembrulhou o presente com cuidado, sem querer rasgar o jornal nem perder as tiras de pano que amarravam o pacote. Tudo tinha valor naqueles dias.

Dentro havia um caderninho com páginas em branco e uma capa de couro. As primeiras páginas tinham sido arrancadas e a capa estava manchada pela umidade. Vários lápis – tocos de lápis apontados – rolaram para o chão.

Loreda olhou para a mãe.

– Eu sei que tem coisas que você precisa dizer mas não diz porque somos crianças. Achei que escrever talvez fizesse você se sentir melhor.

– Eu também achei isso – disse Ant. – E trouxe os lápis da escola! E fiz isso sozinho.

O caderno fez Elsa se lembrar do que já fora: uma garota com o coração doente que lia livros e sonhava em fazer faculdade e estudar literatura. Sonhando um dia se tornar escritora.

Você tem algum talento escondido que não conhecemos?

Elsa detestou ouvir a voz do pai naquele momento, bem quando seu amor pelos filhos quase transbordava, e pensou, mesmo em meio a todos aqueles fracassos e vicissitudes: *Eu criei bem os meus filhos*. São crianças bondosas, amorosas e solidárias.

– Eu vou escrever alguma coisa – falou.

– Você vai deixar a gente ler, mamãe? – perguntou Ant.

– Algum dia, quem sabe.

1936

Uma coisa restava, límpida e perfeita como uma gota de chuva – os desesperados precisavam se manter unidos. Eles se levantavam e caíam e, na queda, se levantavam de novo.

– SANORA BABB,
WHOSE NAMES ARE UNKNOWN

VINTE E QUATRO

No último dia de janeiro, uma frente fria entrou no vale e permaneceu por sete dias. O solo ficou duro; a neblina pairava durante horas toda manhã. E ainda não havia trabalho.

As economias diminuíam, mas Elsa sabia que eram afortunados; tinham economizado o dinheiro do algodão e eram só três. Os Deweys tinham seis bocas para alimentar, e logo seriam sete. Os migrantes recém-chegados ao estado, a maioria sem nada, tentavam sobreviver com o auxílio federal – parcas porções de alimentos distribuídas a cada duas semanas. Viviam de panquecas de água e farinha e massa frita. Elsa via os efeitos devastadores da desnutrição nos seus rostos.

Eles tinham acabado de jantar uma caneca de feijão aguado, com uma fatia de pão de forma para cada um. Elsa estava sentada num balde emborcado perto da estufa à lenha, a caixa de metal aberta no colo. Ant se encontrava ao seu lado, dando sua mordiscada diária na barra de chocolate Hershey do Natal. Loreda relia um livro de Nancy Drew dentro da tenda.

Elsa contava o dinheiro mais uma vez.

– Elsa! Chegou a hora!

Jean estava gritando o seu nome. Levantou tão depressa que quase derrubou a caixa com o dinheiro.

O bebê.

Ant levantou a cabeça.

– Qual é o problema?

Elsa entrou correndo na tenda e escondeu a caixa com o dinheiro.

– Loreda – chamou. – Venha comigo.

– Para onde...

– Jean está dando à luz.

Elsa correu para a tenda dos Deweys. Viu Lucy do lado de fora, chorando.

– Loreda, leve as meninas para a nossa tenda. Diga para ficarem com o Ant e não voltarem até você mandar. Depois você volta para me ajudar.

Elsa entrou na tenda dos Deweys, úmida e escura.

A luz de um único lampião mal aclarava a penumbra. Viu contornos cinzentos no escuro: uma pilha de mantimentos, uma pia improvisada.

Jean estava deitada de lado num colchão no chão, imóvel como uma estátua.

Elsa ajoelhou-se ao lado do colchão.

– Oi – falou, tocando a testa úmida da amiga. – Onde está o Jeb?

– Em Nipomo. Tentando colher ervilhas. – Jean ofegou. – Tem algo errado, Elsa.

"Tem algo errado." Elsa sabia o que aquilo significava, qualquer mulher que tivesse perdido um filho sabia. O instinto de mãe era forte nessas ocasiões.

Loreda entrou na tenda.

– Me ajude a pô-la de pé – pediu Elsa.

As duas levantaram Jean. A outra mulher apoiou-se pesadamente em Elsa.

– Eu vou levar você ao hospital – disse Elsa.

– Não... É absurdo.

– Não é um absurdo. Não se trata de uma criança com tosse ou com febre, Jean. Isto é uma emergência.

– Eles não... – Jean fez careta ao sentir uma nova contração.

Elsa e Loreda puseram Jean no banco de passageiro da caminhonete.

– Cuide das crianças, Loreda.

Elsa ligou o motor, acendeu os faróis e arrancou com a caminhonete, chacoalhando na estrada lamacenta, dirigindo depressa demais.

– Eu não consigo... – disse Jean, agarrando o braço do banco. – Segurar...

Mais uma contração.

Elsa entrou no estacionamento do hospital; o prédio era iluminado pela dispendiosa energia elétrica.

Puxou o freio de mão.

– Espere aqui. Vou buscar ajuda.

Entrou correndo no hospital, passou pelo corredor e parou num balcão.

– Minha amiga está dando à luz.

A mulher levantou a cabeça, franziu a testa e torceu o nariz.

– Já sei, já sei. Estou fedendo – disse Elsa. – Sou uma forasteira suja. Eu entendo. Mas a minha amiga...

– Este hospital é para *californianos*. Sabe, pessoas que pagam impostos. Para cidadãos, não para andarilhos que querem cuidados.

– Não diga isso. Seja humana. Por favor...

– Você? Dizendo para eu ser humana? Por favor. Olhe para si mesma. Vocês espocam filhos como rolhas de champanhe. Vá procurar ajuda com um dos seus.

Finalmente a mulher se levantou. Elsa viu como era bem alimentada, como suas panturrilhas eram gordas. A atendente abriu uma gaveta e pegou um par de luvas de borracha.

– Sinto muito, mas regras são regras. Eu só tenho permissão para dar isso a você. – Estendeu o braço com as luvas na mão.

– Por favor. Eu limpo o chão. Lavo penicos. Qualquer coisa. Mas ajude a minha amiga.

– Se é tão grave quanto está dizendo, por que perder tempo aqui comigo?

Elsa pegou as luvas e voltou correndo para a caminhonete.

– Eles não vão ajudar – falou ao entrar no carro, com os dentes cerrados. – O bom povo temente a Deus da Califórnia não se importa com a vida de um bebê, imagino.

Elsa voltou o mais rápido que podia ao acampamento, a raiva represada acelerando sua respiração.

– Depressa, Elsa.

Chegando à tenda dos Deweys, ajudou Jean a entrar no recinto úmido.

– Loreda! – gritou.

A filha entrou correndo na tenda, esbarrando em Elsa.

– Por que você já voltou?

– Eles não atenderam a gente.

– Você está dizendo…

– Vá pegar água. Ponha muita água para ferver. – Como Loreda não se mexeu, Elsa insistiu: – *Anda!*

Loreda saiu correndo.

Jean se contorcia de dor, cerrando os dentes para não gritar.

Elsa se ajoelhou ao seu lado, afagou seus cabelos.

– Vai, pode gritar.

– Está vindo – disse Jean, ofegante. – Mantenha… as crianças… longe. Tem uma tesoura… naquela caixa. E um pedaço de barbante.

Outra contração.

Elsa viu as contrações da barriga de Jean e percebeu que tinha pouco tempo. Voltou correndo para sua tenda, ignorando as crianças, que a olharam com medo. Não havia tempo para acalmá-las.

Pegou uma pilha de jornais catados na rua, voltou correndo para a tenda de Jean e forrou o chão de terra, agradecida por estarem relativamente limpos.

Manchetes lampejaram aos seus olhos: "Epidemia de cólera em acampamento de migrantes."

Ela ajudou Jean a deitar nos jornais. Colocou as luvas.

Jean deu um grito.

– Pode gritar – falou, ajoelhando-se ao lado dela, afagando seus cabelos úmidos.

– É... *agora* – gritou Jean.

Elsa agiu rapidamente, posicionando-se entre as pernas abertas da amiga. O topo da cabeça do bebê apareceu, gosmento e azulado.

– Já estou vendo a cabeça – disse Elsa. – Força, Jean.

– Eu estou muito...

– Eu sei que está cansada. Faça força.

Jean balançou a cabeça.

– Empurre – insistiu Elsa, vendo o medo nos olhos da amiga. – Eu sei – falou, entendendo o medo terrível que Jean sentia naquele momento. Bebês podiam morrer mesmo nas melhores circunstâncias, e aquelas eram as piores. Mas também sobreviviam a despeito de todas as probabilidades. – Empurre – repetiu, contrapondo sua esperança ao medo de Jean.

O bebê saiu num fluxo de sangue para as mãos enluvadas de Elsa. Minúsculo, quase esquelético. Menor que um sapato masculino.

A pele azulada.

Elsa sentiu um rugido de raiva por dentro. *Não.* Enxugou o sangue daquele rostinho minúsculo, limpou sua boca e implorou ao recém-nascido:

– Respire, respire, garota.

Jean ergueu-se sobre os cotovelos. Parecia cansada demais para respirar também.

– Ela não tá respirando – falou em voz baixa.

Elsa tentou fazer a bebê respirar. Boca a boca.

Nada.

Deu um tapa na bundinha azulada.

– *Respire.*

Nada.

Nada.

Jean apontou para um cesto de vime com o cobertor lilás.

Elsa amarrou e cortou o cordão umbilical, levantou-se devagar. Fraca. Trêmula. Enrolou o cobertor na bebê, minúscula e imóvel.

Lágrimas turvaram sua visão.

– É uma menina – disse a Jean, que a pegou com uma delicadeza que partiu o coração de Elsa.

Jean beijou sua testa azulada.

– Vou dar a ela o nome de Clea, como o da minha mãe – falou.

Um nome.

A pura essência da esperança. O começo de uma identidade, concedida com amor. Elsa não conseguiu mais ver a tristeza de Jean murmurando no ouvido azulado da bebê.

Encontrou Loreda andando de um lado para o outro lá fora.

Olhou para a filha, viu a pergunta em seus olhos e balançou a cabeça.

– Ah, não – disse Loreda, devastada.

Antes que Elsa pudesse consolá-la, Loreda virou-se e desapareceu na tenda.

Elsa ficou ali, imóvel. Não conseguia deixar de pensar naquela terrível imagem de um bebê vindo ao mundo numa pilha de jornais amassados sobre um chão de terra.

Vou dar a ela o nome de Clea.

Como Jean tinha conseguido falar?

Elsa sentiu as lágrimas aflorarem, sobrepujando-a. Chorou como não chorava desde que Rafe a tinha deixado, chorou até não haver mais líquido em seu corpo, até estar seca como a terra que havia deixado para trás.

Pouco depois das dez horas da noite, Loreda acabou de cavar a pequena cova e largou a pá.

Estavam longe do acampamento, numa área rodeada por árvores; um lugar tão triste e escuro quanto as duas mulheres e a garota ao lado delas.

Loreda se sentiu impregnada de raiva, possessa; a raiva a envenenava de dentro para fora. Nunca se sentira assim antes, nem mesmo quando o pai os deixou. Precisava exalar aquela raiva a cada respiração; se a soltasse de vez, iria gritar.

Olhou para a mãe. Ao seu lado, segurando um bebê morto envolto num cobertor lilás, triste.

Triste.

Aquela visão piorou a raiva de Loreda. Não era hora de ficar triste.

Fechou os punhos ao lado do corpo, mas quem ela iria esmurrar? A Sra. Dewey parecia atordoada e instável. Fantasmagórica.

A mãe se ajoelhou, colocando cuidadosamente o bebê na pequena cova, e começou a rezar.

– Pai nosso…

– Pra quem diabos você tá rezando? – desabafou Loreda.

Ouviu a mãe suspirar e se levantar lentamente.

– Deus tem…

– Se você disser que Ele tem um plano para nós, eu vou gritar. Juro que vou. – A voz de Loreda embargou. Sentiu que começava a chorar, mas não era de tristeza; era de fúria. – Ele nos deixa viver assim. Pior do que cães abandonados.

A mãe acariciou o rosto da filha.

– Bebês morrem, Loreda. Eu perdi seu irmão. A vovó Rose perdeu…

– NÃO É A MESMA COISA! – gritou Loreda. – Você é uma covarde por continuar aqui, por fazer a gente ficar aqui. Por quê?

– Ah, Loreda…

Loreda sabia que tinha ido longe demais, que dissera algo cruel, mas não tinha como calar aquela raiva, como se controlar.

– Se o papai estivesse aqui…

– E se estivesse? – perguntou a mãe. – O que ele iria fazer?

– Ele jamais deixaria a gente viver desse jeito. Enterrando bebês mortos no escuro. Trabalhando até nossos dedos sangrarem, ficando horas na fila para receber uma lata de leite do governo, vendo gente ficar doente por todos os lados.

– Ele nos abandonou.

– Ele abandonou *você*. Eu deveria fazer a mesma coisa, ir embora daqui antes de todos nós morrermos.

– Então vá, Loreda! – disse a mãe. – Fuja. Seja como ele.

– Talvez eu faça isso – afirmou Loreda.

– Tudo bem. Pode ir.

A mãe se abaixou, pegou a pá e começou a encher a cova de terra.

Em minutos mal se percebia que havia um bebê enterrado ali.

Loreda voltou pelo acampamento esquálido, passando por tendas abarrotadas de gente, por cães sarnentos implorando por sobras de pessoas que já viviam de sobras. Ouviu bebês chorando e gente tossindo.

A tenda dos Deweys estava fechada, mas Loreda sabia que as garotinhas estavam lá, esperando a mãe para serem consoladas e animadas.

Palavras. Mentiras. Nada ia melhorar.

Não aguentava mais viver daquele jeito.

Chegando à sua tenda, abriu as abas e viu Ant encolhido no colchão, o mais encolhido que podia. Todos tinham aprendido como dormir juntos na cama pequena demais.

Sentiu uma pontada forte no coração ao ver o irmão.

Ajoelhou-se ao lado da cama, acariciou seus cabelos. Ant resmungou, ainda dormindo.

– Eu te amo – murmurou Loreda, beijando seu rosto ossudo. – Mas não posso ficar aqui nem mais um segundo.

Ant concordou durante o sono, murmurando alguma coisa.

Loreda pegou a mala com todas as suas roupas surradas e seu adorado cartão da biblioteca. Do engradado de mantimentos ela pegou três batatas e duas fatias de pão, depois abriu a caixa de metal com o dinheiro. Tudo o que eles tinham no mundo. Loreda sentiu uma pontada de culpa.

Não.

Ela não ia pegar muito. Só 2 dólares. Também era dinheiro dela, tanto quanto da mãe. Deus sabia que ela tinha trabalhado por ele. Contou cuidadosamente o dinheiro e procurou algum papel. Encontrou um pedacinho de jornal amassado. Alisando o máximo que pôde, usou um dos tocos de lápis de Ant para escrever um bilhete para a mãe e o irmão, deixando-o embaixo do bule de café.

Saiu da tenda com a mala, olhou para trás uma última vez e começou a andar.

Passou pela caminhonete, cheia de coisas que deveriam ter deixado para trás. O taco de beisebol de Ant encostado num relógio de mesa, coisas de que eles não precisavam, mas nem ela nem a mãe tiveram coragem de dizer a Ant que seus dias de beisebol tinham acabado antes de começar. Só Deus sabia se um dia voltariam a precisar de um relógio de mesa. Se soubessem, teriam trazido outras coisas. Ou talvez, se soubessem o que os esperava na Califórnia, teriam ficado no Texas.

Não deveriam ter vindo.

Ou talvez deveriam ter ido mais longe.

Era culpa da mãe. Foi ela quem quis parar ali, falou que era necessário. E tudo tinha dado errado para eles.

Desde aquela mentira fatal: uma noite.

Bem, foram muitas noites, e Loreda estava indo embora dali.

Elsa e Jean ficaram juntas na escuridão, olhando para baixo, de mãos dadas. O tempo escoou, passando em longas lufadas de silêncio entre as duas mulheres, que sabiam não haver palavras para um momento como aquele.

Não haveria um marco em memória daquela criança, nenhum marco em memória dos outros enterrados naquela parte do acampamento.

– É melhor a gente voltar – disse Elsa por fim, abotoando o casaco de lã que mal servia nela. – Você está tremendo.

– Eu vou logo mais – disse Jean.

Elsa apertou a mão da amiga. Com um suspiro vindo do fundo de seus ossos cansados, levou a pá de volta ao acampamento e a jogou na caçamba da caminhonete, onde caiu com um ruído metálico.

Pensamentos sobre Loreda começaram a brotar em sua mente. Elsa deveria ter consolado a filha ao lado da cova. Que espécie de mãe ralhava com uma garota chorosa de 13 anos? Loreda tinha passado por muitas perdas. Elsa sabia disso. Deveria ter encontrado algumas palavras que a ajudassem.

Agora Elsa já não tinha mais nada. Sentia-se vazia pela morte daquela bebê. A última coisa que desejava era encarar a fúria da filha.

Era melhor deixar que o tempo amenizasse um pouco as feridas. Pelo menos uma noite. No dia seguinte o sol nasceria e Elsa consolaria Loreda o melhor que pudesse.

Covarde.

– Não – disse em voz alta para reforçar sua decisão.

Não ia adiar o que precisava fazer. Encararia a situação, tentando consolar Loreda da melhor maneira possível.

Abriu as abas da tenda e entrou.

Os cobertores estavam emaranhados, mas ficou claro que Ant estava sozinho na cama.

Elsa foi até a caminhonete e bateu na carroceria.

– Loreda? Está aí?

Examinou a caçamba, viu as caixas de mantimentos que tinham trazido na viagem, coisas que achavam que seriam necessárias: castiçais, pratos de louça, o taco e a luva de beisebol de Ant, um relógio de mesa.

– Loreda? – chamou mais uma vez, a voz esganiçada de preocupação quando viu que a cabine também estava vazia.

Elsa deu um passo para trás.

Ele abandonou você*... Eu deveria fazer a mesma coisa, ir embora daqui antes de todos nós morrermos.*

Então vá! Fuja. Seja como ele.

Talvez eu faça isso.

Tudo bem. Pode ir.

Um arrepio percorreu o corpo de Elsa. Voltou correndo para a tenda.

Não viu a mala de Loreda. Nem o suéter e o casaco de lã azul que tinham ganhado no salão de beleza.

Avistou um bilhete embaixo do bule de café. Sua mão tremia quando o pegou.

Mãe,
Não consigo aguentar mais.
Sinto muito.
Amo vocês.

Elsa saiu correndo da tenda e só parou de correr quando sentiu uma pontada na lateral do corpo e perdeu o ar.

A estrada se estendia para o norte e para o sul. Para que lado Loreda teria ido? Como Elsa adivinharia?

Elsa tinha dito à filha de 13 anos para *ir embora*, para fugir e ser como o homem que não queria ser encontrado. *Fugir* para um mundo cheio de mendigos vagando pelas estradas e pulando de trens em movimento, bandos de homens furiosos e desesperados sem nada a perder, perambulando como matilhas de lobos nas sombras.

Ela gritou o nome da filha.

A palavra reverberou na noite e esmaeceu ao longe.

Loreda andou em direção ao sul até seus sapatos rasgarem e as costas doerem, mas a estrada deserta ainda se estendia à sua frente, banhada pelo luar. Quanto mais até Los Angeles?

Sempre sonhou em encontrar o pai, de repente dar de cara com ele, mas agora, ali sozinha na beira da estrada, entendeu o que mãe dissera certa vez.

Ele não quer ser encontrado.

Quantas estradas havia na Califórnia, seguindo para tantas direções, a quantas destinações? E daí que o pai sonhava com Hollywood? Isso não significava que tivesse chegado lá, ou que ainda estivesse lá.

E quanto ela já havia andado? Cinco quilômetros? Seis?

Continuou caminhando, determinada a não voltar. Não iria voltar ao acampamento e admitir que havia cometido um erro ao partir. Não conseguia mais aguentar aquela vida. Ponto final.

Mas Ant iria acordar e sentir sua falta. Pensaria que era fácil abandoná-lo, que havia algo errado com ele. Loreda sabia disso, pois foi como se sentiu quando o pai partira.

Não queria magoar o irmão.

Viu faróis à frente, vindo pela estrada. Uma caminhonete parou ao seu lado.

Uma caminhonete antiga, com a cabine de madeira e vidro que parecia ter sido emendada ao chassi preto. Com o para-brisa basculante aberto.

O motorista abriu a janela. Tinha a idade de sua mãe, com um rosto comum nos homens de hoje – chupado e ossudo. Precisava fazer a barba, mas Loreda não diria que era barbudo. Só descuidado.

– O que você tá fazendo aqui sozinha? Já é meia-noite.

– Nada.

O olhar dele baixou para sua mala.

– Você parece uma garota fugindo de casa.

– O que você tem com isso?

– Onde estão os seus pais? Aqui é um lugar perigoso.

– Não é da sua conta. Além do mais, eu tenho 16 anos. Posso ir aonde quiser.

– Certo, garota. E eu sou o Errol Flynn. Para onde você tá indo?

– Para lugar nenhum.

O motorista olhou para a estrada. Demorou pelo menos um minuto até voltar o olhar para ela.

– Tem uma estação de ônibus em Bakersfield. Eu estou indo para o norte. Posso te dar uma carona. Só preciso fazer uma parada no caminho.

– Obrigada, moço!

Loreda jogou a mala na traseira do veículo e entrou.

VINTE E CINCO

— Meu nome é Jack Valen – disse o homem.

– Loreda Martinelli.

Ele engatou a marcha e continuou seguindo para o norte. A suspensão estava arruinada. O assento de couro subia e descia a cada buraco.

Loreda ficou olhando pela janela. Na rápida passagem dos faróis e no lampejo dos cartazes dos postes de iluminação, viu gente acampada na beira da estrada e andarilhos com trouxas penduradas nas costas.

Passaram pela escola, pelo hospital e pelo acampamento dos migrantes, amortalhado pela escuridão.

Depois passaram por lugares que Loreda conhecia, perto da cidade de Welty. A partir dali, só havia estrada.

– Escuta, o que você tem a fazer tão tarde da noite? – De repente, Loreda percebeu que poderia estar em perigo.

O homem acendeu um cigarro, exalou uma nuvem de fumaça cinza-azulada.

– O mesmo que você, imagino.

– Como assim?

O motorista virou-se para ela. Pela primeira vez, viu seu rosto por inteiro, a pele áspera e bronzeada, o nariz pontudo e os olhos escuros.

– Você está fugindo de alguma coisa. Ou de alguém.

– E o senhor também?

– Garota, quem não está fugindo nesses últimos tempos é porque não está prestando atenção. Mas, não, eu não estou fugindo. – Abriu um sorriso que quase o deixava bonito. – Mas tampouco quero ficar preso aqui.

– Meu pai também fez isso.

– Fez o quê?

– Fugiu no meio da noite. E nunca mais voltou.

– Bem… isso é uma coisa que não se faz – comentou um momento depois. – E a sua mãe?

– O que tem a minha mãe?

Ele entrou numa longa estrada de terra.

Tudo escuro.

Loreda não via luz em lugar nenhum, só escuridão. Nenhuma casa, nenhum poste de iluminação, nenhum outro carro na estrada.

– Para... onde a gente está indo?

– Eu disse que precisava fazer uma parada antes de deixar você na estação de ônibus.

– Mas aqui? No meio do nada?

O homem parou o veículo.

– Você precisa me dar sua palavra de honra, garota. Que não vai falar sobre este lugar. Nem de mim. Nem de nada que vir aqui.

Estavam num grande campo gramado. Um celeiro se erguia ao lado de uma casa de fazenda dilapidada, banhado pela luz da lua. Mais ou menos uma dúzia de carros e caminhões estava estacionada na grama, com os faróis apagados. Frestas iluminadas entre as tábuas do celeiro indicavam que algo acontecia lá dentro.

– Ninguém dá atenção a gente como eu – respondeu Loreda.

Não conseguiu dizer a palavra a que se referia: *okies*.

– Se não me der a sua palavra, eu volto e deixo você no meio da estrada.

Loreda olhou para o homem. Parecia impaciente, dava para perceber. Um cacoete puxava o canto dos seus olhos, mas fora isso ele parecia calmo. Esperando que ela decidisse, mas não iria esperar muito tempo.

Deveria pedir para voltar imediatamente, que a deixasse na estrada. Fosse o que fosse que estivesse acontecendo, àquela hora da noite naquele celeiro, não poderia ser coisa boa. E adultos não exigiam de crianças promessas daquele tipo.

– É alguma coisa ruim o que está acontecendo lá?

– Não – respondeu ele. – É boa. Mas estamos vivendo tempos perigosos.

Loreda encarou os olhos escuros do homem. Eram... intensos. Um pouco assustadores, talvez, mas com uma determinação que nunca tinha visto. Lá estava um homem que não viveria numa tenda suja, comendo sobras e sendo grato por isso. Não era alquebrado como todos os outros. Sua vitalidade chamou a atenção da menina, lembrando-a de tempos melhores, do homem que achou que seu pai fosse.

– Prometo.

O motorista seguiu em frente, manobrando entre os veículos estacionados. Parou perto da entrada e desligou o motor.

– Você fica aí dentro – falou, abrindo a porta.

– Quanto tempo vai demorar?

– O quanto for necessário.

Loreda ficou olhando enquanto ele se aproximava do celeiro e abria a porta. Viu um lampejo de luz e o que pareceram pessoas reunidas lá dentro, na penumbra. A porta se fechou.

Ficou observando o celeiro escuro, as frestas de luz passando pelas rachaduras. O que eles estariam fazendo lá dentro?

Um automóvel estacionou ao lado da caminhonete e desligou os faróis.

Loreda viu um casal saindo do carro. Bem-vestidos, os dois de preto, fumando. Definitivamente não eram migrantes nem agricultores.

Tomou uma decisão impulsiva: saiu do veículo e seguiu o casal até o celeiro.

A porta se abriu.

Loreda se esgueirou atrás do casal e imediatamente se encostou nas tábuas ásperas do celeiro.

Não saberia dizer o que esperava ver lá – adultos dançando e tomando uísque artesanal, talvez –, mas não era o que imaginava. Homens de terno ao lado de mulheres, algumas de calça comprida. *Calça comprida.* Todos pareciam falar ao mesmo tempo, gesticulando, discutindo. O lugar estava animado, como uma colmeia em plena atividade. A fumaça dos cigarros criava uma névoa que deixava tudo difuso e fazia os olhos de Loreda arderem.

Havia mais ou menos dez mesas distribuídas pelo interior obscurecido e empoeirado do celeiro, com um lampião em cada uma, criando bolsões de luz em meio à poeira e à fumaça. Viu máquinas de escrever e mimeógrafos nas mesas. Mulheres fumando e datilografando. Sentiu um aroma estranho no ar, misturando-se ao cheiro da fumaça. Pilhas de papel acumulavam-se sobre as mesas. De vez em quando, Loreda ouvia o *triiim* do carro de uma máquina de escrever mudando de parágrafo.

Quando Jack apareceu, todos pararam o que estavam fazendo e se viraram na sua direção. Pegou um jornal de uma mesa, subiu vários degraus até um mezanino e encarou a multidão. Levantou o jornal. A manchete dizia: “Los Angeles declara guerra aos migrantes.”

– O chefe de polícia James “Dois Revólveres” Davis, com o apoio dos grandes fazendeiros, das ferrovias, das agências assistenciais do estado e dos demais ricaços, acabou de fechar as fronteiras da Califórnia aos migrantes. – Jogou o jornal no chão forrado de palha. – Pensem nisso. Gente desesperada, gente de bem, *americanos* estão sendo detidos na fronteira por homens armados e mandados de volta. Para onde? Muitos estão morrendo de fome nos lugares de onde vieram, ou simplesmente morrendo de pneumonia. Se não voltarem, os policiais os prendem por vadiagem e os juízes os condenam a trabalhos forçados.

Loreda não se surpreendeu. Sabia o que era chegar a um lugar procurando por alguma coisa melhor e ser tratada como algo pior.

– Canalhas! – gritou alguém.

– Por todo o estado da Califórnia, os grandes fazendeiros estão se aproveitando dos que trabalham para eles. Os migrantes que chegam ao estado estão tão desesperados para alimentar suas famílias que aceitam qualquer pagamento. Há mais de setenta mil pessoas desabrigadas entre aqui e Bakersfield. Crianças morrendo nos acampamentos de migrantes a uma proporção de duas por dia, de doenças e desnutrição. Isso não está certo. Não nos Estados Unidos. Não interessa que estejamos em uma Depressão. É preciso acabar com isso. Cabe a nós ajudar essa gente. Precisamos fazer com que se juntem à Aliança dos Trabalhadores e que lutem por seus direitos.

A multidão expressou sua aprovação com um rugido.

Loreda concordou. Aquelas palavras tinham tocado um ponto sensível, fazendo-a pensar pela primeira vez: *Nós não precisamos aguentar isso.*

– O momento é agora, camaradas. O governo não vai ajudar essa gente. Cabe a nós fazer isso. Precisamos convencer os trabalhadores a resistirem. A se levantarem. A usarem todos os meios ao nosso alcance para evitar que os grandes negócios esmaguem os trabalhadores e se aproveitem deles. Precisamos nos unir e lutar contra essa injustiça capitalista. Vamos lutar pelos migrantes daqui e do Vale Central, ajudá-los a se organizarem em sindicatos e a lutarem para serem bem pagos. O momento... é agora!

– Sim! – gritou Loreda. – Sim!

Jack desceu os degraus do mezanino, mas Loreda viu que ele olhou diretamente para ela antes de fazer isso.

Andou na sua direção, abrindo caminho com facilidade na multidão.

Loreda sentiu a intensidade do seu olhar e ficou paralisada como um rato aos olhos de um falcão caçador.

– Achei que tivesse dito para você ficar no carro.

– Eu quero participar deste grupo. Eu posso ajudar.

– Ah, é mesmo? – Ao se postar à sua frente, parecia ainda mais alto que sua mãe. Loreda deu um suspiro entrecortado. – Vá para casa, garota. Você é nova demais para isso.

– Eu sou uma trabalhadora migrante.

Jack acendeu um cigarro, avaliando a menina.

– Nós moramos no acampamento na beira da valeta de irrigação da Sutter Road. Eu colhi algodão no outono, quando deveria estar na escola. Se não tivesse feito isso, teríamos morrido de fome. Moramos numa tenda. Precisamos tanto do trabalho na lavoura que às vezes dormimos na beira da estrada para ficar no início da fila. O chefão... Welty, aquele porco gordo... não se importa se não temos o que comer.

– Sei, o Welty. Nós temos tentado sindicalizar os acampamentos de migrantes. Mas encontramos resistência. Os okies são teimosos e orgulhosos.

– Não chame a gente assim! – retrucou Loreda. – Nós só queremos trabalhar. Meus avós e minha mãe... eles não acreditam em esmolas do governo. Eles querem viver por conta própria, mas...

– Mas o quê?

– Não vai dar certo, não é? A gente vir aqui em busca de uma vida melhor e conseguir alguma coisa?

– Só se vocês lutarem por isso.

– Eu quero lutar – disse Loreda, percebendo ao responder que ansiava por essa luta havia muito tempo. Era *isso* que ela queria encontrar quando fugiu, não o pai medroso. *Essa* era a paixão que havia perdido. Agora conseguia sentir o seu ardor.

– Quantos anos você tem, de verdade?

– Treze.

– E seu pai abandonou a família quando perdeu o emprego em... St. Louis.

– No Texas – corrigiu Loreda.

– Garota, homens como seu pai não valem merda nenhuma. E você é nova demais para andar por aí sozinha. Como você chegou à Califórnia?

– Minha mãe trouxe a gente.

– Sozinha? Deve ser uma mulher forte.

– Hoje eu a chamei de covarde.

Jack olhou para ela com empatia.

– Sua mãe vai ficar preocupada?

Loreda aquiesceu.

– Talvez ela esteja me procurando. E se eles foram embora?

Naquele momento, sentiu saudade de casa; não do lugar, mas das pessoas. Da sua gente. Da mãe e do irmão. Da avó e do avô. Das pessoas que a amavam.

– Garota, as pessoas que a amam ficam ao seu lado. Você já aprendeu isso. Volte para sua mãe e diga que você foi burra de ter fugido. E deixe que ela dê em você um abraço apertado.

Loreda sentiu as lágrimas se formando.

Uma sirene da polícia soou lá fora.

– Merda – disse Jack, pegando-a pelo braço e arrastando-a pelo celeiro em meio à multidão em pânico.

Empurrou-a até a escada e a fez subir ao mezanino.

– Tem um brilho em você, garota. Não deixe esses canalhas apagarem isso. Fique aqui até de manhã, se não quiser ir para a cadeia.

Tirou a escada e a jogou no chão do celeiro.

A porta se abriu com um estrondo. Policiais apareceram na entrada, com armas e cassetetes. Atrás deles, luzes vermelhas piscavam. Os policiais invadiram o celeiro, recolhendo os papéis, as máquinas de escrever e os mimeógrafos.

Loreda viu um policial dar uma cacetada na cabeça de Jack, que se desequilibrou, mas não caiu. Oscilando um pouco, sorriu para o policial.

– Essa é toda a sua força?

A expressão do policial ficou tensa.

– Você é um homem morto, Valen. Mais cedo ou mais tarde. – Ele deu outra cacetada, dessa vez mais forte. – Prendam todos! – disse o policial, com o uniforme sujo de sangue. – Não queremos vermelhos na nossa cidade.

Vermelhos.

Comunistas.

Elsa andou sob uma lua anêmica até a cidade de Welty. Àquela hora, as ruas estavam desertas.

Lá estava: a delegacia de polícia, escondida numa rua lateral, não muito longe da biblioteca.

Não acreditava que nenhuma autoridade iria ajudá-la, nem mesmo atendê-la, mas sua filha estava desaparecida. Era só o que conseguia pensar em fazer no momento.

O estacionamento estava vazio, a não ser por algumas viaturas e uma caminhonete velha. Sob a luz de um poste de iluminação, viu um andarilho ao lado do veículo, fumando um cigarro. Não olhou na sua direção, mas sentiu que ele a observava.

Elsa aprumou os ombros, sem perceber que tinha se encurvado na caminhada até ali.

Passou pelo andarilho e entrou na delegacia. O recinto era austero; havia uma fila de cadeiras encostadas numa parede, todas vazias. A lâmpada do teto iluminava um homem de uniforme, fumando um cigarro enrolado à mão, numa mesa com um telefone preto.

Ela tentou parecer confiante. Agarrando a alça esfiapada da bolsa, atravessou o piso de lajes e andou até a mesa do policial.

Ele era alto e magro, com o cabelo emplastrado penteado para trás e um bigodinho fino. Torceu o nariz ante sua aparência desgrenhada.

Elsa pigarreou.

– Hã. Senhor. Eu vim aqui comunicar sobre uma garota desaparecida. – Ficou tensa, já esperando: *Nós não atendemos gente como você.*

– Sim...?

– É a minha filha. Ela tem 13 anos. O senhor tem filhos?

O homem ficou em silêncio por tanto tempo que Elsa quase se retirou.

– Tenho. Uma filha de 12 anos. Ela é a razão de eu estar perdendo meus cabelos.

Em qualquer outra ocasião, Elsa teria sorrido.

– Nós tivemos uma discussão. Eu disse... Enfim, ela fugiu.

– Tem alguma ideia de para onde ela pode ter ido? Em que direção?

Elsa balançou a cabeça.

– O meu... O pai dela nos deixou há algum tempo. Ela sente falta dele, acha que a culpa é minha, mas não temos ideia de para onde ele pode ter ido.

– O pessoal anda fazendo isso hoje em dia. Na semana passada um sujeito matou a família inteira antes de se matar. São tempos difíceis.

Elsa ficou esperando.

O homem olhou para ela.

– Você não vai procurar por ela – disse Elsa secamente. – Por que faria isso?

– Vou ficar de olho. Geralmente elas voltam.

Elsa tentou se recompor, mas aquela gentileza a deixou mais desnorteada que qualquer atitude brutal.

– Ela tem cabelo preto e olhos azuis. Bem, quase violeta, na verdade, mas ela acha que só eu vejo assim. O nome dela é Loreda Martinelli.

– Belo nome. – O policial anotou.

Elsa aquiesceu, ficou lá mais um pouco.

– Minha recomendação é que a senhora volte para casa. Fique esperando. Aposto que ela vai voltar. Está claro que a senhora ama sua filha. Às vezes nossos filhos não percebem o que está bem na frente deles.

Elsa saiu da delegacia, sem nem conseguir agradecer ao policial pela gentileza.

Lá fora, examinou o estacionamento vazio e pensou: *Onde ela está?*

As pernas de Elsa começaram a ceder. Bambeou, quase caiu.

Alguém a segurou.

– Tudo bem com a senhora?

Elsa se desvencilhou, afastando-se.

O homem deu um passo para trás, levantando as mãos.

– Ei, eu não vou fazer mal à senhora.

– Eu… estou bem – disse Elsa.

– Eu diria que a senhora está muito longe de estar bem.

Era o andarilho que tinha visto perto da caminhonete quando entrou na delegacia. Um hematoma feio manchava uma de suas bochechas. Sangue seco marcava o colarinho. Os cabelos pretos eram compridos demais, mal cortados e grisalhos nas têmporas.

– Eu estou bem.

– A senhora parece exausta. Posso levá-la para casa.

– O senhor deve pensar que sou boba.

– Eu não sou perigoso.

– Diz o homem ensanguentado numa delegacia à uma hora da manhã.

Ele sorriu.

– Eles se sentem melhor quando batem na gente.

– O que o senhor fez?

– O que eu fiz? A senhora acha que é preciso cometer algum crime para ser espancado pela polícia? – respondeu, ainda sorrindo. – O problema é que não ando muito popular nos últimos tempos. Ideias radicais. Eu levo a senhora para casa. Vai estar mais segura comigo. – Ele pôs a mão no peito. – Palavra de detento.

– Não, obrigada.

Elsa não gostou do jeito como ele a observava. Fazia-a lembrar dos homens famintos que vagavam pela escuridão para roubar o que desejavam. Os olhos fundos e escuros a fitavam do rosto anguloso; tinha o nariz protuberante e o queixo pontudo. E precisava fazer a barba.

– O que o senhor está olhando?

– A senhora me lembra alguém, só isso. Uma guerreira.

– É. Eu sou mesmo uma guerreira.

Elsa saiu andando. Chegando na estrada, virou à esquerda, em direção ao acampamento. Foi a única coisa que pensou em fazer. *Voltar para casa*. Ant estava em casa.

Esperar e ter esperanças.

VINTE E SEIS

Depois de uma longa noite insone no celeiro, Loreda desceu do mezanino enquanto o alvorecer pintava o céu de azul, e logo depois de violeta e dourado.

Saiu andando pela estrada, levando sua mala.

Na Sutter Road, viu o aglomerado de tendas e automóveis quebrados e os barracos geminados na quietude invernal do acampamento.

Por favor, estejam aí.

Manteve-se longe dos lamaçais e andou pela grama em direção à sua tenda. Passou por um casebre feito de sucata; viu um homem e uma mulher lá dentro, ao redor de um toco de vela, a mulher com um bebê quase imóvel no colo.

Mais à frente, viu a caminhonete parada perto da tenda. Os joelhos quase bambearam de alívio. *Graças a Deus.* Eles ainda estavam ali.

Contornou o veículo e viu a tenda dos Deweys, Jean sentada numa cadeira na frente, encurvada, as mãos segurando uma caneca de café. A mãe ao lado, num engradado de maçãs emborcado, escrevendo no seu diário.

Loreda reduziu o passo, avançando sem fazer barulho. No silêncio em que deveria estar soando a respiração de um bebê, viu como as duas mulheres pareciam abatidas.

Jean foi a primeira a levantar a cabeça, sorriu para Loreda e tocou no braço de Elsa.

– Olhe quem apareceu. Eu disse que ela ia voltar.

A mãe levantou a cabeça.

Loreda sentiu uma onda de amor pela mãe transbordar em seu peito.

– Me desculpe – falou.

A mãe fechou o diário e se levantou. Tentou sorrir, e naquela tentativa frustrada Loreda teve um vislumbre da dor que causara por ter fugido. A mãe ficou imóvel, não andou na sua direção.

Loreda sabia que cabia a ela percorrer aquela distância entre as duas.

– Eu fui uma boba por ter feito isso – falou, aproximando-se.

Elsa deu uma risadinha; pareceu meio alegre.

– Mesmo. Eu tenho sido uma chata com você, mãe. E...

– Loreda...

– Eu sei que você me ama e... me desculpe, mamãe. Eu também te amo. Muito.

A mãe a acolheu com um abraço apertado.

Loreda se agarrou firme à mãe, com medo de soltá-la.

– Eu estava com medo de que vocês tivessem ido embora...

Quando a mãe se afastou, seus olhos brilhavam e ela sorria.

– Você é *parte* de mim, Loreda, de um jeito que nunca poderá ser rompido. Nem por palavras, nem pelo tempo nem por ações. Eu te amo. Sempre vou te amar. – Ela apertou os ombros da filha. – Você me ensinou a amar. Você, mais que ninguém, e meu amor por você vão viver mais do que eu. Se você não tivesse voltado...

– Eu voltei, mãe – interrompeu Loreda. – Mas aprendi uma coisa ontem à noite. E acho que é importante.

Elsa agarrou a mão da filha, incapaz de soltá-la, e se deixou levar até a tenda.

– Mal consigo esperar para contar onde estive – disse Loreda, desabotoando o casaco.

Aparentemente, a comoção chegara ao fim. Loreda estava de volta à ativa. Elsa não conseguiu deixar de sorrir diante da rápida mudança na postura da filha.

Sentou-se no colchão ao lado de Ant, que ainda dormia.

– Onde você esteve?

– Numa reunião comunista. Num celeiro.

– Ah. Eu jamais teria adivinhado.

– E conheci um homem.

Elsa franziu a testa. Começou a se levantar.

– Um homem? Um homem adulto? Ele...

– Um comunista! – Loreda sentou-se ao lado da mãe. – Um grupo de comunistas, na verdade. Reunidos num celeiro ao norte daqui. Eles querem ajudar a gente, mãe.

– Um comunista – repetiu Elsa, lentamente, tentando processar aquela informação nova e perigosa.

– Eles querem ajudar a gente a lutar contra os fazendeiros.

– Lutar contra os fazendeiros? Você está falando das pessoas que nos dão emprego? Que nos pagam para trabalhar na colheita deles?

– Você chama isso de pagamento?
– É um pagamento, Loreda. Compra a comida que comemos.
– Eu quero que você vá a uma reunião comigo.
– Uma reunião?
– É. Só para ouvir o que eles têm a dizer. Você vai gostar do que...
– Não, Loreda – retrucou Elsa. – De jeito nenhum. Eu não vou e a proíbo de ir. Essas pessoas são perigosas.
– Mas...
– Acredite em mim, Loreda. Seja qual for o problema, o comunismo não é a resposta. Nós somos americanos. E não podemos ficar contra os fazendeiros. Já estamos quase morrendo de fome do jeito que está.
– Mas é a coisa certa a fazer.
– Olhe só esta tenda, Loreda. Você acha que podemos nos dar ao luxo de lutar contra os nossos empregadores? Acha que podemos nos dar ao luxo de travar uma guerra filosófica? Não. Simplesmente não. E não quero mais ouvir falar sobre isso. Agora chega, vamos dormir um pouco. Estou exausta.

Choveu durante dias. As margens da canaleta de irrigação viraram um lamaçal. Pessoas começaram a ficar doentes: tifo, difteria, disenteria.
O terreno do cemitério dobrou de tamanho. Como os hospitais do condado se recusavam a tratar os migrantes, eles tiveram que cuidar de si mesmos da melhor forma possível.
Todos estavam famintos e letárgicos. Elsa gastava o mínimo possível para comprar comida e mesmo assim via suas economias diminuírem.
Naquela tempestuosa noite de inverno, Loreda e Ant estavam na cama, tentando dormir, soterrados por uma pilha de cobertores.
A chuva martelava a lona, escorria pelo tecido e umedecia as laterais.
Elsa estava sentada num engradado de maçãs, escrevendo em seu diário sob a tênue luz de uma vela.

Durante a maior parte da minha vida, o clima era uma coisa comentada por velhos de chapéu empoeirado que paravam para conversar entre si na porta da empresa do meu pai, a Wolcott Tractor Supply. Era um tema para se falar a respeito. Agricultores observavam o céu da mesma maneira que um padre lia a palavra de Deus, em busca de pistas, sinais e alertas. Mas tudo isso a uma distância amistosa, tudo com fé na bondade essencial do nosso planeta. Mas, nesta década terrível, o clima se mostrou cruel. Um adversário que subestimamos por nossa conta e risco. O vento, a poeira, a seca, e agora essa chuva desanimadora, eu acho...

De repente, o estrondo ensurdecedor de um trovão: *Buuum.*

– Esse foi dos fortes – disse Loreda.

Ant parecia assustado.

Elsa fechou o diário e se levantou. Estava a meio caminho da entrada quando a tenda desmoronou ao seu redor. A água inundou o lugar, molhando as pernas de Elsa. Ela enfiou o diário no corpete do vestido e tateou cegamente à procura dos filhos.

– Crianças! Fiquem perto de mim!

Ouviu-os arranhando a lona molhada, tentando encontrar a saída.

– Estou aqui! – gritou Elsa.

Loreda chegou até ela, segurou sua mão, mantendo um braço ao redor do irmão.

– Nós precisamos sair – disse Elsa, lutando para encontrar a entrada da tenda.

Ant chorava ao seu lado, agarrando-se a ela.

– Segurem-se em mim! – gritou Elsa. Encontrou a abertura na lona, abriu as abas, saiu cambaleando com os filhos. A tenda passou deslizando por eles, levando junto tudo o que possuíam.

O dinheiro.

Uma enxurrada atingiu Elsa com tanta força que ela quase caiu.

Relâmpagos faiscavam no céu, iluminando o acampamento. Elsa viu a destruição total. Lixo, folhas e engradados de madeira sendo arrastados pela torrente, visíveis por um segundo aqui e ali.

Segurando firme a mão dos filhos, avançou contra a enxurrada em direção à tenda dos Deweys.

– Jean! Jeb!

A tenda desabou assim que os Deweys se arrastaram para fora.

Dava para ouvir o som de gente gritando acima do uivo da tormenta.

Elsa viu faróis na estrada, fazendo uma curva. Vindo na direção deles.

Cuspiu chuva, tirou o cabelo molhado dos olhos e gritou:

– Precisamos ir naquela direção, para a estrada.

As duas famílias se juntaram, todos de mãos dadas. As botas de Elsa se encheram de água enlameada. Sabia que os filhos estavam descalços naquela água fria.

Juntos, tomaram o difícil caminho em direção aos faróis. Uma fila de carros estava parada na estrada, com os faróis apontados para o acampamento. Na metade do percurso, Elsa viu um grupo de pessoas com lanternas. Um homem alto vinha na frente, com uma capa de chuva marrom e um chapéu encharcado pela chuva.

– Por aqui, senhora – gritou. – Nós viemos ajudar.

Os Deweys chegaram até a fila de voluntários. Elsa viu alguém dar a Jean uma capa de chuva.

Olhou para trás. A tenda tinha sido levada pela água, mas a caminhonete continuava lá. Se não a recuperasse agora, iam perdê-la.

Empurrou os filhos para a frente.

– Vão na frente – falou. – Preciso pegar a caminhonete.

– Não, mãe, não dá! – gritou Loreda.

A enxurrada tentava empurrar Elsa. Ela largou a mão molhada de Ant e o empurrou para Loreda.

– Fiquem com essas pessoas, é mais seguro.

– Não, mamãe...

Elsa viu o voluntário alto continuar vindo na sua direção. Empurrou as crianças na direção dele, dizendo:

– Salve os meus filhos.

E deu meia-volta.

– Mamãe, você não pode...

Elsa começou a lutar para chegar à caminhonete, que estava imersa na água até o estribo. Uma boneca de plástico com um vestido rosa enlameado passou flutuando, os olhos azuis voltados para cima. A água e a lama tinham destruído o acampamento; não restava mais nada. A estufa tinha tombado pela água que ainda corria por ali. Elsa pensou na caixa em que guardava o dinheiro e percebeu que jamais conseguiria encontrá-la naquela lama.

Subiu no veículo, grata por ter deixado as chaves no porta-luvas. Quase não havia roubo de carros quando ninguém conseguia pagar pela gasolina.

Por favor, ligue.

Virou a chave na ignição.

Foram cinco tentativas e cinco orações até a caminhonete resmungar, gemer e pegar.

Ligou os faróis e engatou a marcha.

O veículo derrapava de um lado para outro, lutando para sair da lama. Elsa se agarrava ao volante, os pés nos pedais. O veículo derrapou e balançou, às vezes com o motor reclamando, mas finalmente os pneus pegaram tração.

Elsa dirigiu devagar na direção da estrada, onde um cordão de voluntários ajudava as pessoas a entrarem nos carros. Viu Loreda sair de uma velha caminhonete embaixo da chuva torrencial e acenar com as mãos erguidas.

– Vem atrás da gente, mãe!

Elsa seguiu a velha caminhonete até chegar a Welty. O veículo parou numa rua deserta perto dos trilhos da ferrovia, em frente a um hotel coberto de tapumes, com lojas fechadas nos dois lados. Um restaurante mexicano, uma lavanderia e uma padaria. Os postes de iluminação da rua estavam apagados. Um posto de gasolina fechado ostentava um cartaz escrito à mão dizendo: ESTE É O SEU PAÍS. NÃO DEIXEM OS PODEROSOS O TIRAREM DE VOCÊ!

Elsa não conhecia aquela rua. Ficava a vários quarteirões de distância do centro de Welty. As poucas casas que conseguia ver pareciam desertas e dilapidadas. Estacionou ao lado da outra caminhonete.

Saiu embaixo da chuvarada. As crianças imediatamente correram até ela, que abraçou os dois e segurou com força, tremendo de frio.

– Onde estão os Deweys? – gritou Elsa, para ser ouvida na tempestade.

– Eles foram com outros voluntários.

O motorista desceu da cabine. De início Elsa só notou sua altura e pareceu reconhecer a capa marrom que usava. Era uma capa antiquada, algo que um vaqueiro usaria. Já tinha visto aquela capa antes, em algum lugar. O homem andou na direção dela, iluminado pela luz dos faróis turvada pela chuva.

Elsa, então, se lembrou. Ela o vira uma vez na cidade fazendo um discurso comunista, e depois na porta da cadeia, quando fora espancado na noite em que Loreda fugiu de casa.

– O detento – disse Elsa.

– A guerreira – respondeu ele. – Meu nome é Jack Valen. Vamos levar vocês para um lugar mais quente.

– Esse é o comunista que eu conheci, mãe – disse Loreda.

– Sei – respondeu Elsa. – Eu o vi na cidade.

Jack os levou para a porta do hotel e enfiou uma chave na fechadura preta e grande, que estalou. Jack abriu a porta.

– Espere um pouco – falou Elsa. – O hotel está fechado por tapumes.

– As aparências enganam, senhora. Aliás, nós contamos com isso – explicou Jack. – Este lugar pertence a um amigo. Só parece abandonado. Nós mantemos os tapumes porque... Bem, deixa pra lá. Vocês podem passar uma ou duas noites aqui. Infelizmente não é possível ficar mais.

– De qualquer forma nós ficamos muito gratos – disse Elsa, tremendo de frio.

– Seus amigos, os Deweys, foram levados para o centro comunitário abandonado. Estamos fazendo o possível. Tudo aconteceu de repente. Amanhã de manhã vamos ter mais ajuda.

– De comunistas?

– Não estou vendo ninguém mais aqui, você está?

Ele levou todos para o interior do hotelzinho, que cheirava a decadência, mofo e fumaça de cigarro.

Elsa acompanhou Jack até o segundo andar. Ele abriu a porta de um quartinho empoeirado, com uma grande cama dossel, duas mesinhas de cabeceira e uma porta fechada.

Jack passou por eles e abriu a porta fechada.

– Um banheiro – murmurou Elsa.

– Com água quente – disse Jack. – Ou, pelo menos, morna.

Ant e Loreda deram gritinhos e correram para o chuveiro. Elsa ouviu o barulho da água corrente.

– Vem, mãe!

Jack olhou para Elsa.

– Você tem algum nome além de "mãe"?

– Elsa.

– Prazer em conhecê-la, Elsa. Agora eu preciso voltar para ajudar mais gente.

– Eu vou com você.

– Não é necessário. Vá se aquecer. Fique com os seus filhos.

– Aquela é a minha gente, Jack. Eu quero ajudar.

Ele não quis discutir.

– Espero você lá embaixo, então.

Elsa entrou no banheiro, viu os filhos juntos no chuveiro, totalmente vestidos, dando risada.

– Loreda, vou ajudar o Jack e os amigos dele – falou. – Tratem de dormir um pouco.

– Eu também quero ir! – disse Loreda.

– Não. Você precisa se aquecer e cuidar do Ant. Por favor. Não discuta comigo.

Ela saiu depressa do quarto.

Havia vários automóveis com os faróis acesos no estacionamento.

Os voluntários se reuniram num semicírculo ao redor de Jack, que nitidamente era o líder.

– Vamos voltar ao acampamento da Sutter Road. Precisamos resgatar tantos quanto pudermos. Há vagas no centro comunitário, na estação ferroviária e nos celeiros da feira ao ar livre.

Elsa entrou na caminhonete de Jack. Seguiram um fluxo contínuo de luzes difusas e amareladas sob a chuva. Jack virou o corpo e pegou um saco marrom e surrado atrás do banco de Elsa.

– Aqui, vista isso – falou, deixando o saco no colo dela.

Com as mãos tremendo de frio, abriu o saco e viu uma calça e uma camisa de flanela muito grandes para ela.

– Eu arranjo alguma coisa para segurar a calça – disse Jack.

Parou no acostamento da estrada perto do acampamento destruído. Pessoas encharcadas e desalojadas andavam pela estrada, agarradas ao que conseguiram salvar.

No escuro, atrás do carro, Elsa tirou as roupas molhadas e vestiu a camisa de flanela folgada e a calça. Seu diário caiu do corpete, surpreendendo-a. Ela tinha se esquecido que conseguira salvá-lo. Deixou tudo no banco do veículo, calçou suas galochas molhadas e voltou para a enxurrada.

Jack arrancou a gravata e a enfiou pelos passadores da calça emprestada de Elsa, apertando bem na cintura. Em seguida tirou o próprio casaco e o jogou nos ombros dela.

Elsa estava com muito frio para ser educada. Vestiu o casaco e fechou os botões.

– Obrigada.

Jack segurou a mão dela.

– A água continua subindo. Cuidado.

Eles ficaram de mãos dadas enquanto chafurdavam pela água fria e enlameada que continuava subindo. Pertences destruídos passavam flutuando por eles. Elsa viu um caminhão quebrado com uma lona velha cobrindo a parte traseira.

– Ali – falou para Jack, apontando.

– Nós viemos ajudar! – gritou Jack.

A lona preta e molhada se abriu devagar. Encolhidos atrás da lona, Elsa viu uma mulher esquelética num vestido molhado, com uma criança pequena no colo. Tanto o rosto dela quanto o da criança estavam azulados de frio.

– Nós viemos ajudar – repetiu Jack, estendendo a mão.

A mulher abriu mais a lona e saiu, segurando firme a criança. Elsa imediatamente abraçou a mulher pelos ombros, sentindo o quanto estava magra.

Ao lado da estrada, voluntários – agora em número maior – esperavam com guarda-chuvas e capas, cobertores e café quente.

– Muito obrigada – disse a mulher.

Elsa assentiu e voltou para onde Jack estava. Juntos, eles avançaram em direção ao acampamento.

A água e o vento os fustigava; a lama fria encheu as botas de Elsa.

Os dois trabalharam durante toda aquela noite longa e gelada. Junto com os outros voluntários, ajudaram as pessoas a deixar o acampamento inundado, levaram quantos conseguiram para um lugar mais quente, alojando-os em todos os abrigos que conseguiam encontrar.

Por volta das seis da manhã, a chuva e a enxurrada amainaram, e a alvorada iluminou a devastação causada pela súbita inundação. O acampamento ao lado da valeta de irrigação tinha sido levado pelas águas. Pertences flutuavam. Tendas se amontoavam, destruídas. Pedaços de metal e de papelão se espalhavam pela área, junto com caixas, baldes e cobertores. Calhambeques afundados até o para-choque na água e na lama, encalhados.

Elsa ficou no acostamento da estrada, vendo o terreno inundado.

Gente como ela, que não tinha quase nada, perdera tudo.

Jack parou ao seu lado e pôs um cobertor nos seus ombros.

– Você está tremendo feito vara verde.

Elsa tirou o cabelo molhado dos olhos, as mãos rígidas de frio.

– Eu estou bem.

Jack disse alguma coisa.

Elsa ouviu a voz dele, mas as vogais e consoantes se alongavam, desfiguradas. Começou a repetir *Eu estou bem*, mas a mentira se perdeu em algum ponto entre o cérebro e a língua.

– Elsa!

Ela olhou para Jack, sem entender.

Espere aí. Eu estou caindo!

Elsa acordou quando Jack parou a sacolejante caminhonete na frente do hotel coberto por tapumes. Sentou-se, meio zonza. Viu seu diário no assento ao lado e o guardou.

O estacionamento estava cheio de gente, transformado no palco de uma calamidade. Voluntários distribuíam comida, café quente e roupas para as vítimas da inundação, que vagavam com expressões de perplexidade.

Elsa saiu do veículo, mas quase caiu.

Jack estava lá para ampará-la.

Tentou se desvencilhar.

– Eu preciso ver meus filhos...

– Provavelmente ainda estão dormindo. Vou ver se eles estão bem e digo onde você está. Mas agora você vai dormir um pouco. Eu reservei um quarto para você.

Dormir. Precisava admitir que aquela era uma boa ideia.

Jack a ajudou a subir a escada até um quarto ao lado do das crianças. Quando entraram, ele a levou direto para o banheiro, abriu o chuveiro e esperou, impaciente, até a água esquentar antes de abrir a cortina do boxe. Elsa não conseguiu reprimir um suspiro. Água quente. Jogou o diário numa prateleira em cima da privada.

Antes de entender bem o que ele estava fazendo, Jack tirou as galochas, a capa de lona grossa que usava e a empurrou para baixo do chuveiro quente, totalmente vestida.

Elsa inclinou a cabeça para trás, deixando a água quente passar pelos cabelos.

Jack fechou a cortina e saiu.

A água que escorria aos seus pés ficou preta de lama. Tirou as roupas de Jack – agora provavelmente arruinadas –, pegou o sabonete que encontrou ali e lavou as mãos. *Lavanda.*

Lavou o cabelo e esfregou a pele até deixá-la avermelhada. Saiu do chuveiro quando a água começou a esfriar, enxugou-se e se enrolou na toalha. O banheiro estava cheio de vapor. Lavou as roupas de Jack na pia, pendurou a calça, a camisa, as meias e as roupas de baixo no toalheiro e voltou ao quarto.

Lençóis limpos.

Que luxo.

Talvez Jack tivesse razão. Uma rápida soneca cairia bem.

Elsa pensou em todas as vezes que lavara roupa na vida, a alegria que sempre sentira em pendurar lençóis para secar, mas nunca até aquele momento tinha apreciado tanto e tão profundamente o puro prazer de lençóis limpos sob a pele nua. Assim como o perfume de sabonete de lavanda nos cabelos.

Deitou-se de lado e fechou os olhos. Adormeceu quase imediatamente.

VINTE E SETE

Loreda acordou sem saber onde estava.

Sentou-se na cama devagar, sentindo um colchão macio como uma nuvem embaixo do corpo. Mechas de cabelo caíam no seu rosto; tinham cheiro de lavanda. *O sabonete da mamãe.* Mas não era exatamente o mesmo perfume, e havia anos eles não tinham sabonetes de lavanda.

A inundação. O acampamento.

Lembrou-se de tudo de repente: da água enlameada arrastando tudo, da tenda desabando, das pessoas gritando.

Saiu de debaixo das cobertas devagar e viu Ant encolhido ao seu lado, usando só a cueca folgada e uma camiseta.

Suas roupas ainda úmidas estavam penduradas em cabides numa cômoda. Loreda levantou-se, pegou suas roupas e entrou no banheiro. Depois de usar a privada, não resistiu e tomou outro banho, mas sem lavar a cabeça. Vestiu o vestido e o suéter. Seu casaco estava perdido. Assim como todo o dinheiro e toda a comida.

– Ah, nem pensar – disse Ant, jogando as cobertas para o lado quando ela entrou no quarto, descalça.

– Qual é o problema?

– Você não vai me deixar aqui sozinho. Eu não sou mais um bebê. Tô começando a achar que vocês ficam me escondendo as coisas.

Loreda não pôde deixar de sorrir.

– Vá se vestir, Ant.

Ant vestiu as mesmas roupas ainda úmidas da noite anterior (que eram só o que tinham agora), e os dois saíram do quarto, caminhando descalços pelo corredor, e desceram uma escada estreita até o saguão. No meio do caminho ouviram vozes.

O pequeno saguão estava cheio de gente; o ar cheirava a suor, roupas molhadas e lama seca. Loreda e Ant seguiram para fora.

Um sol forte iluminava a rua molhada, com o tráfego interrompido por cordões de isolamento – a Cruz Vermelha e o Exército da Salvação, duas organizações beneficentes do estado, mais alguns grupos ligados à Igreja. Havia mesas e cadeiras, além de donuts, sanduíches e café, e também caixas com roupas e utensílios para doação.

– Parece uma festa – disse Ant, tremendo nas roupas úmidas. – Mas eu não tô vendo nenhum presente.

– Não *estou* vendo – corrigiu Loreda, cruzando os braços para se aquecer.

Era fácil identificar as famílias de migrantes desabrigados, reunidas em grupos sujos de lama, com cobertores nos ombros e parecendo atordoados, bebericando café.

Loreda viu uma tenda separada das outras. Um cartaz estendido entre duas estacas dizia: ALIANÇA DOS TRABALHADORES: O NOVO PLANO DO PRESIDENTE DEVERIA AJUDAR TODOS VOCÊS.

Comunistas.

– Vamos – disse Loreda, arrastando Ant até a tenda, onde uma mulher com um casaco preto estava sozinha, fumando um cigarro.

Ela usava uma calça preta, um suéter cor de creme e uma boina. O batom vermelho acentuava a palidez do seu rosto.

Loreda aproximou-se.

– Olá?

A mulher tirou o cigarro dos lábios vermelhos e se virou. Os olhos escuros se estreitaram, avaliaram Loreda dos pés à cabeça.

– Vocês querem um café?

Loreda nunca tinha visto uma mulher como aquela. Tão... elegante, ou talvez fosse só sua ousadia. Devia ter a idade da mãe dela, mas com um estilo e uma beleza que pareciam atemporais.

– Meu nome é Loreda.

A mulher estendeu a mão. As unhas curtas estavam pintadas com um esmalte brilhante.

– Eu sou Natalia. Vocês estão congelando.

– S-são as roupas molhadas. Mas não tem importância. Eu gostaria de entrar para o seu grupo.

A mulher deu uma tragada, soltou a fumaça devagar.

– Ah, é?

– Eu conheço o Sr. Valen. Eu... estive numa reunião num celeiro.

– Ah, é?

– Eu gostaria de participar da luta.

Natalia fez uma pausa.

– Bem, imagino que você tenha mais razões do que a maioria. Mas hoje não estamos lutando. Hoje estamos ajudando.

– Ajudar chama a atenção das pessoas – deduziu Loreda.

– Garota esperta.

– Eu quero fazer parte da... – Baixou a voz. – Você sabe. Da resistência.

Natalia assentiu.

– Muito bem. Uma garota que pensa por si mesma. Você pode começar pegando algumas roupas secas e sapatos para você e o menino. Vão se vestir. Parem de tremer. Depois você pode me ajudar a servir o café.

Voluntários chegavam num fluxo constante. Por volta do meio-dia já eram centenas, servindo café, sanduíches e distribuindo roupas de inverno. A Cruz Vermelha tinha montado um abrigo improvisado numa loja de automóveis abandonada, onde as pessoas podiam passar a noite. O Exército da Salvação assumiu o centro comunitário local. Segundo Jack, metade dos comunistas e socialistas de Hollywood tinha vindo ajudar ou mandaram doações. Corriam boatos de que até mesmo estrelas do cinema estavam ali, apesar de Loreda não ter visto nenhuma. Ou talvez Natalia fosse uma atriz, com certeza era glamourosa como uma.

Loreda e Ant tinham passado as últimas horas ajudando as vítimas da enchente da forma que podiam. Loreda arranjou roupas secas e quentes e sapatos para toda a família. As roupas que tinham – as únicas coisas que realmente possuíam agora – estavam numa caixa na tenda dos comunistas. Ela tinha conseguido encontrar um vestido e um suéter para a mãe e o levara para o quarto. Viu a mãe dormindo e deixou as roupas ali. Agora estava na tenda dos comunistas, ao lado de Natalia. Diante delas, uma mesa oferecia um grande bule de café e uma bandeja de sanduíches quase vazia. Havia também uma pilha de panfletos, mas quase ninguém os pegava, se é que alguém pegava.

Natalia acendeu um cigarro, ofereceu a Loreda.

– Não, obrigada. Prefiro comer.

Natalia estendeu o braço, pegou o último sanduíche de salame e o deu a Loreda.

A menina deu uma mordida e olhou para as pessoas ao redor, já em menor número. Havia menos gente agora. A maioria tinha sido realocada ou conseguira algum tipo de ajuda.

Jack e Ant trocavam arremessos com uma bola de beisebol perto do cordão de isolamento. Loreda se sentiu fascinada pela alegria de Ant ante uma coisa tão simples. Aquilo a fez pensar no pai e em como todos viviam antes de ele partir. Sua partida ainda era a pior coisa que tinha acontecido com a família. A seca e a Depressão teriam um fim. A mágoa por terem sido abandonados pelo pai em meio a tudo aquilo continuaria para sempre.

Ela olhou para Jack. Apesar de tudo por que tinham passado naquela longa e terrível noite, sua força a confortava. Dava para confiar num homem como aquele, pensou. Um homem que não apenas apregoava ideias, mas lutava por elas, apanhava por elas e continuava firme. Se ao menos seu pai fosse mais parecido com Jack...

Um rebelde, não um sonhador. O pai alimentara Loreda com palavras, mas o importante eram as ações. Agora ela sabia disso. Partir. Ficar. Lutar. Ou ir embora.

Loreda queria ser como Jack, não como seu pai sem rumo. Queria lutar por uma causa e dizer ao mundo que ela era melhor do que aquilo, que os Estados Unidos não poderiam deixar que ela vivesse daquele jeito.

Mas considerou a pilha de folhetos deixada na mesa. Pouca gente os pegou. As pessoas tomavam o café e comiam os sanduíches, mas pareciam não querer saber de palavras. Quanto menos de palavras incentivando-os a lutar. E o único nome assinado na folha de inscrição na Aliança dos Trabalhadores era o de Loreda.

– Como você conheceu o Jack? – perguntou Loreda a Natalia.

– Nós nos conhecemos anos atrás, num clube de socialistas e comunistas. Na época, éramos jovens e convencidos. – Ela jogou o cigarro no chão e o apagou com seu sapato chique. – Foi a primeira pessoa que conheci a começar a falar sobre os direitos dos trabalhadores no campo. Alguns anos atrás ele organizou nossa luta contra a deportação de trabalhadores mexicanos. Foi um tempo difícil, mas... – Ela deu de ombros. – As pessoas ficam com medo quando perdem o emprego e tendem a culpar os forasteiros. O primeiro passo é chamar todos de criminosos. O resto é fácil. Você sabe como é – concluiu, olhando para Loreda.

– Sei.

– Muitos anos atrás, os mexicanos se organizaram, entraram para o sindicato e fizeram manifestações por melhores salários, mas acabou em violência. Homens morreram. Jack passou um ano na prisão de San Quentin. Quando saiu, estava ainda mais determinado.

Loreda não tinha pensado em *prisão*.

– Como pode ser ilegal pedir salários melhores?

Natalia acendeu outro cigarro.

– Tecnicamente, não é. Mas este é um país capitalista, governado pelos interesses dos ricaços. Depois da campanha anti-imigração do estado, eles prenderam todos como ilegais e os deportaram para o México, o que causou um grande problema para os fazendeiros, mas então...

– Nós começamos a chegar.

Natalia assentiu.

– Eles mandaram folhetos para todas as partes do país, pedindo para os trabalhadores virem para cá. E eles vieram, mas em excesso. Agora para cada emprego existem dez trabalhadores. Estamos tendo dificuldade para organizar o seu pessoal. Eles são...

– Independentes.

– Eu ia dizer teimosos.

– É. Bom, muitos de nós somos agricultores, e às vezes é preciso ser teimoso para conseguir sobreviver.

– Você é teimosa?

– Sou – respondeu Loreda em voz baixa. – Acho que sim. Porém, mais do que qualquer coisa, eu estou furiosa.

Elsa acordou com a luz do sol entrando pelas janelas, o que a fez sentir saudade da sua fazenda em Lonesome Tree. Mais tarde iria escrever sobre isso em seu diário, sobre a alegria que era ver a luz do sol passando pelo vidro, dourada e pura como o olhar de Deus, e como isso pode animar o espírito.

Era melhor do que escrever sobre a mais recente e terrível verdade da vida: a de terem perdido todo o seu dinheiro.

Seus pertences, a tenda, o fogão, a comida. Tudo.

Mas alguém tinha deixado para Elsa um vestido azul-claro e um suéter vermelho pendurados na cômoda. *Pequenas bênçãos.*

Movimentando-se devagar – tudo doía depois da noite anterior –, vestiu as roupas novas, calçou as galochas ainda sujas de lama e foi para o quarto ao lado para ver os filhos. Quando ninguém atendeu à porta, desceu para o saguão e saiu.

A rua do hotel estava interditada com cordões de isolamento. A Cruz Vermelha tinha montado uma tenda, assim como o Exército da Salvação e a igreja presbiteriana. Viu Ant e Loreda oferecendo comida em bandejas. Ver os dois oferecendo ajuda quando eles próprios tinham perdido tudo a inundou de orgulho. Depois de tudo que tinham sofrido – as dificuldades, as perdas, as desilusões –, lá estavam eles, sorrindo e distribuindo alimentos. Ajudando os outros. Aquilo dava a ela alguma esperança para o futuro.

Jack estava perto da tenda, conversando com uma mulher de boina. Elsa foi até eles.

Jack abriu um sorriso.

– Aceita café?

– Com o maior prazer.

Ele puxou uma cadeira para ela. Elsa viu pilhas de panfletos na mesa ao lado. *Sindicato já! Comunismo é o novo americanismo.* Alguns panfletos estavam em espanhol. Havia uma folha de inscrição convocando pessoas a participar da Aliança dos Trabalhadores, com um só nome assinado: o de Loreda.

– A ideologia radical vem com o café? – perguntou Elsa, amassando a folha. – Minha filha não vai assinar isto.

Jack se sentou ao lado dela, chegando mais perto.

– Loreda está me seguindo como um cão farejador atrás da presa.

– Ela só tem 13 anos. – Elsa deu uma olhada nas pessoas reunidas na rua. – Loreda pode ter problemas só por falar com você, imagine se ela entrar para o Partido Comunista. Os fazendeiros não querem sindicatos.

– Uma triste observação sobre este momento. Afinal, assim são os Estados Unidos.

– Não os Estados Unidos que eu conheço. – Ela virou-se para ele. – Por que comunismo?

– Por que não? Eu já passei um bom tempo na lavoura. Sei como é difícil a vida dos trabalhadores migrantes. Os latifundiários ajudaram a eleger Roosevelt. O presidente tem uma dívida com eles. Já se perguntou por que suas políticas ajudam quase todos os trabalhadores exceto os que trabalham no campo? Eu quero melhorar essa situação. – Jack encarou Elsa. – Tenho a impressão de que você sabe o que é batalhar. Talvez possa me dizer por que a maioria dos trabalhadores que vem para o estado não querem se sindicalizar?

– Nós somos orgulhosos – respondeu Elsa. – Acreditamos no trabalho duro e que as oportunidades aparecem para quem as merece. Não em "um por todos e todos por um".

– E não acha que um pouco de "todos por um" poderia ajudar o seu pessoal?

– Acho que o que você quer vai causar problemas. – Elsa terminou o café e devolveu a caneca vazia. Quando Jack pegou a caneca, ela notou seu relógio de pulso velho, que não marcava a hora certa. Surpreendeu-se com aquela pequena revelação. Nunca conhecera um homem que não se importasse com as horas. – Agradeço sua ajuda, Jack. Agradeço muito. Vocês foram as primeiras pessoas a nos ajudar, mas...

– Mas o quê?

– Eu não tenho tempo para o comunismo. Preciso encontrar um lugar para morarmos.

– Você acha que eu não entendo, Sra. Martinelli, mas eu entendo. Mais do que imagina.

A maneira como ele falou o sobrenome dela de alguma forma a surpreendeu; fez com que soasse quase exótico, matizado por um sotaque que não reconheceu.

– Pode me chamar de Elsa, por favor.

– Será que me deixaria fazer uma coisa por você?

– O quê?

– Pode confiar em mim?

– Por quê?

– Não existe *por que* confiar. É sim ou não. Você pode confiar em mim?

Elsa olhou para ele, concentrando-se em seus olhos escuros. Aquele homem tinha uma intensidade que a enervava; não fosse tudo o que acontecera talvez ela o achasse amedrontador. Lembrou-se do dia em que o vira discursando na praça da cidade e sendo espancado pela polícia, dos hematomas que viu em seu rosto na porta da delegacia. Jack e suas ideias vinham junto com violência, não havia dúvidas sobre isso.

Mas ele a tinha salvado e salvara seus filhos e providenciara um lugar para ficarem. E, estranhamente, atrás do espírito de luta que via nele, Elsa detectou uma dor. Não solidão, exatamente, mas um isolamento que ela reconhecia.

Levantou-se.

– Tudo bem – respondeu Elsa, com o olhar firme.

Jack a levou até a tenda da Cruz Vermelha, onde Loreda e Ant distribuíam sanduíches.

– Mamãe! – gritou Ant ao avistá-la.

Elsa abriu um sorriso. O que poderia ser mais restaurador no mundo que o amor de um filho?

– Você devia ter visto como eu me comportei direitinho – disse Ant, contente. – Eu nem comi *todos* os donuts.

Elsa bagunçou seus cabelos limpos.

– Fico orgulhosa de você. E agora o Sr. Valen prometeu que vai mostrar uma coisa interessante para a gente. Que tal uma excursão do Clube dos Exploradores?

– Oba!

– Mas antes eu vou pegar as coisas que nós ganhamos – disse Loreda.

A menina correu até a tenda dos comunistas e voltou com uma caixa cheia de vestimentas, roupas de cama e mantimentos.

Jack tocou delicadamente no braço de Elsa. Quando olhou para ele, viu uma surpreendente compreensão nos seus olhos, como se ele soubesse bem o que significava perder tudo, ou talvez simplesmente não ter nada a perder.

– Venham atrás de mim. Vou estar naquela caminhonete.

Elsa foi com os filhos até o seu velho veículo sujo de lama e entrou. A carroceria ainda continha alguns itens e pertences empacotados, coisas de que não precisaram naquela nova vida difícil que levavam.

Enquanto rumavam para o norte seguindo a caminhonete de Jack, os danos causados pela tempestade eram evidentes por toda parte; árvores partidas e tombadas, pedras e escombros na estrada, deslizamentos de terra obstruindo estradas. Água correndo por valetas, empoçada, em enxurradas na estrada.

Passaram por outro acampamento destruído. Um mar de lama e pertences, mas já havia gente chafurdando na lama, escavando em busca do que haviam perdido.

Jack parou no acostamento perto de uma tabuleta que dizia FAZENDAS WELTY. Elsa fez o mesmo. Jack foi até a caminhonete dela e parou ao lado da porta. Elsa baixou o vidro da janela.

– Este é o acampamento do Welty. Ele dá abrigo a alguns colhedores de algodão. Ouvi dizer que ontem uma família saiu.

– Por que uma família sairia daqui?

– Alguém morreu – respondeu ele. – Diga ao homem na guarita que foi o Grant que mandou vocês.

– Quem é Grant?

– Um capataz. Ele bebe demais para se lembrar de quem usa o seu nome.

– Você vem conosco?

– Eu tenho uma má reputação por aqui. Eles não gostam das minhas ideias. – Jack abriu um rápido sorriso e voltou ao seu carro.

Partiu antes que Elsa pudesse agradecer. Ela dirigiu devagar pelas terras de Welty, notando que estava encharcada pela chuva, mas não inundada. O acampamento ficava entre as plantações de algodão e bem afastado da estrada. Viu uma guarita no portão de entrada do acampamento cercado.

Elsa parou.

O homem na guarita portava uma escopeta. Era magro como um galgo, com um pescoço fino e um queixo pontudo. Um chapéu cobria seu cabelo curto e grisalho.

– Boa tarde, senhor – disse Elsa.

O homem foi até a caminhonete e olhou para dentro.

– Uma das vítimas da enchente?

– Sim, senhor.

– Aqui nós só aceitamos famílias. Não admitimos maus elementos. Nem negros. Nem mexicanos. – Ele olhou para os três. – Nem mulheres solteiras.

– Meu marido vai chegar amanhã – disse Elsa. – Ele está colhendo ervilhas. – Fez uma pausa. – Foi Grant que nos mandou.

– Certo. Ele sabe que vagou uma cabana.

– Uma *cabana* – sussurrou Loreda.

– São 4 dólares por mês pela eletricidade e 2 dólares por dois colchões.

– Seis dólares – disse Elsa. – Posso ficar na cabana sem eletricidade e sem colchão?

– Não, senhora. Mas tem trabalho aqui na Welty, e se a senhora morar nas nossas cabanas vai ter prioridade nas vagas. O chefão tem 9 mil hectares de algodão. A maior parte do pessoal que mora aqui vive com o auxílio do governo até a temporada da colheita. Nós também temos uma escola. E uma agência do correio.

– Uma escola? Aqui dentro?

– É melhor para as crianças. Elas ficam mais protegidas. A senhora quer ou não?

– Ela quer *muito* – falou Ant.

– Sim – concordou Elsa.

– Cabana 10. Nós descontamos o valor do aluguel direto do pagamento. Tem uma loja onde a senhora pode comprar mantimentos e até pegar algum dinheiro, se precisar. A crédito, é claro. Pode entrar.

– O senhor não quer saber o meu nome?

– Não. Pode entrar.

Elsa continuou na estrada lamacenta em direção a um conjunto de cabanas e tendas, organizadas quase como uma cidade. Seguiu as indicações para a Cabana 10 e estacionou ao lado.

A cabana era uma estrutura de concreto e madeira de mais ou menos 3 por 4 metros. As laterais começavam com uma camada de blocos de concreto e terminavam em painéis de metal com suportes de madeira. Não havia janelas, mas duas das paredes possuíam grandes basculantes de ventilação que podiam ser abertos nos dias de calor.

Eles saíram do veículo e entraram na cabana. Era escura, com uma lâmpada pendurada no teto por um fio.

– Eletricidade – disse Elsa, maravilhada.

Uma pequena chapa de aquecimento elétrica sobre uma armação de madeira e duas camas de metal enferrujadas com colchões ocupavam metade do espaço, mas havia lugar para cadeiras, talvez até uma mesa. O piso era de cimento. Um *piso*.

– Uau – disse Ant.

– É *ótimo* – falou Loreda.

Eletricidade. Colchões. Um piso sob os pés. Um teto sobre a cabeça.

Mas… 6 dólares. Como ela pagaria tudo aquilo? Depois de perder todo o dinheiro que tinha?

– Tudo bem, mãe? – perguntou Loreda.

– Podemos sair para explorar o lugar? – indagou Ant. – Pode ser que tenha outras crianças por aqui.

Elsa assentiu, distraída, mas continuou parada.

– Podem ir. Mas não demorem.

Ela saiu depois das crianças. Viu várias cabanas e pelo menos cinquenta tendas distribuídas por uns 2 ou 3 hectares. Havia gente transitando, catando lenha, procurando os filhos. Parecia mais uma cidade que um acampamento de beira de estrada, com placas indicando o caminho para os banheiros, a lavanderia e a escola.

A sorte de estar ali era contraposta pelo medo de não poder ficar ali. Quanto tempo ela conseguiria viver de crédito?

Foi até a caminhonete e pegou a caixa de suprimentos que Loreda tinha conseguido com o Exército da Salvação. Roupas, sapatos e casacos para as crianças, lençóis, uma frigideira. E um pouco de comida – o suficiente para dois dias, se racionassem bem.

E depois?

Levou tudo para a cabana e fechou a porta.

– Olá – disse Jack, sentado em uma das camas.

Elsa quase deixou a caixa cair no chão.

– Me desculpe. Eu não queria assustar você. Mas acho que não consegui ficar longe.

– Achei que você não pudesse entrar aqui.

– Eu tenho uma tendência a desobedecer às regras.

Elsa deixou a caixa no chão e sentou-se ao lado dele.

– Eu não sei como vou pagar por isso. Agradeço muito. Mesmo. Só que…

– Você não tem dinheiro para pagar.

– Isso. – Foi boa a sensação de dizer aquilo em voz alta. – Nós perdemos tudo na inundação.

– Gostaria de ter dinheiro para dar a vocês, mas empregos como o meu não pagam muito.

– É surpreendente que pague alguma coisa – comentou Elsa. – Qual é o seu trabalho, exatamente?

– Eu trabalho na Aliança dos Trabalhadores. A Frente Popular. Seja qual for o nome que preferir.

– O Partido Comunista.

– Isso. Nós somos uns quarenta na folha de pagamento em todo o estado. O apoio de Hollywood anda em alta, por conta do que está acontecendo na Europa. Eu escrevo para o *Daily Worker*, recruto novos membros, monto grupos de estudos e organizo greves. Basicamente, faço o que puder para ajudar pessoas espoliadas pelo sistema capitalista. E espalho a mensagem de que existe algo melhor. – Ele olhou bem no fundo dos olhos de Elsa. – Como você acabou indo morar naquele acampamento? Uma mulher solteira...

Ela ajeitou uma mecha de cabelo atrás da orelha.

– Com certeza você já ouviu histórias como a minha. Nós saímos de uma situação difícil no Texas e acabamos numa situação ainda pior na Califórnia.

– E o seu marido?

– Foi embora sozinho.

– Então ele era um idiota.

Elsa sorriu. Nunca tinha visto a situação por aquele ângulo, mas gostou da ideia.

– Eu também acho. E você? É casado?

– Não. Nunca fui. As mulheres tendem a ter medo dos problemas que trago comigo. Do comunista malvado.

– Tudo é razão para ter medo nos dias de hoje. Quais seriam esses problemas?

– Eu já estive preso – disse Jack em voz baixa. – Você não tem medo disso?

– Teria. Em outros tempos. – Elsa não estava acostumada com a maneira como Jack olhava para ela. – Não precisa ficar me encarando, eu sei que não sou bonita.

– Você acha que é isso que eu penso quando olho para você?

– Por que você corre esse risco? Com o comunismo, quero dizer. Você deve saber que não vai funcionar nos Estados Unidos. E vejo como isso é sacrificante para você.

– É pela minha mãe – respondeu ele. – Ela chegou aqui com 16 anos passando fome, depois de ter sido rejeitada pela família por minha causa. Até hoje não sei quem é o meu pai. Ela trabalhou dia e noite para nos sustentar, fazendo o que podia, mas todas as noites, na hora de dormir, vinha me dar um beijo de boa-noite e me dizia que nos Estados Unidos eu poderia ser o que quisesse. Foi o sonho que a trouxe aqui, e ela passou isso para mim. Mas era tudo mentira. Ao menos para pessoas como nós. Gente que veio do lugar errado, ou tem a pele da cor errada, ou fala a língua errada, ou reza para o Deus errado. Ela morreu num incêndio numa fábrica. Todas as portas estavam trancadas para as mulheres não fazerem uma pausa para fumar. Este país usou minha mãe e depois a descartou, junto com todas as oportunidades que ela queria para mim. Uma vida melhor do que a dela. – Ele chegou um pouco mais perto. – Você entende. Eu sei que entende. Sua gente está passando fome, morrendo. Milhares de pessoas sem ter onde morar. Não conseguindo viver do dinheiro que ganham nas colheitas. Me ajude a convencer essa gente a fazer uma greve para receberem pagamentos melhores. Eles vão ouvir o que você tem a dizer.

Elsa deu risada.

– Ninguém nunca quis ouvir o que eu tenho a dizer.

– Mas eles vão ouvir. Nós precisamos de alguém como você.

O sorriso de Elsa esmaeceu. Ele estava falando sério.

– De que adianta fazer greve e perder o emprego? Eu tenho filhos para alimentar.

– Loreda é uma revolucionária. Ela iria adorar...

– Ela precisa estudar. O que vai melhorar a vida dela é uma boa formação, não militar com os comunistas. – Elsa levantou-se devagar. – Sinto muito, Jack. Eu não sou tão corajosa a ponto de ajudar vocês. E por favor, *por favor*, diga ao seu pessoal para deixar minha filha fora de tudo isso.

Jack se levantou. Elsa viu a decepção nos olhos dele.

– Eu entendo.

– Entende mesmo?

– Claro que sim. O medo pode ser útil até... – Ele andou até a porta e parou ao segurar a maçaneta.

– Até o quê?

Ele se virou e olhou para Elsa.

– Até você perceber que tem medo da coisa errada.

Naquela noite, enquanto as crianças dormiam, Elsa tirou seu diário da caixa que estava na caminhonete. Folheou o caderno. As crianças estavam certas quando disseram que seria bom escrever. As palavras afloraram: *chuva, bebê num cobertor lilás, sem trabalho, esperando o algodão, a chuva desmoralizante*. Ainda naquela noite, mais tarde, escreveria sobre seu medo sempre presente, como isso a sufocava o tempo todo, e sobre o esforço constante que precisava fazer para não demonstrá-lo aos filhos. Escrever sobre isso a lembraria de que eles tinham sobrevivido. Por pior que tivesse sido a enchente, eles continuavam ali.

Embora aquele diário significasse muito para ela, era o único papel que tinha. Arrancou uma página e escreveu uma carta para Tony e Rose.

Queridos Tony e Rose:

Agora nós temos um endereço!

Conseguimos – finalmente – deixar de morar numa tenda e agora estamos numa casa de verdade, com paredes e um assoalho. As crianças estão matriculadas numa escola bem perto de casa. Foi uma bênção. Essas são as boas notícias. O que não foi muito bom é que uma enchente destruiu nossa tenda e a maior parte das nossas coisas. Uma enchente, vocês conseguem imaginar? Sei que vocês adorariam que um pouco dessa água caísse por aí.

Meu Deus, às vezes eu sinto tanta saudade de casa que quase não consigo respirar.

Como está a fazenda? A cidade? Vocês?

Por favor, escrevam logo.

Com amor,

Elsa, Loreda e Ant

VINTE E OITO

Na noite anterior, eles tinham feito uma refeição que quase os deixara de barriga cheia, preparada numa chapa de aquecimento elétrica no interior de uma cabana com quatro paredes, um telhado e um assoalho sob seus pés. Depois do jantar, deitaram-se em camas de verdade com colchões de verdade, e não no chão. Loreda dormiu profundamente, com o irmão bem ao lado, e acordou restaurada.

Depois do desjejum, vestiram as novas roupas doadas pelo Exército da Salvação, calçaram os sapatos e saíram para um dia de sol radiante.

O acampamento das Fazendas Welty ficava num terreno de alguns hectares no meio das plantações de algodão. Apesar de não ter sido inundado, havia sinais da chuvarada por toda parte. A grama tinha se transformado num lamaçal, mas Loreda notou que seria um pasto verde em outras circunstâncias. Muitas das árvores, distribuídas aleatoriamente pelo acampamento, tiveram galhos quebrados pela tempestade. Havia grandes poças de água suja aqui e ali. Entre as cabanas e as tendas da frente, Loreda viu uma construção que era a lavanderia e quatro banheiros – dois para mulheres e dois para homens –, ambos com uma longa fila de gente esperando sua vez. Mais importante, com duas torneiras em cada entrada. Água limpa. Não precisavam mais tirar água do canal de irrigação, ferver e coar antes de usar.

Havia outra fila na porta da loja da fazenda, mulheres na maioria, com os braços cruzados e os filhos por perto. Uma tabuleta pintada à mão indicava o caminho para a escola.

– E se só começarmos amanhã? – perguntou Loreda com uma expressão amuada.

– Eu diria que você está querendo me enrolar – respondeu a mãe. – Eu vou lavar as roupas e arranjar alguma coisa para comer, e vocês vão para a escola. Fim da história. Podem começar a andar.

Ant deu uma risadinha.

– A mamãe ganhou.

A mãe andou em direção a duas tendas localizadas na periferia do acampamento, num bosque de árvores esguias. Parou ao lado da tenda maior, com uma tabuleta de madeira na porta: ESCOLA PARA CRIANÇAS MENORES.

A tenda ao lado dizia: ESCOLA PARA CRIANÇAS MAIORES.

– Imagino que eu seja maior – disse Ant.

– Acho que não – replicou a mãe, levando Ant em direção à tenda de crianças menores.

Loreda agiu rápido.

A última coisa que queria no mundo era entrar na sala de aula com a mãe. Chegou à tenda das crianças maiores e deu uma espiada lá dentro.

Viu umas cinco carteiras. Duas estavam vazias. Uma mulher com um vestido simples de algodão cinza e botas de borracha estava de pé na frente da classe, de costas para um cavalete com um quadro-negro, onde estava escrito: *História dos Estados Unidos.*

Loreda entrou em silêncio e sentou-se na carteira vazia do fundo.

A professora olhou para ela.

– Eu sou a professora Sharpe. E quem é a nossa mais nova aluna?

Todos se viraram para ver a recém-chegada.

– Loreda Martinelli.

O garoto sentado na carteira ao lado se aproximou tanto que sua mesa bateu na dela. Era alto, dava para notar. Magro. Usava um boné sujo tão inclinado sobre o rosto que Loreda não conseguiu ver seus olhos. O cabelo louro era muito comprido. Usava um macacão desbotado sobre uma camisa de denim; uma das alças do macacão estava solta e caída como uma orelha de cachorro. Também usava um casaco de inverno grande demais no qual faltava a maioria dos botões. Ele tirou o boné.

– Lo-re-da. Nunca tinha ouvido esse nome. Bonito.

– Olá – disse Loreda. – Obrigada. E você é...?

– Bobby Rand. Foi você que se mudou para a Cabana 10? A família Pennipaker saiu pouco antes da enchente. O pai morreu. Disenteria. – Abriu um sorriso. – É bom ter alguém da minha idade por aqui. Meu pai me faz estudar quando não tem colheita.

– Sei. E minha mãe quer que eu faça faculdade.

O garoto deu risada, revelando que tinha perdido um dente.

– Essa é boa!

Loreda olhou para ele.

– Garotas também podem fazer faculdade, você não sabia?

– Ah. Achei que você estivesse brincando.

– Não, não estou. De onde você veio, da Idade da Pedra?

– Do Novo México. A gente tinha uma mercearia, mas foi à falência.

– Meninos – disse a professora, batendo com a régua no quadro-negro. – Vocês não estão aqui para bater papo. Abram os livros de História dos Estados Unidos na página 112.

Bobby abriu um livro.

– Nós podemos ler juntos. Mas a gente não aprende nada importante aqui.

Loreda inclinou-se para a frente, olhou para o livro aberto. O título do capítulo era "Os Fundadores do País e a Primeira Conferência Continental".

Levantou a mão.

– Sim... Loretta, não é?

Loreda não corrigiu a pronúncia da professora Sharpe, que não parecia uma boa ouvinte.

– Eu estou mais interessada na história recente. Como a dos agricultores aqui na Califórnia. Queria aprender sobre as políticas anti-imigrantistas que deportaram os mexicanos. E sobre os sindicatos de trabalhadores. Eu gostaria de entender...

A professora bateu tão forte no quadro-negro que a régua quebrou.

– Nós *não* vamos falar sobre sindicatos aqui. Isso é antiamericano. Temos sorte por haver empregos que põem comida em nossa mesa.

– Mas na verdade nós não temos emprego, temos? Quero dizer...

– Fora daqui! Já! E não volte até aprender a ser grata. E comportada, como todas as meninas devem ser.

– Qual é o problema com todo mundo neste estado? – perguntou Loreda, fechando o livro com força em cima do dedo de Bobby, que gritou de dor. – Nós não precisamos aprender sobre o que homens ricos fizeram mais de cem anos atrás. No *presente* em que vivemos, o mundo está caindo aos pedaços.

Loreda saiu da tenda.

E agora?

Ela se afastou pela grama alagada... mas para onde?

Para onde poderia ir? Se voltasse para a cabana, a mãe a faria ajudar a lavar a roupa.

A biblioteca. Foi a única coisa em que conseguiu pensar.

Saiu do acampamento, entrou numa rua asfaltada e seguiu andando até a cidade.

Em Welty, que ficava a pouco mais de 1 quilômetro do acampamento, ela virou na Avenida Principal e viu uma série de lojas com toldos na frente que em outros tempos com certeza vendiam qualquer coisa de que alguém pudesse precisar e pela qual pudesse pagar. Alfaiates, farmácias, mercearias, açougues, magazines. Agora a maioria se encontrava fechada. No centro da cidade, o cinema estava com a fachada apagada e as janelas, fechadas com tapumes.

Ela passou por uma loja de chapéus fechada; viu um homem sentado num banquinho, com uma perna esticada e a outra dobrada. Segurava o joelho, um cigarro enrolado à mão entre os dedos.

Olhou para ela por sob a aba do chapéu de feltro surrado.

Trocaram um olhar cúmplice.

Loreda hesitou por um instante na frente da biblioteca. Não tinha posto os pés ali desde o dia em que cortara o cabelo. Já parecia uma eternidade.

Agora ela estava desgrenhada, desarrumada e magricela. Pelo menos o vestido de segunda mão era relativamente novo, mas as meias e os sapatos de amarrar estavam sujos de lama e não eram nada vistosos.

Teve que se convencer a entrar. Antes, tirou os sapatos enlameados e os deixou perto da porta.

A bibliotecária examinou Loreda de cima a baixo, das meias sujas de lama ao rendado puído da gola do vestido de segunda mão.

Lembre-se de mim, por favor. Não diga que eu sou uma okie.

– Srta. Martinelli – falou. – Estava esperando por você. Sua mãe ficou tão contente quando pegou o seu cartão da biblioteca.

– Foi o meu presente de Natal.

– Um belo presente.

– Eu... perdi os livros da Nancy Drew na enchente. Sinto muito.

A Sra. Quisdorf abriu um sorriso tristonho.

– Não precisa se preocupar com isso. Fico contente por você estar bem. O que posso oferecer que você gostaria de ler?

– Eu estou interessada em... direitos trabalhistas.

– Ah. Política. Espere um pouco – disse a bibliotecária, afastando-se.

Loreda deu uma olhada nos jornais espalhados na mesa ao lado. Um deles, o *Los Angeles Herald-Express*, dizia na manchete: "Alerta às hordas transitórias: fiquem longe da Califórnia".

Nada de novo.

"Auxílio para migrantes deixa estado insolvente."

Loreda folheou as páginas, vendo artigos e mais artigos afirmando que os migrantes estavam levando o estado à falência ao exigirem auxílio, chamando-os de indolentes, preguiçosos e criminosos, dizendo que viviam como cães "por não saberem viver de outra forma".

Ouviu o som de passos se aproximando. A Sra. Quisdorf chegou por trás dela e pôs um livro fino na mesa ao lado dos jornais. *Dez dias que abalaram o mundo*, de John Reed.

– John Reed... – Aquele nome era familiar para Loreda, mas a menina não conseguiu lembrar onde o tinha ouvido. – Muito obrigada.

– Mas devo fazer um alerta – disse a Sra. Quisdorf em voz baixa. – Palavras e ideias podem ser mortais. Tenha cuidado com o que você diz e para quem diz, principalmente nesta cidade.

A lavanderia do acampamento ficava numa construção de madeira e tinha seis grandes tinas de metal e duas prensas de manivela. E – milagre dos milagres – água limpa e corrente ao se abrir uma torneira. Elsa passou sua primeira manhã no acampamento lavando os lençóis doados pelo Exército da Salvação e as roupas que usavam durante a inundação, passando tudo pela prensa em vez de torcer cada peça à mão. Depois de lavar tudo, levou a roupa úmida para a cabana, improvisou um varal e pendurou para secar.

Pegou a carta que escrevera na noite anterior e colocou-a na caixa do correio. Só isso – o fato de poder andar 20 metros e postar uma carta – já era um surpreendente golpe de sorte.

E agora, às compras. Ali mesmo. No acampamento. Era muito conveniente.

A loja da fazenda ficava numa construção verde e estreita feita de ripas, com um teto pontudo e janelas pequenas dos dois lados da porta branca. Ela teve que andar pela lama para chegar lá – havia lama por toda parte, é claro, por conta da chuva e da inundação – e subir dois degraus enlameados.

Quando abriu a porta, uma campainha surpreendentemente alegre tocou sobre sua cabeça.

Viu fileiras e mais fileiras de mantimentos. Latas de feijão, de ervilha e de sopa de tomate. Sacos de arroz, farinha e açúcar. Carnes defumadas. Queijos artesanais. Legumes frescos. Ovos. Leite.

Uma parede inteira só de roupas. Cortes de tecidos de todo tipo, de lã a algodão. Caixas de botões e fitas, carretéis de linha. Sapatos de todos os tamanhos. Galochas, capas de chuva e chapéus. Sacos para colher algodão – e batatas –, além de luvas e cantis.

Percebeu que os preços eram altos. Algumas coisas – como os ovos – custavam duas vezes mais do que na cidade. Os sacos para colheita de algodão pendurados em ganchos na parede eram três vezes mais caros do que Elsa tinha pagado anteriormente.

Ela pegou um cesto de compras vazio.

No fundo da loja, um balcão comprido se estendia de ponta a ponta; atrás havia um homem com costeletas enchumaçadas e sobrancelhas grossas. Usava um chapéu marrom-escuro, suéter preto e calças com suspensórios.

– Olá – cumprimentou, levantando os óculos de armação de metal no nariz. – A senhora deve ser a nova moradora da Cabana 10.

– Sim, sou – confirmou Elsa. – Na verdade, meus filhos e eu. E meu marido – lembrou-se de acrescentar.

– Seja bem-vinda. Agora a senhora é mais um membro da nossa pequena comunidade.

– A inundação... nos fez sair da nossa... casa.

– Assim como tantos outros.

– Nós perdemos o nosso dinheiro. Todo o nosso dinheiro.

O homem aquiesceu.

– Sim, acontece muito por aqui.

– Eu tenho filhos para alimentar.

– E agora um aluguel para pagar.

Elsa engoliu em seco.

– Sim. E os seus preços... são muito altos...

Elsa ouviu a campainha da porta soar atrás de si. Virou-se e viu um homem grande entrar. Um sorriso cheio de dentes dominava seu rosto corado e bochechudo. Ele enfiou os polegares no suspensório que usava e começou a andar casualmente, olhando os produtos dos dois lados do corredor.

– Sr. Welty – disse o atendente. – Bom dia.

Welty. O dono daquele lugar.

– Vai ficar melhor ainda quando a terra secar, Harald. E quem é esta senhora?

Ele parou na frente de Elsa. De perto, ela percebeu a qualidade das roupas que usava, o corte do paletó. Era como seu pai se vestia para o trabalho – um homem que se afirmava pelas roupas.

– Elsa Martinelli – apresentou-se ela. – Nós somos novos aqui.

– A família dela perdeu tudo na inundação – explicou Harald.

– Ah – disse o Sr. Welty. – Então a senhora veio ao lugar certo. Com um bom estoque para alimentar a sua família. Sinta-se à vontade para comprar o que desejar. Vai ganhar um bom dinheiro na estação da colheita. A senhora tem filhos?

– Sim, senhor. Dois.

– Ótimo, ótimo. Gostamos muito das crianças que trabalham para nós. – Deu um tapa tão forte no balcão que estremeceu o jarro de balas perto da caixa registradora. – Por Deus, dê algumas balas para os filhos dela.

Elsa agradeceu, apesar de ter quase certeza de que ele não ouviu, ou de que nem estava prestando atenção, pois já tinha se virado para sair da loja.

A campainha soou.

– Bem… – disse Harald, abrindo um caderno. – Cabana 10. Vou lançar seu crédito de 6 dólares deste mês. Pelo aluguel. Do que mais a senhora precisa?

Elsa lançou um olhar desejoso às carnes defumadas.

– Pode pegar o que quiser – disse Harald gentilmente.

Elsa não poderia fazer isso. Se fizesse, pegaria tudo e fugiria como uma ladra. Não podia se deixar seduzir pela ideia e comprar a crédito. Nada naquela vida vinha de graça, principalmente para migrantes.

Mas…

Andou pelos corredores devagar, somando todos os preços de cabeça. Escolhia os produtos que punha na cesta com todo o cuidado, como se pudessem explodir com o impacto: latas de leite, presunto defumado, um saco de batatas, um saco de farinha, um saco de arroz, duas latas de carne desfiada, um pouco de açúcar. Um saco de feijão. Café. Uns poucos sabonetes e um sabão de roupa. Pasta e escovas de dentes. Um cobertor. Dois envelopes.

Ela levou o cesto até o balcão e tirou os produtos da cesta, um de cada vez.

Enquanto fazia isso, sentiu-se acometida por um terrível sentimento de aflição, de desgraça iminente. Nunca havia comprado nada que não pudesse pagar. Sim, a família Wolcott comprava coisas a crédito na cidade, mas naquele caso era apenas conveniente. O pai dela pagava as contas em dia, com a poupança que tinha no banco. A ideia de comprar a crédito sem ter nenhum dinheiro economizado para pagar fazia Elsa se sentir uma mendiga.

– São 11 dólares e 20 centavos – disse Harald, anotando a quantia no caderno na página da Cabana 10.

Nesse ritmo, Elsa teria uma grande dívida acumulada até o dia 26 de abril, quando (se tudo corresse bem) receberia o auxílio do estado.

– Pensando bem – disse em voz baixa –, eu só preciso de uma lata de carne desfiada.

A cabana de Elsa não tinha prateleiras, por isso ela guardou os mantimentos cuidadosamente numa caixa e a enfiou embaixo da cama. Separou duas latas de leite, meio quilo de café e uma barra de sabão, que guardou na sacola que trouxera da loja e levou tudo para fora da cabana.

Entrou na caminhonete e dirigiu para o sul, passou pelo acampamento de Welty e chegou ao acampamento na beira da valeta de irrigação, onde estacionou no acostamento. O acampamento era um mar de lama e água, cheio de escombros. Havia utensílios, galhos de árvores e placas de metal espalhadas ou flutuando na lama. Sem ter outro lugar para ir, as pessoas tinham começado a voltar para aquele terreno para reerguer as barracas.

Elsa viu a grande caminhonete dos Deweys à direita, quase um caminhão, parcialmente enterrada na lama. Havia um grupo de pessoas em volta.

Ela carregou os mantimentos pelo campo, as botas fazendo barulho na lama, respingos sujando suas pernas quando, de tempos em tempos, pisava numa poça.

Jeb e os meninos estavam ocupados martelando pregos em pedaços de madeira recuperados. As duas meninas, com vestidos enlameados, esperavam na traseira da caminhonete brincando com bonecas quebradas. Uma cadeira sem uma das pernas apoiava-se no fogão entupido de lama trazido lá do Alabama, que eles imaginaram que estaria instalado numa casa àquela altura.

A família toda estava morando no carro.

Elsa acenou para Jeb, que a olhou com uma expressão envergonhada.

– Jean está na valeta.

A garganta de Elsa ficou tão apertada que ela não conseguiu falar, por isso aquiesceu e deixou os mantimentos na cadeira quebrada. Sem dizer nada, tomou o caminho da valeta de irrigação pela trilha enlameada e cheia de entulhos.

Encontrou Jean na margem, tentando tirar um balde de água. Chegou por trás da amiga em silêncio, sentindo-se culpada por ter saído daquele lugar e envergonhada pelo quanto se sentia grata por isso.

– Jean – falou.

Jean se virou. Na fração de segundo antes de ela sorrir, Elsa viu a profundidade do desespero da amiga.

– Elsa! Como pode ver, o bairro não é mais o mesmo sem você.

Elsa não estava para brincadeiras.

– Nadine? Midge?

– Nadine e a família foram embora. Simplesmente saíram andando. Não vi Midge desde a inundação.

Jean levantou-se devagar, largando o balde de água suja no chão.

Elsa se aproximou com cuidado, com medo de começar a chorar. Finalmente entendeu o que seu avô queria dizer quando recomendou que ela fingisse ser corajosa quando precisasse. Fez isso naquele momento, conseguiu abrir um sorriso mesmo sentindo as lágrimas ardendo nos olhos.

– Detesto ver que vocês ainda estão aqui.

– Eu também. – Jean tossiu num lenço sujo. – Mas o Jeb vai montar uma espécie de abrigo na traseira da caminhonete. Talvez até fazer uma varanda coberta pra gente. Logo não vai mais estar tão ruim. A terra vai secar. – Abriu um sorriso. – Talvez você possa vir tomar um chá com a gente.

– Chá? Acho que a gente devia começar a tomar gim.

– Mas você vai nos visitar?

Elsa teve um vislumbre do medo de Jean, equivalente ao seu.

– É claro. E você vai me avisar se precisar de mim. Seja quando for. Dia ou noite. Nós estamos na Cabana 10 no acampamento da fazenda Welty. Nessa mesma estrada. Eu... trouxe mantimentos.

Não o suficiente.

– Ah, Elsa... nem sei como agradecer.

– Não precisa me agradecer. Você sabe disso.

Jean ergueu o balde. As duas voltaram para o veículo enguiçado. Como os Deweys conseguiriam acompanhar as colheitas nos próximos meses?

Elsa não queria deixá-los ali, mas não havia nada que pudesse fazer. Sabia que havia gente em situação ainda pior, sem nem mesmo um carro onde morar.

– Isso tudo vai melhorar – disse Jean.

– Claro que vai.

As duas se entreolharam, reconhecendo implicitamente que estavam mentindo.

– Ainda vamos tomar gim e dançar charleston, como as garotas da sociedade – disse Jean. – Eu sempre quis ter aulas de dança. Já te falei sobre isso? Quando era menina, em Montgomery. Eu implorava para a minha mãe. Ainda tenho dois pés esquerdos. Você devia ter me visto no casamento. Eu dançando com Jeb... foi um desastre.

Elsa sorriu.

– Não pode ter sido pior do que eu e Rafe. Algum dia nós duas vamos ensinar uma à outra a dançar, Jean. Eu e você, com música. E não vamos ligar para quem estiver vendo nem no que vão pensar.

Elsa puxou a amiga para um abraço apertado e teve dificuldade de soltá-la.

– A gente se vê – disse Jean. – Nós estamos bem aqui.

Elsa concordou com a cabeça, acenou uma despedida para o resto da família e voltou pela terra encharcada. Viu a sua estufa, parcialmente enterrada na lama, virada de lado, sem a chaminé. Esforçou-se para não chorar, sentindo cada momento de contenção como uma vitória. Pegou um balde que estava preso na lama e continuou andando. Depois pegou também uma caneca de café.

Em Welty, foi até o posto de gasolina e lavou o balde na torneira perto das bombas. Lavou também as botas na água corrente e voltou a calçá-las, o tempo todo pensando na amiga, morando num caminhão no meio de um mar de lama no inverno.

– Elsa?

Ela fechou a torneira e virou-se.

Viu Jack ali perto, segurando uma pilha de papéis. Panfletos, sem dúvida, instando as pessoas a se rebelarem contra a maneira como eram tratadas.

Não deveria se aproximar dele, não em público, pelo menos, mas não conseguiu se conter. Sentia-se frágil e sozinha.

Muito sozinha.

– Tudo bem com você? – perguntou ele.

– Eu dei uma saída... fui até o antigo acampamento. Jean... e os filhos... estão morando... – Nesse momento, sua voz embargou.

Jack abriu os braços, e Elsa se deixou acolher. Ele a abraçou forte, sem dizer nada enquanto ela chorava. Mas seu abraço a consolou, a camisa ficou molhada de lágrimas.

Finalmente ela se afastou, olhando para ele. Jack enxugou as lágrimas do seu rosto com a ponta do polegar.

– Isso não é jeito de viver – falou Elsa, limpando a garganta.

O momento de intimidade entre eles começou a se dissolver. Sentiu vergonha por ter se deixado abraçar. Sem dúvida ele viu nisso uma atitude carente e patética.

– Não, não é mesmo. Posso levar você para casa?

– Para o Texas?

– É isso que você quer?

– Jack, o que eu quero não significa nada. Nem pra mim. – Ela enxugou os olhos, com vergonha da fraqueza que tinha demonstrado.

– Isso não é fraqueza. Sentir coisas intensamente, querer coisas. Essa necessidade.

Elsa ficou surpresa com a perspicácia dele.

– Eu preciso ir – falou. – As crianças vão sair da escola daqui a pouco.

– Até mais, Elsa.

Ficou atônita com a expressão dele ao dizer isso. Ou talvez estivesse simplesmente decepcionado com ela. Era o mais provável.

– Até mais, Jack – respondeu, e saiu andando, deixando-o ali.

Por alguma razão, sabia que ele continuava a observá-la, mas não olhou para trás.

No fim de março, o solo tinha secado, o acampamento às margens da valeta de irrigação estava lotado de novo, Loreda completara 14 anos e a família

Martinelli estava atolada em dívidas. Elsa não parava de fazer contas de cabeça, obsessivamente. Até o momento, ela e Loreda teriam que colher 1.500 quilos de algodão só para quitar a dívida. E ainda precisava continuar pagando o aluguel e comprando comida. Era um círculo vicioso e violento que começaria de novo no inverno seguinte. Não havia como progredir, nem como escapar.

Mesmo assim, ela continuava saindo todos os dias em busca de emprego, enquanto os filhos estavam na escola. Nos dias melhores, ganhava 40 centavos aparando grama, ou lavando roupa, ou fazendo faxina em alguma casa. Elsa e os filhos iam semanalmente ao Exército da Salvação pegar roupas na caixa de doações.

Em abril, começou a contar os dias até se tornar oficialmente residente do estado e se qualificar para receber o dinheiro do auxílio. Não passava mais pela cabeça dela recusar a ajuda do governo.

Na data marcada, Elsa acordou cedo e preparou panquecas de água e farinha para as crianças, servindo a cada um meio copo de suco de maçã aguado vendido engarrafado na loja da empresa.

Ainda com sono, as crianças se vestiram, calçaram os sapatos e saíram da pequena cabana para ir aos banheiros, onde já haveria uma longa fila.

Quando voltaram, Elsa serviu duas panquecas para cada um – cobertas com uma preciosa colherada de geleia. Os dois se sentaram na cama lado a lado.

– Você precisa comer alguma coisa, mãe – disse Loreda.

Por um instante, Elsa teve uma visão melancólica da situação atual da filha de 14 anos: o rosto ossudo, os malares proeminentes. O vestido de algodão folgado no corpo magro; as clavículas sobressaindo dos dois lados do pescoço.

Àquela altura ela deveria estar indo a festinhas e se interessando por garotos...

– Mamãe? – disse Loreda.

– Ah, me desculpe, querida.

– Está se sentindo tonta?

– Não. De jeito nenhum. Só estou pensando.

Ant deu risada.

– Isso não faz bem, mãe. Você devia saber.

Ele levantou-se da cama. Ossudo e anguloso, o garoto acabara de fazer 9 anos; os cotovelos, os joelhos e os pés pareciam grandes demais para o corpo magro. Ant tinha feito amigos nos últimos meses e voltara a se comportar como um garoto; recusava-se a cortar o cabelo, detestava brincadeiras e a chamava apenas de mãe, em vez de "mamãe".

– Adivinhem que dia é hoje – disse Elsa.
– Dia de quê? – perguntou Loreda, sem se dar ao trabalho de levantar a cabeça.
– De receber o auxílio do estado – respondeu Elsa. – Dinheiro vivo. Vou poder começar a pagar nossa dívida.
– Certo – comentou Loreda, deixando o prato vazio no balde de água com sabão.
– Nós nos registramos no estado um ano atrás – explicou Elsa. – Agora somos residentes e podemos receber ajuda.
Loreda olhou para ela.
– Eles vão arranjar um jeito de pegar de volta.
– Pare com isso, garota – ralhou, fazendo Ant vestir o casaco.
Deixou o próprio casaco de lado. Calçou as galochas e jogou um cobertor em cima dos ombros.
Saíram da cabana para o acampamento movimentado. Agora que a ameaça de geada tinha passado, os homens estavam ocupados na lavoura. Os tratores não paravam de trabalhar, preparando a terra, afofando, semeando.
– Isso me lembra o vovô – disse Loreda.
Todos pararam, ouvindo o som dos motores dos tratores, o cheiro de terra recém-arada pairando no ar.
– É verdade – concordou Elsa, sentindo uma pontada de saudades de casa.
Continuaram andando, lado a lado, até chegarem às tendas da escola.
– Até mais, mãe. Boa sorte com o auxílio – falou Ant, e saiu correndo.
Loreda entrou na sua tenda.
Elsa ficou ali parada um momento, ouvindo o som de crianças rindo e conversando, das professoras mandando-as sentar em seus lugares. Se fechasse os olhos – o que ela fez, por pouco tempo –, conseguia imaginar um mundo totalmente diferente.
Então voltou a andar. Os caminhos que passavam pelas tendas e cabanas eram sulcados pelas centenas de pés que por ali passavam. Entrou na fila dos banheiros e ficou esperando a sua vez.
Não era uma longa espera àquela hora do dia – menos de vinte minutos. Queria tomar um banho, mas, com apenas dois chuveiros, a espera era sempre de uma hora ou mais.
Voltou à cabana, lavou a louça do desjejum e a guardou no engradado de maçãs resgatado que servia como armário. Nos meses que se seguiram à enchente, eles se aperfeiçoaram em recuperar coisas perdidas.
Fez a cama, vestiu o casaco e saiu.

Na cidade, uma longa fila de homens e mulheres com expressão de desalento dava voltas na frente da agência de assistência social. A maioria não tirava os olhos das próprias mãos crispadas. A fila era formada por gente do Meio-Oeste, do Texas e do Sudeste do país. Gente orgulhosa, que não estava acostumada a viver de esmola.

Elsa entrou na fila. Pessoas paravam atrás dela a cada momento, parecendo vir dos quatro cantos da cidade.

– A senhora está bem?

Elsa endireitou o corpo, forçou um sorriso.

– Acho que me esqueci de comer. Mas tudo bem. Obrigada.

O rapaz magricela à sua frente usava um macacão que devia ter sido comprado quando ele pesava 25 quilos a mais. Precisava fazer a barba, mas tinha olhos bondosos.

– Todos nós esquecemos de fazer isso – falou, com um sorriso. – Eu tô sem comer desde quinta-feira. Que dia é hoje?

– Segunda.

Ele deu de ombros.

– Filhos, você sabe.

– Sei.

– A senhora já recebeu esse auxílio alguma vez?

Elsa balançou a cabeça.

– Só hoje completei o meu prazo.

– Prazo?

– Só depois de morar um ano no estado você tem direito a receber o auxílio.

– Um ano? Até lá podemos já estar todos mortos. – O rapaz deu um suspiro, saiu da fila e começou a andar.

– Espere! – gritou Elsa. – Você precisa se registrar!

O jovem não olhou para trás, e Elsa não podia sair da fila para segui-lo. Perder o lugar custaria horas de espera.

Quando enfim era a primeira da fila, ficou diante de uma jovem de rosto corado que ocupava uma escrivaninha, com uma máquina de escrever portátil, ao lado de um grande arquivo cheio de cartões.

– Nome?

– Elsa Martinelli. Com dois filhos, Anthony e Loreda. Eu me registrei ano passado.

A mulher consultou os cartões vermelhos e pegou um deles.

– Achei. Endereço?

– Acampamento da fazenda Welty.

A mulher pôs o cartão na máquina de escrever e acrescentou aquela informação.

– Tudo certo, Sra. Martinelli. Três pessoas na família. A senhora vai receber 13 dólares e 50 centavos por mês.

A mulher tirou o cartão da máquina de escrever.

– Obrigada. – Elsa fez o menor rolinho que pôde com as cédulas e o escondeu na mão.

Quando saiu da agência, viu uma comoção rua abaixo, na agência federal de auxílio. Uma multidão aos gritos.

Andou cautelosamente em direção ao tumulto, atenta ao dinheiro na mão.

Parou ao lado de um homem na periferia da multidão.

– O que está acontecendo?

– O governo federal cortou o auxílio. Não vai mais doar mantimentos.

Alguém gritou na multidão:

– Isso não tá certo!

Uma pedra foi lançada na direção da agência, quebrando o vidro de uma janela. A horda avançou, gritando.

Em poucos minutos ouviu-se uma sirene. Um carro de polícia chegou, luzes piscando. Dois guardas uniformizados saíram com cassetetes na mão.

– Alguém aqui quer ser preso por vadiagem? – Um dos guardas agarrou um homem em andrajos, arrastou-o até a viatura e o fez entrar. – Alguém mais quer ir pra cadeia?

Elsa virou-se para o homem ao seu lado.

– Como eles podem cortar a distribuição de mantimentos? Eles não se importam com a gente?

O homem retribuiu com uma expressão incrédula.

– A senhora só pode estar de brincadeira.

Quando saiu da cidade, Elsa foi até o acampamento da Sutter Road.

Nos meses desde a inundação, mais gente tinha se alojado naquele terreno. Os que já estavam lá havia mais tempo tinham montado suas tendas, estacionado seus veículos e construído seus barracos nos pontos mais altos que conseguiram encontrar. Os recém-chegados acampavam perto da valeta de irrigação. O terreno estava coberto de grama da primavera e velhos utensílios que despontavam aqui e ali. Um pedaço de chaminé, um livro, um lampião quebrado. A maior parte das coisas de valor já tinha sido coletada ou estava muito enterrada para ser encontrada.

Elsa foi até o caminhão dos Deweys. Eles tinham construído um barraco em torno do veículo com pedaços de pau, papel de piche e sucata.

Viu Jean sentada numa cadeira perto do para-choque. Mary e Lucy estavam na grama ao seu lado com as pernas cruzadas, espetando gravetos no chão.

– Elsa! – exclamou Jean, fazendo menção de se levantar.

– Não precisa se levantar – falou Elsa, vendo o quanto a amiga estava pálida e magra.

Elsa sentou-se num balde emborcado ao lado de Jean.

– Infelizmente não tenho café para te oferecer – falou Jean. – Agora estou tomando água quente.

– Eu aceito uma xícara – disse Elsa.

Jean serviu uma caneca de água fervente e deu a Elsa.

– O governo federal suspendeu o auxílio – contou Elsa. – A cidade está tumultuada com as pessoas descontentes.

Jean tossiu.

– Eu ouvi falar. Não sei como vamos resistir até a colheita de algodão.

– Nós vamos conseguir.

Elsa abriu a mão devagar, olhou para os 13 dólares e 50 centavos que tinha para dar de comer à família até o mês seguinte. Separou duas notas de 1 dólar e ofereceu para Jean.

– Eu não posso aceitar – disse ela. – Dinheiro, não.

– Claro que pode.

Ambas sabiam que os 27 dólares que os Deweys recebiam do estado ficavam muito aquém do necessário para alimentar seis pessoas. E Elsa podia comprar coisas a crédito na loja. Os Deweys, não.

Jean pegou as cédulas, tentando sorrir.

– Tá, vou guardar para comprar a nossa garrafa de gim.

– Isso aí. Não vai demorar muito pra nós duas enchermos a cara. Bêbadas como garotas travessas – disse Elsa, achando graça da ideia. – Eu só fui travessa uma vez na vida, e sabe o que aconteceu?

– O quê?

– Um marido ruim e uma linda nova família. Então vamos fazer isso juntas.

– Promete?

– Pode anotar. Muito em breve, Jean.

Elsa voltou às Fazendas Welty e foi até a loja da empresa. No caminho para casa, ficou fazendo contas de cabeça. Se usasse metade do dinheiro para pagar suas dívidas a cada mês, seria apertado, mas talvez fosse possível.

Na loja, pegou um pão, um salame e uma lata de carne desfiada, algumas salsichas e um saco de batatas. Um potinho de pasta de amendoim, uma barra de sabão, várias latas de leite e um pouco de toucinho. Mais do que tudo, queria levar uma dúzia de ovos e um chocolate Hershey. Mas era assim que as pessoas estouravam seu crédito.

Pôs os produtos no balcão.

Harald sorriu para ela enquanto registrava as compras.

– Dia do pagamento do auxílio, não é, Sra. Martinelli? Dá para ver pelo seu sorriso.

– Sem dúvida, é um auxílio.

A caixa registradora anunciou a soma das compras.

– São 2 dólares e 39 centavos.

– É tudo muito caro – comentou Elsa.

– É – concordou Harald, olhando para ela com um pouco de culpa.

Elsa tirou o dinheiro do bolso e começou a contar.

– Ah. Nós não aceitamos dinheiro aqui, senhora. Só vendemos a crédito.

– Mas finalmente eu tenho dinheiro. Quero pagar o que devo.

– Não é assim que funciona. Nós só vendemos a crédito. E também podemos dar algum dinheiro... também a crédito. Com juros. Para gasolina e coisas assim.

– Mas... como eu vou saldar minha dívida?

– Na colheita.

Elsa demorou um pouco para assimilar a realidade da situação. Como ela não tinha percebido antes? Welty *queria* que ela ficasse devendo, que gastasse o dinheiro do auxílio em bobagens e estivesse sem dinheiro de novo no inverno seguinte. Claro que eles davam dinheiro a crédito – provavelmente cobrando altos juros –, pois assim os pobres trabalhavam recebendo menos, exigiam menos. Sua única opção era usar o dinheiro do auxílio para fazer compras na cidade, a preços mais baixos, para não aumentar sua dívida com a empresa, mas não faria muita diferença. Não poderia viver com 13 dólares por mês. Tirou uma lata de carne desfiada da cesta e pôs no balcão.

– Eu não tenho dinheiro para isso.

O lojista refez as contas e anotou o valor.

– Sinto muito, senhora.

– Sente mesmo? E se eu fosse para o norte colher pêssegos? Imagino que teria que pagar o aluguel da cabana adiantado enquanto estivesse fora.

– Ah, não, senhora. Teria que desocupar a cabana e perder o trabalho estável de colher algodão.

– Então eu não posso acompanhar as colheitas? – Elsa ficou olhando para o homem, se perguntando como ele aguentava fazer parte daquele sistema. Eles não poderiam manter a cabana enquanto acompanhavam as colheitas, o que significava que precisavam ficar ali, sem trabalhar, esperando o algodão, vivendo do auxílio do estado e a crédito. – Então nós somos escravos.

– Trabalhadores. Entre os mais afortunados, eu diria.

– É mesmo?

– A senhora já viu como vive o pessoal no acampamento da valeta de irrigação?

– Sim – respondeu Elsa. – Já vi.

Ela pegou sua sacola de compras e saiu da loja.

O acampamento estava movimentado: mulheres pendurando roupas, homens catando lenha, crianças procurando qualquer coisa para chamar de brinquedo. Umas doze mulheres de ombros caídos e vestidos folgados faziam fila nos dois banheiros femininos. No momento havia mais de trezentas pessoas morando ali; eles tinham montado mais quinze tendas nas partes asfaltadas.

Elsa olhou para as mulheres, agora mais *atentamente*. Grisalhas. Ombros caídos. Lenços cobrindo os cabelos maltratados. Vestidos sem graça remendados e mais que remendados. Meias caídas. Sapatos surrados. Magras.

Ainda assim sorrindo umas para as outras na fila, conversando, cuidando dos filhos agitados, os que eram novos demais para estarem na escola. Elsa já tinha ficado naquela fila e sabia que as mulheres falavam sobre coisas corriqueiras: dos filhos, da saúde, das fofocas.

A vida continuava mesmo naqueles tempos difíceis.

VINTE E NOVE

Em maio, o vale secou com os dias de verão e tudo começou a crescer e brotar. Em junho, os arbustos de algodão floriram e precisaram ser aparados. Welty cumpriu sua palavra, e os que moravam nas plantações das suas fazendas foram os primeiros a conseguir aqueles preciosos empregos. Elsa passava horas trabalhando sob o sol quente. A maioria dos moradores do acampamento da valeta de irrigação, inclusive Jeb e os meninos, tinham pegado carona para o norte em busca de trabalho. Jean ficou com as meninas no caminhão atolado que era tudo o que tinham no momento.

Naquele dia, logo depois do amanhecer, um grande caminhão tinha chegado ao acampamento das Fazendas Welty, soltando fumaça. Os que aguardavam na fila mal conseguiram esperar o veículo parar para subir a bordo. Homens e mulheres se apinharam na traseira, chapéus enterrados na cabeça e luvas (as quais tiveram de comprar na loja da empresa, por um preço exorbitante).

Loreda olhou para a mãe, prensada nas tábuas de madeira da carroceria. Era a segunda da fila quando o caminhão parou naquela manhã.

– Não esqueça que o Ant precisa fazer as lições de casa – disse a mãe.

– Tem certeza que eu não posso…

– Tenho, Loreda. Você vai poder colher algodão quando chegar o momento. Agora vai ficar estudando e aprender alguma coisa, para não acabar como eu. Estou com 40 anos, e na maior parte dos dias sinto como se tivesse 100. Além disso, só resta mesmo mais uma semana de aula.

Um homem fechou a tampa da carroceria do caminhão. Pouco depois o automóvel já seguia pela estrada, em direção às plantações de algodão. Ainda não estava fazendo calor, mas logo estaria.

Loreda voltou à cabana. O pequeno cubículo já começava a esquentar. Apesar de saber que era apenas uma amostra do calor do verão que viria a seguir, preferia o calor ao frio do inverno. Abriu os basculantes de ventilação, foi até a chapa e começou a preparar o mingau de aveia que seria o desjejum dela e do irmão.

Quando a luz do sol entrou na cabana, Ant saiu da cama e foi até a porta.

– Preciso fazer xixi.

Voltou quinze minutos depois, coçando suas partes.

– A mamãe já foi trabalhar?

– Já.

Sentou-se num engradado de madeira perto da mesa que eles tinham reaproveitado. Quando acabaram de comer, Loreda o levou para a escola.

– A gente se encontra na cabana depois das aulas – falou. – Vê se não fica enrolando. Hoje é dia de lavar a roupa.

– Vai estar calor. – Ant fez uma careta e entrou na sala de aula.

Loreda tomou o caminho da sua tenda. Ao chegar perto da porta, ouviu a professora Sharpe dizer:

– Hoje as meninas vão aprender a fazer cosméticos e os meninos, a trabalhar num projeto de ciências.

Loreda soltou um grunhido. Fazer cosméticos.

– Todos sabemos a importância da beleza para arranjar um marido – continuou a professora.

– Não – disse Loreda. – Apenas... não.

Não queria fazer cosméticos de jeito nenhum. Na semana anterior as meninas passaram horas aprendendo a peneirar ingredientes para fazer massa de pão, enquanto os meninos aprendiam como "voar" na cabine de um modelo de avião de madeira com os instrumentos desenhados no painel.

Loreda não matava aula com muita frequência, pois sabia que a mãe se preocupava muito com a sua educação, mas, sinceramente, às vezes ela simplesmente não conseguia aguentar. E Deus sabia que a professora não gostava nada dela. Não gostava das perguntas que fazia nas aulas. Ela voltou para a cabana, procurou o livro mais recente que tinha pegado emprestado na biblioteca e resolveu sair do acampamento.

Ao tomar a estrada, sentiu a coluna endireitar, o queixo se erguer. Continuou andando em direção à cidade, balançando os braços. O que poderia ser melhor que cabular aula para ir à biblioteca? Aquela semana ela tinha lido *O manifesto comunista* e estava ansiosa para encontrar alguma outra coisa igualmente reveladora. A Sra. Quisdorf tinha mencionado um livro escrito por um homem chamado Hobbes.

A Avenida Principal estava movimentada. Homens de terno e mulheres em vestidos primaveris andavam em direção ao cinema, que anunciava na fachada: REUNIÃO DE MORADORES.

Loreda entrou na biblioteca e foi direto para a recepção.

Entregou o livro para a Sra. Quisdorf.

– E o que você aprendeu com esse livro? – perguntou a bibliotecária em voz baixa, apesar de não haver ninguém por perto. A biblioteca estava quase sempre vazia.

– É sobre a luta de classes, não é? Servos contra senhores de terra ao longo da história. Marx e Engels estavam certos. Se existisse uma só classe, com todo mundo trabalhando pelo bem de todos, seria um mundo melhor. Não haveria gente como os grandes fazendeiros ficando com todo o dinheiro e gente como nós fazendo todo o trabalho. Nós passamos fome enquanto os ricos ficam mais ricos.

– De cada um de acordo com sua capacidade, a cada um de acordo com suas necessidades – disse a Sra. Quisdorf, concordando com a cabeça. – Essa é a noção geral. Mas quem pode dizer se isso realmente funciona?

– O que está acontecendo no cinema? Achei que estivesse fechado.

A Sra. Quisdorf olhou pela janela.

– Reunião dos moradores. Sobre política, imagino. Acontecendo bem debaixo do nosso nariz.

– Será que eles me deixariam entrar?

– É aberta ao público, mas... bem... às vezes é melhor estudar política de uma perspectiva mais segura e agradável. No mundo real a coisa é bem mais feia.

– Por que eles me impediriam de entrar? Agora eu sou residente do estado.

– Sim, mas... Bom, tenha cuidado.

– Eu sei tomar cuidado, Sra. Quisdorf – disse Loreda.

Lá fora, brilhava um sol quente de junho. Ela andou pela travessa e saiu na Avenida Principal, passando por uma longa fila de gente em frente a um sopão.

Loreda se misturou com a multidão bem vestida e entrou no cinema. Viu cortinas vermelhas enfeitando um palco elevado. Filetes dourados ressaltavam o madeiramento lavrado. Em minutos, a maioria dos lugares foi ocupada.

Loreda sentou-se em um dos bancos, ao lado de um homem fumando um charuto, de terno preto e chapéu. O cheiro da fumaça a fez se sentir ligeiramente enjoada.

Um homem subiu ao palco, ocupando seu lugar atrás do púlpito.

A plateia ficou em silêncio.

– Obrigado a todos por terem vindo. Todos sabemos por que estamos aqui. Em 1933, a Administração Federal de Auxílio Emergencial foi estabelecida como uma ajuda temporária para as pessoas que chegavam ao nosso estado. Nós não sabíamos que seríamos *invadidos* por migrantes. E quem poderia saber que tantos deles seriam tão fracos de caráter? Quem poderia saber que eles só queriam viver do auxílio emergencial? Graças ao apoio do presidente Roosevelt aos negócios, nós encerramos o auxílio federal, mas o estado da Califórnia continua pagando pessoas que estão aqui há mais de um ano. E, francamente, o estado simplesmente não tem recursos para atender a essa demanda.

Fracos de caráter?

Um homem se levantou na plateia.

– Ouvimos dizer que eles não querem colher. E por que deveriam? Estão vivendo muito bem de esmola. Com os impostos que pagamos!

– E se não houver trabalhadores para colher nosso algodão?

– E quanto àquele acampamento que o governo federal está construindo para os migrantes em Arvin? Aquilo vai ser um ninho de agitadores. Ouvi dizer que estão falando em pagar benefícios para eles.

Outro homem se levantou. Loreda o reconheceu, era o Sr. Welty. Ele gostava de andar pelo acampamento, o peito todo estufado, olhando para os trabalhadores com desdém.

– Esse maldito auxílio está mimando os okies – declarou Welty. – Eu sou a favor de suspendermos *todo* auxílio na época da colheita. E se eles começarem a organizar um sindicato? Nós não vamos aguentar uma greve.

Greve.

O homem no púlpito levantou as mãos para silenciar a plateia.

– É por isso que estamos aqui hoje. A Associação dos Agricultores compartilha das suas preocupações. Não vamos deixar que as nossas colheitas sofram com isso. O estado sabe como a agricultura é importante para a nossa economia. Assim como sabemos como é difícil administrar as doenças nos acampamentos para preservar a saúde dos nossos filhos. Precisamos construir uma escola para os migrantes, um hospital para os migrantes. Mantê-los isolados.

– Os malditos vermelhos estiveram na minha fazenda esta semana fazendo agitação. Precisamos impedir uma greve.

Um homem saiu andando entre os bancos como se fosse o dono do lugar. Usava um casaco marrom empoeirado e fora de moda. Quando Loreda o viu, sentou-se mais ereta.

Jack.

– Todos eles são *americanos* – falou Jack. – Vocês não têm vergonha? Vocês os esfolam na época da colheita do algodão, mas, assim que ela termina, jogam todos fora como se fossem lixo. Como sempre fizeram com os que colhem o seu algodão. Dinheiro, dinheiro, dinheiro. Vocês só pensam no dinheiro.

A multidão começou a ulular. Homens se levantavam, gritavam, brandiam os punhos, furiosos.

– Ninguém consegue sustentar a família ganhando 2 centavos por quilo de algodão colhido. Vocês sabem disso e estão com medo. E deviam mesmo estar com medo. Se um cachorro levar muitos pontapés, ele acaba mordendo – falou Jack.

Dois guardas entraram no cinema. Um deles agarrou Jack e o arrastou para fora.

Loreda saiu correndo atrás dele, piscando por um instante sob o brilho do sol forte. Panfletos espalhavam-se pela calçada, pelo meio-fio, deslizando pela rua. *Trabalhadores, uni-vos para mudar!*

Jack estava estendido no chão, o chapéu caído ao seu lado.

– Jack! – gritou Loreda, correndo até onde ele estava e se ajoelhando.

– Loreda. – Pegou o chapéu, enfiou na cabeça e se levantou, aos poucos abrindo um sorriso para ela. – Minha comunistinha em treinamento. Como vai você?

Como ele podia sorrir com sangue escorrendo por um corte na têmpora?

Uma sirene da polícia soou.

– Vamos logo – falou, pegando Loreda pelo braço. – Já passei muito tempo na cadeia esta semana. – Ele recolheu os panfletos e a puxou pela rua até uma lanchonete.

Loreda sentou-se no banco ao seu lado. Ele pegou um guardanapo e limpou o sangue da têmpora.

– Isso me faz parecer um bandido?

– Não tem graça – retrucou Loreda.

– Não, não tem.

– Do que eles estavam falando?

Jack pediu um milk-shake de chocolate para Loreda.

– O preço do algodão está em baixa. Isso é ruim para o setor e uma má notícia para os trabalhadores. Os fazendeiros estão ficando nervosos.

Loreda tomou o milk-shake doce e cremoso tão depressa que ficou com dor de cabeça.

– Foi por isso que eles fizeram essa reunião e ofenderam a gente?

– Eles proferem essas ofensas porque não querem pensar em vocês como iguais. Estão preocupados que vocês se organizem em sindicatos, que exijam ganhar mais. O chamado bloqueio dos andarilhos… o fechamento das fronteiras do estado… acabou, e os migrantes voltaram a invadir a Califórnia.

– Eles não querem pagar o que a gente precisa para viver.

– Exatamente.

– E como a gente pode fazê-los pagarem?

– Vocês vão ter que lutar por isso. – Ele fez uma pausa, tentando parecer indiferente. – Agora me diz uma coisa, como está a sua mãe?

Depois de dez horas de árduo trabalho embaixo do sol, Elsa desceu da caminhonete com seu vale na mão enluvada. Não valia muito, mas já era alguma coisa. A loja da fazenda cobrava dez por cento dos moradores do acampamento para converter o vale em crédito, e era o único lugar onde podiam ser descontados; se quisessem dinheiro em vez de créditos, teriam que pagar juros. Assim, na verdade, o pouco que recebiam valia dez por cento a menos. Exausta, com as mãos e os ombros doloridos, foi até a loja e entrou. A campainha que soava cada vez que a porta se abria a irritou. Tudo em que conseguia pensar naquele lugar era na sua dívida, que não parava de aumentar, e na dolorosa verdade de não haver escapatória.

Viu outro homem no balcão, alguém que não conhecia.

– Cabana 10 – falou.

O homem abriu o livro, olhou para o vale e anotou o valor que Elsa tinha ganhado. Elsa pegou duas latas de leite na prateleira ao seu lado. Detestava pagar o que eles cobravam, mas Ant e Loreda precisavam de leite para fortalecer os ossos.

– Pode pôr na minha conta – falou sem olhar para trás.

Entrou na fila das mulheres para o banheiro. Em geral conversava com elas, mas, depois de dez horas na plantação de algodão, ela não tinha mais energia.

Quando finalmente chegou sua vez, entrou no banheiro escuro e malcheiroso e usou a privada.

Lavou as mãos numa bomba d'água do lado de fora e começou a andar na direção da cabana. Um capataz seguiu-a parte do caminho, parando para ouvir dois homens conversando perto da cerca. Aquilo estava acontecendo com cada vez mais frequência ultimamente, os fazendeiros mandavam espiões para saber sobre o que os trabalhadores falavam quando não estavam na lavoura.

Ela parou na porta da cabana para se recompor e conseguiu sorrir quando entrou em casa.

– Olá, explora...

Parou de imediato.

Jack estava sentado na cama dela, inclinado para a frente, como se estivesse contando uma história para Ant, sentado no chão de concreto com uma expressão extasiada.

– Mãe! – disse o menino, levantando-se depressa. – Jack tá falando sobre Hollywood. Ele conhece um monte de estrelas do cinema. Não é mesmo, Jack?

Elsa viu a pilha de panfletos na cadeira ao seu lado. *Trabalhadores, uni-vos para mudar!*

Jack se levantou.

– Encontrei Loreda na cidade hoje. Ela me convidou.

Elsa olhou para Loreda, que enrubesceu.

– Loreda na cidade. Num dia de aula. Que interessante. E convidou você... um comunista... para visitar nossa cabana, com seus panfletos. Muito sensato da parte dela.

– Eu matei aula e fui para a biblioteca – explicou Loreda enquanto Elsa guardava o leite. – A professora estava ensinando as meninas da classe a fazer cosméticos, mamãe. Quero dizer... a gente não pode comprar livros e passa fome, então será que é importante saber como fazer delineador?

– Loreda me disse que você tem trabalhado muito ultimamente – comentou Jack, aproximando-se. – Hoje fez muito calor.

– Continua fazendo calor. E eu sou uma felizarda por estar trabalhando. – Quando ele estava perto a ponto de conseguir ouvi-la sussurrar, Elsa murmurou: – Você está nos pondo em perigo com sua presença.

– Eu prometi uma aventura para eles – respondeu Jack, também aos sussurros. – Ant me disse que vocês têm um Clube dos Exploradores. Posso participar?

– Por favor, mãe! – pediram eles em uníssono.

– Eles têm um ouvido de elefante quando querem – comentou Elsa.

– Por favoooor.

– Tá bom, tá bom. Mas primeiro vocês precisam comer.

– Não – interrompeu Jack. – Vocês são meus convidados. A gente se encontra na estrada. No meu carro. É melhor vocês não serem vistos comigo.

– Acho que o melhor é não *estar* com você – disse Elsa.

Loreda deu um pulo e levou Jack até a porta, fechando-a quando ele saiu. Virou-se devagar, fazendo uma careta.

– Quanto à escola...

Sinceramente, Elsa estava cansada demais no momento para se importar com aquilo. Lavou e enxugou o rosto e escovou o cabelo.

– Amanhã a gente fala sobre isso.

Fez Ant virar de costas, então tirou sua roupa de trabalho e vestiu um belo vestido de algodão do Exército da Salvação.

Saíram da cabana e foram até a estrada, onde a caminhonete de Jack estava estacionada.

Durante todo o percurso, ficou com medo de que estivessem sendo observados, mas não viu nenhum capataz rondando por perto.

Todos se espremeram na velha caminhonete de Jack, Elsa com Ant no colo.

– E lá vamos nós! – bradou Ant quando a caminhonete partiu pela estrada.

Pouco adiante eles viraram numa estradinha com um hotel abandonado.

– Esperem aqui.

Jack saiu do carro e entrou num restaurante mexicano que parecia ter uma fila de espera. Pouco depois, saiu com uma cesta, que deixou na traseira do veículo.

Já bem longe da cidade, pegaram uma estrada que Elsa não conhecia. Uma pequena serra cheia de curvas ao pé das montanhas.

Finalmente Jack parou perto de uma grande área gramada, ao lado de dez outros veículos estacionados. Pessoas andavam em volta das árvores recém-plantadas; crianças e cachorrinhos corriam pelo gramado. Elsa viu três lagos, um deles salpicado por pessoas em barcos a remo. Pessoas nadavam ao longo da margem, rindo e espirrando água. À esquerda, em um aglomerado de árvores, uma banda tocava uma música do Jimmie Rodgers. Várias mesas de acampamentos se enfileiravam ao longo da margem. O ar cheirava a açúcar queimado e pipoca.

Era como voltar no tempo. Elsa pensou no Dia dos Pioneiros e em como ela e Rose cozinhavam o dia inteiro para o evento, e em Tony tocando o seu violino enquanto todo mundo dançava.

– É como estar em casa – disse Loreda.

Elsa segurou a mão da filha por um momento e a soltou.

Loreda e Ant correram para o lago.

– É lindo – disse Elsa.

Jack tirou a cesta do automóvel.

– A WPA construiu isso com fundos do presidente Roosevelt. Criou empregos, e os trabalhadores ganharam bons salários. Hoje é o dia da inauguração.

– Achei que os comunistas detestassem tudo nos Estados Unidos.

– De jeito nenhum – replicou Jack, solenemente. – Nós aprovamos o New Deal. Acreditamos na justiça, em salários justos e em oportunidades iguais para todos, não só para os ricos. O comunismo é apenas o novo americanismo; acho que foi John Ford, o diretor de cinema, quem disse isso primeiro, em uma das primeiras reuniões da nova Liga Antinazista de Hollywood.

– Você leva isso muito a sério – disse Elsa.

– Mas isso é sério, Elsa. – Ele a pegou pelo braço e começou a andar pelo parque. – Mas não hoje.

Elsa notou que as pessoas olhavam para ela, julgando suas roupas surradas e pernas de fora, os sapatos que não serviam bem.

Uma mulher alta num vestido de crepe azul passou por eles, as mãos enluvadas agarradas à bolsa. Disfarçando, cheirou o ar, virando a cabeça para o outro lado.

Elsa parou, sentindo-se envergonhada.

– Essa megera não tem o direito de julgar você. Não ligue pra ela – disse Jack, instando-a a continuar andando.

Era exatamente o tipo de coisa que seu avô diria. Elsa não pôde deixar de sorrir.

Foram até a beira do lago e sentaram-se na grama. Ant e Loreda brincavam na água até os joelhos. Elsa e Jack tiraram os sapatos; Jack pôs o chapéu de lado.

– Você me lembra a minha mãe – falou.

– Sua mãe? Será que envelheci tanto assim?

– É um elogio, Elsa. Acredite em mim. Ela era uma mulher destemida.

Elsa sorriu.

– Eu não sou nada destemida, mas atualmente estou aceitando qualquer elogio.

– Eu sempre penso em como minha mãe conseguiu sobreviver neste país, uma mulher solteira que mal falava a língua local, com um filho e sem um marido. Eu odiava a maneira como as outras mulheres a tratavam, como seu chefe a tratava. Não sei por que estou contando isso para você.

– Provavelmente você acha que ela era uma mulher solitária, que você não fez o suficiente. Mas acredite em mim, eu sei o que é estar sozinha, e tenho certeza de que foi você que salvou sua mãe da solidão.

Jack ficou em silêncio por algum tempo, encarando-a.

– Faz muito tempo que eu não falo sobre ela.

Elsa ficou esperando que ele continuasse.

– Eu me lembro do som da sua risada. Por muitos anos eu me perguntei que motivos ela tinha para rir... Agora vejo você aqui, com seus filhos... Vejo como os ama e acho que entendo minha mãe um pouco melhor.

Elsa sentiu o olhar de Jack, firme e penetrante, como se quisesse saber mais sobre ela.

– Vem aqui com a gente, mãe! – gritou Ant, acenando.

Grata pela distração, Elsa desviou o olhar e acenou para os filhos.

– Vocês sabem que eu não sei nadar.

Jack levantou-se, levando Elsa junto. Ficaram tão próximos que ela sentia seu hálito nos lábios.

– É verdade – falou. – Eu não sei nadar.

– Confie em mim. – Jack a puxou em direção à água.

Elsa teria resistido, mas eles já estavam atraindo olhares demais para chamar ainda mais atenção.

Na margem, Jack a pegou no colo e a levou para o lago.

Sentiu a água fria bater nas costas, e de repente estava imersa, nos braços dele, olhando o céu azul e luminoso.

Estou boiando.

Sentiu como se não pesasse nada, uma combinação perfeita do sol e da água, frio e quente, apoiada pelos braços dele. Por um momento mágico, o mundo desapareceu e ela estava em outro lugar, antes de agora, ou longe do agora, sem estar com fome, cansada, com medo ou com raiva. Simplesmente existindo. Fechou os olhos e se sentiu em paz pela primeira vez em anos. *Em segurança.*

Quando abriu os olhos, Jack a observava. O rosto dele se aproximou, chegando tão perto que Elsa pensou que ele iria beijá-la, mas só ouviu um sussurro:

– Você sabe como é bonita?

Elsa quis dar risada da piada tão óbvia, mas não conseguiu emitir som algum, não sob o olhar de Jack. Depois de alguns segundos, seu silêncio se tornou constrangedor. Ainda assim, Elsa não fazia ideia do que deveria ter dito.

Jack a carregou para a margem, sentou-a na grama e a deixou ali, tremendo e confusa, tanto pelas palavras que ouvira quanto pelo que de repente sentia por ele.

Jack voltou com uma toalha, que jogou sobre os ombros dela. Abriu a cesta e chamou as crianças, que vieram correndo, com água escorrendo das roupas.

Ant desabou ao lado da mãe. Elsa o abraçou, envolvendo-o com a toalha.

Jack tirou duas garrafas de Coca-Cola da cesta, com tamales recheados de feijão com queijo e carne de porco, acompanhados por um delicioso molho picante.

Era o melhor dia que tiveram em anos, desde antes da seca, das tempestades de poeira e da Depressão.

– Faz a gente lembrar, não é? – perguntou Loreda bem mais tarde, quando o parque tinha esvaziado e o céu, escurecido, mostrando as estrelas brilhantes.

– Do quê?

– De casa – respondeu Loreda. – Juro que consigo ouvir o moinho.

Mas era apenas a água batendo ritmicamente na margem.

– Que saudade – comentou Ant.

– Tenho certeza de que eles também sentem saudades de nós – disse Elsa. – Vamos escrever uma carta para eles amanhã e contar tudo sobre este dia maravilhoso. – Olhou para Jack. – Obrigada.

– De nada.

A troca de palavras pareceu estranhamente íntima, ou talvez fosse a maneira como Jack olhava para ela, ou o que aquele olhar a fazia sentir. *Você me dá medo*, ela queria dizer, mas seria ridículo, e que importância teria? Era apenas um dia, um dia de folga.

– E agora...

Elsa não precisou concluir a sentença. Jack se levantou, assim como Ant e Loreda, acomodou-os na traseira da caminhonete e abriu a porta da cabine para Elsa.

Voltar para o acampamento. Para a vida real.

A estrada de volta para casa foi longa, deserta e sinuosa. Elsa pensou em começar diversas conversas com ele, encontrou uma ou outra coisa a dizer, mas acabou ficando em silêncio, confusa demais para se manifestar. O dia tinha sido... especial, mas o que ela sabia de coisas como aquela? Não queria se humilhar imaginando sentimentos que não existiam.

Jack parou na entrada do acampamento. Elsa o viu atravessar a luz dos faróis para abrir a porta para ela.

Desceu, apoiada na mão dele.

– Eu vou para Salinas daqui a alguns dias. Tentar sindicalizar os trabalhadores de lá. Talvez tentar as fábricas de conservas. Vou ficar fora algum tempo. Então...

– Por que você está me dizendo isso?

– Eu não queria que você pensasse que eu... simplesmente fui embora. Eu não faria isso com você.

– É uma coisa estranha de se dizer para uma mulher que você mal conhece.

– Se você prestar atenção, estou tentando mudar isso, Elsa. Eu quero te conhecer. Se você me der uma chance.

– Você me dá medo – disse Elsa.

– Eu sei – concordou ele, ainda segurando a mão dela. – Os fazendeiros estão com medo, os cidadãos estão com raiva, o estado está sangrando dinheiro e as pessoas estão desesperadas. É uma situação volátil. Alguém vai ter que ceder. Da última vez que houve uma explosão, três sindicalistas morreram. Eu não quero pôr você em perigo.

O curioso era que não era disso que Elsa estava falando. O medo que sentia era dele como homem, medo das coisas que sentia quando ele a olhava, medo dos sentimentos que tinha despertado nela.

– Você não é um sindicalista? – perguntou.

– Sou.

Aquilo a fez pensar pela primeira vez no perigo a que ele se expunha.

– Então não sou só eu quem precisa tomar cuidado, não é?

TRINTA

Durante aquele longo e quente verão, Elsa e Loreda fizeram todo o possível para arranjar trabalho. Não se atreveram a procurar fora do acampamento e não queriam usar o dinheiro do auxílio com gasolina, por isso ficaram em Welty e trabalharam no que puderam. Nos dias em que não conseguiam nada, Elsa cumpria suas tarefas domésticas e depois levava Loreda e Ant à biblioteca, onde a Sra. Quisdorf mantinha as crianças ocupadas com livros e projetos. Com os filhos em segurança na biblioteca, Elsa costumava ir até o acampamento perto da valeta de irrigação para conversar com Jean nas margens da água lodosa ou ao lado do caminhão atolado.

– Onde ele está? – perguntou Jean num dia particularmente quente no final de agosto. O acampamento tinha um cheiro forte no calor, mas elas não se importavam com isso. Gostavam de estar juntas.

– Quem? – perguntou Elsa, bebericando o chá preparado por Jean.

Jean olhou para Elsa daquele jeito, do jeito que as duas já conheciam.

– Você sabe de quem estou falando.

– Jack – disse Elsa. – Eu tento não pensar nele.

– Você precisa tentar mais, então – comentou Jean. – Ou simplesmente admitir que ele não sai da sua cabeça.

– Minha história com homens nunca deu muito certo.

– Sabe de uma coisa a respeito da história, Elsa? Acabou. Já tá morta e enterrada.

– Dizem que quem não conhece a própria história está condenado a repeti-la.

– Quem disse isso? Eu nunca tinha ouvido. Eu digo que gente que se prende ao passado não vê as possibilidades do futuro.

Elsa olhou para a amiga.

– Sem essa, Jean – falou. – Olhe só pra mim. Eu já não era bonita nos bons tempos... quando era jovem e bem alimentada, elegante e com roupas bonitas. Agora, então...

– Elsa, você tem uma imagem muito errada de si mesma.

– Mesmo se isso for verdade, o que se pode fazer? As coisas que os pais dizem e as coisas que o marido não diz se tornam um espelho, não é? Você acaba se vendo como eles viam, e não importa para onde vá, o espelho vem junto.

– Quebre esse espelho – disse Jean.

– Como?

– Com uma bela pedrada. – Jean chegou mais perto. – Eu também sou um espelho, Elsa. Lembre-se disso.

O algodão estava pronto para a colheita.

A notícia chegou ao acampamento das Fazendas Welty num dia quente e seco de setembro. Tufos areados flutuavam na plantação, sob um céu limpo e azul. Os avisos em todas as tendas e cabanas mandavam todos estarem a postos às seis da manhã.

Elsa vestiu uma calça e uma blusa de mangas compridas, preparou o desjejum e acordou os filhos, que agora comiam em silêncio uma polenta quente e adocicada, sentados na beira da cama.

Partia o coração de Elsa que eles fossem à colheita com ela. Especialmente Ant. Mas eles tinham conversado a respeito: Elsa chegou a achar que poderia manter os filhos na escola enquanto ganhava dinheiro para a casa e a comida. Mas agora sabia que não era possível. Já estavam lá há tempo suficiente para entender: o algodão era absolutamente vital. Até mesmo as crianças precisavam trabalhar na colheita.

Não tinham escolha senão entrar no ciclo determinado pelos fazendeiros: viver de crédito, aumentar a dívida e nunca ganhar o suficiente, nem mesmo com o auxílio do governo, para romper esse ciclo. Precisavam colher o bastante para pagar a dívida daquele ano, para recomeçarem a viver de crédito no inverno, quando não haveria mais trabalho.

Elsa enrolou os sacos de algodão, encheu os cantis, embrulhou o que iam almoçar e saiu depressa com os filhos da cabana para entrar na fila de espera dos caminhões.

– Vocês – disse o capataz, apontando para Elsa. – Vocês estão em três?

Elsa queria dizer: *Não*.

– Sim – respondeu.

– O garoto é muito magro – disse o capataz, cuspindo tabaco.

– Ele é mais forte do que parece – falou Loreda.

O homem tirou do caminhão três sacos de lona de 4 metros.

– Vocês vão para a plantação do leste. Um dólar e cinquenta por cada saco. A gente vai lançar na sua conta.

– Um dólar e cinquenta? Isso é um roubo – disse Elsa. – Nós temos nossos próprios sacos.

– Vocês moram nas terras do Welty, vão usar os sacos do Welty. Você quer trabalhar?

– Sim – respondeu Elsa. – Cabana 10.

O homem jogou três grandes sacos na direção deles.

Elsa e os filhos subiram no caminhão com os outros e foram levados a uma plantação a 8 quilômetros do acampamento, onde cada um foi designado para uma área. Elsa desenrolou o grande saco vazio e prendeu a alça no ombro, depois ensinou a Ant como proceder.

Ele parecia tão pequeno na plantação. Ela e Loreda tinham explicado como era o trabalho, mas ele teria que aprender como elas tinham aprendido: sangrando as mãos.

– Pare de me olhar desse jeito, mãe – disse Ant. – Eu não sou um bebezinho.

– Você é o meu bebezinho – replicou Elsa.

Ant revirou os olhos.

Um sino tocou. Era hora de começarem.

Elsa se abaixou e começou a trabalhar, enfiando a mão nos arbustos espinhosos, estremecendo quando os espinhos furavam sua pele. Colhia as bolas, separava das folhas e gravetos e enfiava os punhados de algodão no saco. *Não pense no Ant.*

Repetia esses gestos vezes sem conta: colher, separar, enfiar no saco.

Quanto mais o sol subia no céu, mais Elsa sentia a pele queimando, o suor escorrendo e se acumulando na gola da blusa. O saco ia ficando cada vez mais pesado, sendo arrastado passo a passo.

Na hora do almoço, a temperatura estava bem acima dos 38 graus na plantação.

O caminhão-tanque se afastou, parando na orla da plantação, o que significava que teriam que andar mais de 1 quilômetro por um gole de água.

Elsa viu quanta gente se enfileirava fora da plantação na expectativa de conseguir trabalho, passando horas e horas sob o sol causticante. Centenas de homens e mulheres.

Desesperados, dispostos a fazer qualquer coisa para alimentar suas famílias.

Elsa continuou colhendo, detestando a cada momento, a cada respiração, que seus filhos estivessem junto com ela naquele trabalho.

Quando o saco ficou cheio, ela o arrastou até as balanças enfileiradas.

Loreda veio logo atrás dela. As duas com o rosto vermelho, ofegantes e encharcadas de suor.

– Será que eles morreriam se montassem um banheiro aqui? – perguntou Loreda, enxugando a testa.

– Sem reclamar – disse Elsa, rispidamente. – Olhe só quanta gente esperando para fazer o nosso trabalho.

Loreda olhou para a fila na entrada.

– Coitados. Estão piores que nós.

Um caminhão chegou roncando pela estrada de terra, espalhando poeira. Tinha uma bola de algodão pintada nas laterais em que se lia FAZENDAS WELTY.

O caminhão parou. O Sr. Welty desceu. Era um homem grande e vigoroso, com uma cabeleira branca que pareciam tufos de algodão embaixo do chapéu de feltro. Atrás dele, na carroceria do caminhão, rolos de arame farpado.

Todos pararam de trabalhar e se viraram.

O dono. As palavras passaram pelos trabalhadores como um murmúrio. *É ele.*

O homem subiu na plataforma onde ficavam as balanças. Olhou para a plantação e os trabalhadores, em seguida fez um longo aceno de cabeça apontando as centenas de pessoas esperando lá fora.

– Graças ao governo federal, vou ser obrigado a plantar menos algodão este ano. Tem menos algodão para colher e mais gente para trabalhar. Por isso, vou cortar dez por cento do que pagamos.

– Dez por cento? – gritou Loreda. – Mas assim não...

Elsa tapou a boca da filha.

Welty olhou para Elsa e Loreda.

– Alguém quer desistir? Pode pegar o que ganhou até agora e sair. Tem dez homens querendo trabalho para cada um de vocês aqui. Para mim não faz diferença quem colhe o meu algodão. – Ele fez uma pausa. – Ou quem mora no meu acampamento.

Silêncio.

– Foi o que imaginei – falou. – Podem voltar ao trabalho.

Um sino tocou.

Devagar, Elsa tirou a mão da boca de Loreda.

– Você quer ficar como eles? – perguntou, indicando com a cabeça a fila de gente esperando para trabalhar.

– Nós somos eles! – gritou Loreda. – Isso está *errado*. Você ouviu Jack e os amigos dele...

– Quieta! – ralhou Elsa. – É perigoso falar essas coisas, e você sabe disso.

– Não me importa. Isso está *errado*.

– Loreda...

A menina se desvencilhou.

– Eu não vou ser como você, mãe. Não vou simplesmente fingir que está tudo bem enquanto eles *matam* a gente. Por que você não está furiosa?!

– Loreda...

– É claro, mãe. Pode me dizer para ser uma garota boazinha, não falar nada e continuar trabalhando enquanto nossa dívida aumenta mês a mês na loja da fazenda.

Loreda arrastou seu saco até a balança e disse bem alto:

– Sim, senhor. Pode me pagar menos. Eu estou feliz neste trabalho.

O homem na balança entregou uma ficha verde em troca do algodão. Noventa centavos por 50 quilos, e a loja da empresa ainda ficaria com dez por cento.

– Você está muito quieta – disse a mãe enquanto voltavam para a cabana.

– Considere isso uma bênção – replicou Loreda. – Você não ia gostar do que eu tenho a dizer.

– É verdade, mãe – opinou Ant. – Deixa ela quieta.

Loreda parou de andar, olhou para a mãe.

– Por que você não está tão furiosa quanto eu?

– De que adianta ficar furiosa?

– Pelo menos é *alguma coisa*.

– Não, Loreda. Não é nada. Você sabe que tem gente chegando no vale todos os dias. Menos colheita, mais gente que quer trabalhar. Até eu entendo o básico de economia.

Loreda largou o saco de algodão vazio e saiu correndo por entre as tendas e cabanas. Queria continuar correndo, até a Califórnia se tornar só uma lembrança.

Estava na parte mais remota do acampamento, no meio do bosque, quando ouviu um homem dizer:

– Ajuda? Desde quando este estado faz alguma coisa pra nos ajudar?

– Hoje eles reduziram o pagamento de novo, em todas as plantações.

– Ei, Ike. Tenha cuidado. Aqui nós temos trabalho. E um lugar pra morar. Já é alguma coisa.

Loreda se escondeu atrás de uma árvore para ouvir os homens falando.

– Lembra como era no acampamento da estrada? Aqui é bem melhor.

Ike deu um passo à frente. Era um homem alto e magro, com um círculo de cabelos grisalhos em torno da careca pontuda.

– Você chama isso de vida? Essa é a minha segunda colheita, e já posso dizer que eu, minha esposa e meus filhos vamos nos matar de trabalhar para acabar com 4 centavos depois de pagar nossas dívidas. *Quatro centavos.* E você sabe que não estou sendo sarcástico. Tudo que a gente ganha acaba indo pra loja, pra pagar as tendas e cabanas, para os colchões, pra comida que a gente paga mais caro.

– Você *sabe* que eles enganam a gente nas contas.

– Cobram dez por cento por dólar pra descontar nossos vales, e a gente não pode descontar em nenhum outro lugar. Tudo que a gente ganha colhendo algodão só paga as nossas dívidas na loja da fazenda. Não tem como economizar. Eles fazem de propósito pra não sobrar dinheiro nenhum.

– Eu tenho sete bocas pra alimentar, Ike. Não me interessa o que esse tal Valen diz. É perigoso.

Jack.

Loreda já devia ter percebido que ele fazia parte daquilo de alguma forma. Jack era um homem de *ação.*

Saiu de trás da árvore e disse:

– Ike tem razão. Valen tá certo. A gente precisa reagir. Esses fazendeiros ricos não têm o direito de nos tratar desse jeito. O que eles fariam se a gente parasse de colher?

Os homens se entreolharam, nervosos.

– Não vem com esse papo de greve...

– Você ainda é criança – disse um deles.

– Uma criança que hoje colheu 100 quilos de algodão. – Loreda mostrou as mãos, vermelhas e lanhadas. – Eu digo que *basta.* O Sr. Valen tem razão. Nós precisamos nos unir e...

Loreda sentiu uma mão segurar o seu braço e apertá-lo com força.

– Me desculpem, rapazes – disse Elsa. – Minha filha teve um dia difícil. Esqueçam o que ela falou. – A mãe puxou Loreda para voltar para a cabana.

– Que diabo, mãe! – esbravejou Loreda, desvencilhando-se. – Por que você faz isso?

– Se eles acharem que você é uma agitadora sindical, nós estaremos perdidos. E se alguém ali fosse um espião da fazenda? Eles estão por toda parte.

Loreda não conseguia viver com toda aquela revolta.

– A gente não deveria viver desse jeito.

A mão suspirou.

– Não vai ser para sempre. Nós vamos encontrar uma saída.

Quando chover.

Quando chegarmos à Califórnia.

Vamos encontrar uma saída.

Diferentes palavras para uma velha esperança nunca realizada.

A tensão começou a ganhar espaço no vale. Podia ser sentida nas plantações, nas filas para receber o auxílio, no acampamento. A redução do pagamento deixou todos assustados e preocupados. O que viria a seguir? Ninguém dizia em voz alta, mas a palavra pairava no ar.

Greve.

Os capatazes começaram a aparecer à noite no acampamento dos fazendeiros e nos assentamentos da estrada, com cassetetes na mão. Andavam de tenda em tenda e de cabana em cabana e por entre os barracos, ouvindo o que se dizia, com sua aparição sempre esfriando as conversas. Todo mundo sabia que havia espiões vivendo entre eles, gente designada para cair nas boas graças dos fazendeiros revelando o nome de qualquer um que expressasse descontentamento ou se envolvesse em agitação.

No momento, depois de um longo dia colhendo algodão, Loreda estava estirada na cama, vendo a mãe aquecer uma lata de carne de porco com feijão na chapa.

Ouviu passos lá fora.

Um pedaço de papel deslizou por baixo da porta.

Ninguém se mexeu até os passos se afastarem.

Só então Loreda saiu da cama e pegou o papel antes da mãe.

TRABALHADORES DO CAMPO, UNI-VOS!

Um chamado à ação.

Precisamos lutar por pagamentos melhores.

Melhores condições de vida.

É coincidência nossos pagamentos terem sido reduzidos agora?

Achamos que não.

Pessoas pobres, famintas e desesperadas são mais fáceis de controlar.

Juntem-se a nós.

Libertem-se.

A Aliança dos Trabalhadores quer ajudar.

Venham falar conosco na quinta-feira à meia-noite
nos fundos do El Centro Hotel.

A mãe arrancou o papel da mão dela, leu e o amassou.

– Não...

Elsa acendeu um fósforo e queimou o papel; largou-o no chão de concreto, onde virou um montinho de cinzas.

– Nós podemos ser demitidos e expulsos desta cabana por causa deles – disse ela.

– Eles vão nos *salvar* – retrucou Loreda.

– Você não entende, Loreda? – perguntou a mãe. – Esses homens são perigosos. Os fazendeiros são contra a sindicalização.

– Claro que são. Porque querem que a gente continue passando fome e à mercê deles, para trabalhar por qualquer miséria.

– Mas nós *estamos* à mercê deles! – gritou a mãe.

– Eu vou a essa reunião.

– Não vai, não. Por que você acha que a reunião é à meia-noite, Loreda? Porque eles têm *medo*. Homens adultos têm medo de serem vistos com comunistas e sindicalistas.

– Você está sempre falando do meu futuro. Dos grandes sonhos que tem para mim. Faculdade. Como você acha que eu vou chegar lá, mãe? Colhendo algodão no outono e passando fome no inverno? Vivendo de esmola? – Ela deu um passo à frente. – Pense nas mulheres que lutaram pelo direito ao voto. Elas também tiveram medo, mas fizeram marchas pela causa, mesmo que isso significasse ir para a cadeia. E agora nós podemos votar. Às vezes os objetivos valem os sacrifícios.

– Isso é uma péssima ideia.

– Eu não aguento ser jogada de um lado a outro e ser tão humilhada, mal conseguindo sobreviver. O que eles estão fazendo é *errado*. Precisam pagar por isso.

– E é você, uma garota de 14 anos, quem vai fazê-los pagarem?

– Não. Mas Jack vai.

A mãe franziu a testa.

– E o que o Sr. Valen tem a ver com isso?

– Tenho certeza de que ele vai estar na reunião. Ele não tem medo de nada.

– Eu já disse tudo o que tinha a dizer sobre o assunto. Nós não vamos nos meter com sindicatos nem com comunistas.

TRINTA E UM

Na quinta-feira, depois de dez horas colhendo algodão, o corpo todo de Loreda doía, e no dia seguinte ela teria que acordar e fazer tudo aquilo de novo. Ganhando dez por cento a menos de pagamento.

Noventa centavos por 50 quilos de algodão colhido. Oitenta centavos, considerando a porcentagem cobrada pelas patifes da loja da fazenda.

Não parava de pensar nisso. Aquela injustiça a atormentava.

Enquanto isso, pensava na reunião.

E no medo da mãe.

Loreda entendia aquele medo mais do que a mãe imaginava. Como poderia *não* entender? Tinha passado o inverno na Califórnia, enfrentara uma inundação, perdera tudo, quase morrera de fome, com sapatos surrados que não serviam nela. Sabia o que era ir dormir com fome e acordar com fome, tentando enganar o estômago tomando água, sem sucesso. Via a mãe medindo o feijão do jantar e dividindo uma salsicha em três. Sabia que a mãe lamentava cada tostão que aumentava sua dívida com a loja.

A diferença entre Loreda e a mãe não era o medo – as duas sentiam o mesmo medo. Era o fogo. A paixão da mãe tinha se apagado. Ou talvez nunca tivesse existido. A única vez que Loreda vira uma revolta autêntica na mãe fora na noite em que enterraram a bebê dos Deweys.

Loreda *queria* sentir raiva. O que Jack disse sobre ela no dia em que se conheceram? *Tem um fogo em você, garota. Não deixe esses canalhas apagarem isso.* Algo assim.

Loreda não queria ser a mulher resignada que sofria em silêncio.

Recusava-se a ser assim.

Naquela noite, ela tinha uma oportunidade de provar isso.

Às onze da noite ela ainda estava na cama, totalmente acordada. Esperando. Contando cada minuto que passava.

Ant estava acomodado ao seu lado, usando todas as cobertas. Normalmente ela puxava as cobertas de volta e ainda lhe dava um chute só para garantir. Naquela noite isso não a incomodava.

Desceu da cama e pisou no concreto morno. Enquanto vivesse, se sentiria grata por ter um piso de verdade. Para sempre.

Uma rápida olhada de esguelha confirmou que a mãe estava dormindo.

Pegou o macacão e uma blusa do cabideiro e se vestiu rapidamente, abotoando-se enquanto calçava os sapatos.

Fora da cabana, o mundo estava em silêncio. O ar cheirava a fruta madura e a terra fecunda, com um pequeno toque de fumaça de fogueiras apagadas. Sempre havia alguma coisa no ar; coisas pairando. Cheiros. Sons. Gente.

Fechou a porta com cuidado, mas não viu nenhum capataz rondando por perto.

Saiu andando pela noite em silêncio.

Na cidade, passou pelo cinema e pela prefeitura e entrou numa rua mais afastada, onde o mato cobria a calçada e a maioria das casas e lojas eram cobertas por tapumes. Desviando-se dos postes de iluminação, manteve-se nas sombras até chegar ao hotel onde tinham ficado na noite da enchente.

Estava tudo tão quieto que ela torceu para que o evento não tivesse sido cancelado. Tinha pensado naquela noite durante o dia todo, enquanto trabalhava e suava na lavoura, arrastando seu saco pesado, embolsando o cupom que desvalorizava a sua labuta.

Nenhuma luz acesa no El Centro Hotel, mas havia alguns carros parados na frente do prédio e Loreda viu as pesadas correntes que trancavam as portas pendendo das maçanetas.

Abriu uma das portas devagar.

Viu um homem de óculos e com um nariz pontudo na recepção, olhando para ela.

– Está precisando de um quarto? – perguntou, com um forte sotaque na voz.

Loreda parou. Será que poderia ser presa só por ter vindo? Ou aquele homem era um empregado dos grandes fazendeiros que estava ali para identificar os agitadores? Ou era um amigo de Jack, vigiando para garantir que só as pessoas certas iriam à reunião?

– Eu vim para a reunião – falou.

– Lá embaixo.

Loreda foi até a escada. De repente se sentiu nervosa. Empolgada. Amedrontada.

Desceu a escada estreita com a mão no corrimão liso, passando por um depósito de material de limpeza e uma lavanderia.

Ouviu vozes e seguiu o som até uma sala nos fundos, com a porta aberta e muita gente dentro.

Pessoas espremidas ombro a ombro. Homens, mulheres e algumas crianças. Bobby Rand acenou para ela.

Jack estava na frente da sala, chamando a atenção. Apesar de estar vestido como muitos dos migrantes ao redor, com um macacão desbotado e manchado, camisa denim e casaco marrom, havia uma *vibração* nele, uma *vivacidade* que Loreda nunca tinha visto. Jack *acreditava* em alguma coisa e lutava para transformar o mundo num lugar melhor. Era o tipo de homem em quem se podia confiar.

– ... 150 grevistas foram trancados em jaulas – ele estava dizendo, com uma voz apaixonada. – Jaulas. Nos Estados Unidos. Os grandes fazendeiros, seus policiais corruptos e cidadãos transformados em vigilantes puseram seus compatriotas em *jaulas* para acabar com uma greve de trabalhadores que só queriam um tratamento justo. Dois anos atrás, um bando de fazendeiros de Tulare abriu fogo contra uma multidão só porque eles estavam *ouvindo* os organizadores de uma greve. Duas pessoas morreram.

– Por que tá dizendo isso pra nós? – alguém gritou. Loreda o reconheceu do acampamento onde morava. Um homem com seis filhos cuja esposa tinha morrido de tifo. – Está tentando nos assustar?

– Eu não vou mentir para vocês, que são boas pessoas. É perigoso fazer greve contra os grandes fazendeiros. Eles vão reagir com tudo que tiverem. E, como vocês sabem, eles têm tudo: dinheiro, poder, o governo do estado. – Jack pegou um jornal e mostrou para todos verem. A manchete dizia: "Aliança dos Trabalhadores é antiamericana". – Eu vou dizer a vocês o que é antiamericano: são os fazendeiros ficando mais ricos enquanto vocês ficam mais pobres.

– Isso aí! – bradou Jeb.

– Antiamericano é diminuir o pagamento dos trabalhadores só porque os fazendeiros são gananciosos.

– Isso aí! – respondeu a multidão.

– Eles não querem que vocês se organizem, mas se não se organizarem vocês vão passar fome, como aconteceu com os que trabalhavam na colheita de ervilha em Nipomo no inverno passado. Eu estava lá. Crianças morrendo na lavoura. De fome. Nos Estados Unidos. Os grandes fazendeiros estão plantando menos porque o preço do algodão está mais baixo, por isso eles pagam menos. Deus os livre de lucrarem menos. Eles nem vão fingir que oferecem um pagamento decente a vocês.

– Eles acham que nós não somos humanos! – gritou Ike.

Jack olhou para a multidão, olhando nos olhos de todos na plateia. Loreda sentiu uma corrente elétrica de esperança sendo transmitida dele para a multidão.

– Eles precisam de vocês. Esse é o seu poder. O algodão precisa ser colhido enquanto está seco e antes da primeira geada. E se ninguém colher?

– Greve! – gritou alguém. – Aí eles vão entender.

– Não é fácil – continuou Jack. – As plantações de algodão estendem-se por milhares e milhares de hectares, e os fazendeiros são uma frente unida. Eles escolhem um preço e não arredam o pé. É por isso que nós precisamos resistir juntos. Nossa única chance é unir forças com todos os trabalhadores. Cada um, todos. Nós precisamos que vocês passem essa mensagem. Precisamos interromper totalmente os meios de produção.

– Greve! – gritou Loreda.

A multidão ecoou, entoando:

– Greve, greve, greve!

Jack avistou Loreda no exato instante em que alguém agarrou o seu braço. A menina gritou de dor, puxou o braço e se virou para trás.

Era a mãe, tão furiosa que parecia fumegar.

– Eu não *acredito* que você fez isso.

– Você ouviu o que ele disse, mãe?

– Ouvi. – A mãe olhou para os lados, viu a multidão, o tanto de gente que estava ali.

Jack abriu caminho, indo na direção delas.

– Seu discurso foi maravilhoso – disse Loreda quando ele se aproximou.

– Eu notei que você veio sozinha – disse Jack. – É muito tarde para uma garota da sua idade sair sozinha.

– Você diria isso para Joana d'Arc? – perguntou Loreda.

– Ah, agora você é Joana d'Arc – disse a mãe.

– Eu quero fazer greve, Jack...

– Loreda – disse a mãe com rispidez. – É Sr. Valen. Agora vá lá para cima, eu preciso conversar com ele. Depois a gente conversa.

– Você não pode me obrigar a...

– Vá, Loreda – disse Jack, com a voz calma. Ele e a mãe se entreolharam.

– Certo, mas eu vou fazer greve – disse Loreda.

– Vá logo – insistiu a mãe.

Loreda deu meia-volta e subiu a escada, emburrada. Não se importava com o que a mãe dizia. Não se importava com os problemas que poderia ter ou com os perigos que enfrentaria.

Às vezes era preciso firmar uma posição e dizer basta.

– Quanto tempo faz que você voltou a Welty? – perguntou Elsa quando os dois ficaram a sós.

– Mais ou menos uma semana. Eu ia te mandar uma mensagem.

– Ah, eu diria que você fez isso. – Olhou para ele, desejando que as coisas fossem diferentes, que ela fosse diferente, que tivesse a paixão e a coragem da filha. – Ela só tem 14 anos, Jack. Fugiu no meio da noite e andou quase 2 quilômetros para chegar aqui. Você imagina o que poderia ter acontecido com ela?

– E o que isso diz a você, Elsa? Ela *acredita* nisso.

– E o que isso prova? Todos sabemos que o sistema está errado, mas sua solução não vai melhorar a nossa vida. Você só vai nos fazer ser demitidos, ou pior. Nossa sobrevivência está por um fio, você entende isso?

– Entendo. Mas se você não resistir eles vão enterrar vocês, 1 centavo de cada vez. Sua filha entende isso.

– Ela só tem 14 anos – repetiu Elsa.

Jack baixou a voz.

– Uma garota de 14 anos que colhe algodão o dia inteiro. Imagino que Ant também, pois é o único jeito de vocês conseguirem comer.

– Você está me julgando?

– Claro que não – respondeu ele. – Mas a sua filha já tem idade para decidir por si mesma.

– Diz o homem que não tem filhos.

– Elsa…

– Eu tomo as decisões por ela.

– Você deveria ensinar sua filha a resistir, Elsa. Não a se encolher.

– E agora você está realmente me julgando. Se chegou a achar que eu era uma mulher corajosa, você se enganou.

– Acho que não, Elsa. Eu acho que você acredita nisso, o que é trágico.

– Fique longe da Loreda. É sério. Não vou permitir que ela seja uma baixa nesse seu jogo de guerra.

– Não tem ninguém jogando, Elsa.

Elsa começou a se afastar.

Jack foi atrás dela.

– Não – disparou Elsa, e seguiu em frente.

Já lá fora, pegou Loreda pelo braço, arrastando-a pela rua, e as duas começaram a voltar para casa na cidade às escuras. Automóveis passavam por elas, com os faróis acesos.

– Mãe, se você tivesse ouvido o que ele…

– Não – interrompeu Elsa. – E nem você vai ouvir mais. Manter você em segurança é meu dever. Meu Deus, eu fracassei em tudo. Não vou fracassar nisso também. Você me entendeu?

Loreda parou.

Elsa não teve escolha a não ser parar também.

– O que foi?

– Você acha mesmo que fracassou comigo?

– Olhe só como nós estamos. Voltando *a pé* para uma cabana menor que o nosso antigo barraco de ferramentas. Magras como palitos de fósforos e o tempo todo com fome. É claro que eu fracassei com você.

– Mamãe – disse Loreda, chegando mais perto. – Eu estou viva por sua causa. Frequento a escola. Consigo pensar porque você me ensinou a pensar. Você não fracassou comigo. Você me salvou.

– Não tente me enrolar e me falar sobre crescer e pensar por si mesma.

– Mas é sobre isso que nós estamos falando, mamãe. Não é?

– Eu não posso perder você – disse Elsa, e lá estava: a verdade.

– Eu sei, mãe. E eu te amo. Mas eu preciso disso.

– Não – retrucou Elsa com firmeza. – Não. Agora vamos andando. Nós precisamos acordar cedo.

– Mamãe...

– Não, Loreda. *Não*.

Loreda acordou às cinco e meia e teve que se esforçar para sair da cama. Suas mãos doíam como o diabo e ela precisava de umas dez horas de sono e uma boa refeição.

Vestiu sua calça remendada e uma camisa de mangas compridas e rasgadas e andou até a fila do banheiro.

O acampamento estava estranhamente silencioso. Havia pessoas circulando, é claro, mas quase ninguém falava. Ninguém olhava nos olhos dos outros por muito tempo. Loreda viu um capataz perto da cerca de correntes com o chapéu enterrado na cabeça, observando o movimento. Sabia que havia mais espiões por ali, para descobrir se alguém estava falando sobre greve.

Entrou na fila do banheiro. Devia haver umas dez mulheres à sua frente.

Enquanto esperava, viu um movimento furtivo entre as árvores: Ike, na bomba d'água, enchendo um balde. Loreda teve vontade de falar com ele, mas não se atreveu.

Finalmente chegou sua vez de usar o banheiro.

Saiu pela porta de trás, fechando-a sem fazer barulho. Olhou ao redor, não viu ninguém à toa ou vigiando. Tentando parecer casual, encaminhou-se para a bomba d'água.

Ike continuava lá. Deu um passo para o lado ao ver Loreda se aproximando. Ela lavou as mãos na água fria.

– A gente vai se reunir hoje à noite – disse Ike em voz baixa. – Meia-noite. Na lavanderia.

Loreda aquiesceu e enxugou as mãos na calça. Na metade do caminho para a cabana sentiu um comichão na nuca. Um alerta. Alguém a observava ou a seguia.

Parou, virou-se de repente.

Viu o Sr. Welty lá no meio das árvores, fumando um cigarro. Olhando para Loreda.

– Venha aqui, mocinha.

Loreda se aproximou devagar. O jeito como a fitava, com os olhos semicerrados, fez com que sentisse um arrepio na espinha.

– Sim, senhor?

– Você colhe algodão para mim?

– Sim.

– Está contente com o trabalho?

Loreda se esforçou para encará-lo.

– Muito.

– Ouviu algum dos homens falando sobre fazer greve?

Homens. Eles sempre achavam que tudo girava ao redor dos homens. Mas as mulheres também podiam defender seus direitos; elas podiam fazer piquetes e interromper os meios de produção tanto quanto os homens.

– Não, senhor. Mas, se ouvisse, eu diria a eles que é a mesma coisa que não ter trabalho.

Welty sorriu.

– Garota esperta. Eu gosto de trabalhadores que sabem o seu valor.

Loreda voltou devagar para a cabana, entrou e fechou bem a porta. Trancou-a.

– Qual é o problema? – perguntou a mãe, erguendo os olhos.

– Welty me interrogou.

– Não chame a atenção desse homem, Loreda. O que ele perguntou?

– Nada de mais – respondeu Loreda, pegando uma panqueca da chapa. – Os caminhões acabaram de chegar.

Cinco minutos mais tarde, todos saíram da cabana e foram andando na direção dos veículos estacionados perto da cerca.

Loreda e a mãe juntaram-se aos colegas sem falar nada e subiram na traseira do caminhão.

Quando o sol apareceu na plantação de algodão, a menina viu as mudanças feitas pelos fazendeiros da noite para o dia: rolos de arame farpado instalados em cima da cerca. Uma estrutura semiacabada se erguia no centro da plantação, uma espécie de torre. A construção em andamento fazia barulhos metálicos. Homens que ela nunca tinha visto rondavam pelo caminho entre a cerca e a estrada, armados de escopetas. O lugar parecia um campo de prisioneiros. Eles estavam se preparando para uma guerra.

Mas... com *armas*? Será que eles podiam atirar nas pessoas por fazerem greve? Ali nos Estados Unidos?

De qualquer forma, uma onda de inquietação perturbou os trabalhadores. Era o que Welty queria: que todos ficassem com medo.

Os caminhões pararam. Os trabalhadores desceram.

– Eles estão com medo da gente, mamãe – disse Loreda. – Eles sabem que uma greve...

A mãe deu uma cotovelada tão forte na filha que fez Loreda se calar.

– Vamos logo – disse Ant. – Eles estão organizando as fileiras.

Loreda arrastou seu saco até chegar ao seu lugar na ponta da fileira a que fora designada.

Quando o sino tocou, ela se abaixou e começou a trabalhar, colhendo as bolas macias de seus ninhos espinhosos. Mas só conseguia pensar na reunião daquela noite.

Reunião de greve. Meia-noite.

Ao meio-dia o sino tocou de novo.

Loreda esticou o corpo, tentando aliviar a tensão do pescoço e das costas, ouvindo o som dos homens martelando.

Welty estava na plataforma das balanças, observando os homens, as mulheres e as crianças que davam o próprio sangue para deixá-lo mais rico.

– Eu sei que alguns de vocês andam falando com sindicalistas – anunciou, seu vozeirão reverberando pela plantação. – Talvez vocês acreditem que podem arranjar trabalho em outras plantações, ou talvez achem que eu preciso mais de vocês do que vocês de mim. Vou dizer desde já que esse não é o caso. Para cada um de vocês na minha fazenda, tem dez homens na fila do outro lado da cerca, esperando para tomar o seu lugar. E agora, por causa de algumas maçãs podres, eu precisei construir mais cercas e contratar homens para proteger minha plantação. A um custo considerável. Por isso, vou reduzir mais dez por cento do que vocês recebem. Quem continuar tem que concordar com esse valor. Quem não quiser ficar nunca mais vai trabalhar para mim nem pra qualquer outro fazendeiro do vale.

Loreda olhou para a mãe por cima do monte de algodão entre elas.

A estrutura no centro da plantação estava quase concluída. Agora era fácil ver o que era construído ali: uma torre de vigia. Logo haveria capatazes lá em cima, andando, armados com rifles, garantindo que os trabalhadores soubessem seu lugar.

"Está vendo?", disse Loreda, movendo apenas os lábios.

Elsa ficou acordada até tarde da noite, preocupada com o novo corte de dez por cento.

Ouviu um rangido no metal enferrujado da cama do outro lado do quarto.

Viu a silhueta da filha sob o luar que entrava pelo basculante aberto. Loreda saiu da cama em silêncio.

Elsa sentou-se e ficou vendo a filha se movimentar furtivamente enquanto se vestia, preparando-se para sair, com a mão na maçaneta.

– Aonde você pensa que vai? – perguntou Elsa.

Loreda parou, virou-se para a mãe.

– Tem uma reunião sobre a greve agora à noite. Aqui no acampamento.

– Não, Loreda...

– Você vai precisar me amarrar e amordaçar se quiser me impedir, mamãe.

Elsa não conseguia ver o rosto da filha com nitidez, mas percebeu a firmeza na sua voz. Por mais aterrorizada que estivesse, não pôde deixar de sentir um relutante lampejo de orgulho. Sua filha era tão mais forte e corajosa que ela. Vovô Wolcott também se orgulharia de Loreda.

– Então eu vou com você.

Elsa colocou um vestido leve e cobriu os cabelos com um lenço. Com preguiça de amarrar os sapatos, calçou as galochas e saiu com Loreda da cabana.

O luar iluminava as plantações de algodão ao longe, pintando de prata as bolas brancas.

O silêncio era total e absoluto, mas elas ouviram o som abafado de criaturas se movimentando no escuro. Um coiote uivou. Elsa viu uma coruja pousada num galho alto, olhando para elas.

Elsa imaginou espiões e capatazes por toda parte, escondidos nas sombras, atentos aos que se atreviam a levantar a voz num protesto. Aquela era uma péssima ideia. Péssima e perigosa.

– Mamãe...

– Shh – sussurrou Elsa. – Nem uma palavra.

Passaram pelas tendas mais recentes e viraram em direção à alongada construção de madeira da lavanderia, que continha tinas de metal, mesas compridas e prensas de manivela. Era raro ver homens naquele local, mas agora havia uns quarenta espremidos lá dentro.

Elsa e Loreda se postaram atrás do grupo.

Ike estava na frente.

– Todos nós sabemos por que estamos aqui – disse em voz baixa.

Ninguém falou nada nem se mexeu.

– Hoje eles diminuíram o pagamento mais uma vez, e vão fazer isso de novo. Porque eles podem. Todos nós sabemos sobre o pessoal desesperado chegando ao vale. Eles vão trabalhar por qualquer quantia. Eles têm filhos para alimentar.

– Assim como nós, Ike – disse alguém.

– Eu sei, Ralph. Mas nós temos que nos defender se não quisermos ser destruídos.

– Eu não sou nenhum vermelho – falou alguém.

– Pode chamar do que quiser, Gary. Nós merecemos ganhar mais – replicou Ike.

Elsa ouviu o ruído distante de motores de caminhão.

Viu as pessoas virarem a cabeça e olharem para trás.

Faróis.

– Dispersar! – gritou Ike.

Todos fugiram em pânico, afastando-se da lavanderia em todas as direções.

Elsa agarrou a mão de Loreda e a arrastou até os banheiros fedidos. Ninguém as seguiu. As duas se esconderam atrás da construção, no escuro.

Homens desceram dos caminhões com tacos de beisebol e porretes de madeira; um deles tinha uma escopeta. Formaram uma fileira e começaram a andar pelo acampamento iluminado pelos faróis dos caminhões, o som dos passos abafado pelo barulho dos motores. Batiam os tacos e porretes na palma da mão no mesmo ritmo: *tap, tap, tap.*

Elsa levou um dedo aos lábios pedindo silêncio e conduziu Loreda ao longo da cerca. Quando finalmente chegaram ao local onde ficavam as cabanas, saíram correndo, entraram e trancaram a porta.

Elsa ouviu passos vindo naquela direção.

A luz piscava através das rachaduras da cabana; os homens se aproximavam.

O som foi chegando mais perto – *tap, tap, tap* –, mas então se afastou. Alguém gritou ao longe.

– Está vendo, Loreda? – sussurrou Elsa. – Eles atacam os que ameaçam os seus negócios.

Demorou um bom tempo até Loreda falar e, quando falou, suas palavras não foram nada reconfortantes:

– Às vezes é preciso reagir, mamãe.

TRINTA E DOIS

— A gente pode ir de carro receber o auxílio hoje, mãe? – perguntou Ant ao fim de mais um longo dia quente e desmoralizante colhendo algodão.

Elsa teve que admitir que a ideia de ir e voltar da cidade a pé depois de um dia na lavoura não era nada atraente.

Mas era o tipo de decisão que a atormentaria quando chegasse o inverno.

– Só dessa vez. Aliás, se você quiser, pode ficar no acampamento brincando com os seus amigos, Ant.

– Sério? Legal.

– Eu cuido dele – disse Loreda.

Elsa lançou um olhar desconfiado para a filha.

– Eu não quero perder você de vista.

Deixaram Ant na cabana e começaram a andar até o veículo.

– Posso dirigir? O vovô disse que eu precisava ganhar prática – disse Loreda. – E se acontecer uma emergência?

– Uma emergência em que você precise dirigir?

– É possível.

– Tudo bem.

Loreda sentou-se ao volante.

Elsa subiu no banco do passageiro. Deus, como fazia calor. Loreda ligou o motor.

– Você lembra como funcionam os pedais? Pise devagar, com cuidado…

A caminhonete avançou com um solavanco e o motor morreu.

– Desculpa – falou Loreda.

– Tente de novo. Sem pressa.

Loreda pisou nos pedais, engatou a primeira marcha. O veículo partiu devagar. O giro do motor aumentou.

– Engate a segunda, Loreda – disse Elsa.

Loreda tentou algumas vezes e finalmente engatou a segunda marcha.

Seguiram pela estrada aos trancos e solavancos até a agência de assistência federal, onde já havia muita gente esperando. A fila se estendia desde a porta, passando pelo estacionamento até quase dar a volta no quarteirão.

Elsa e Loreda entraram na fila.

Enquanto esperavam, o sol começou a baixar lentamente, projetando uma luz dourada no vale por um lindo momento até o céu escurecer.

Estavam quase na frente da fila quando dois carros de polícia pararam no estacionamento. Quatro guardas uniformizados saíram dos veículos. Logo depois um caminhão da Welty chegou e o Sr. Welty desceu.

As pessoas na fila se viraram para observá-lo, mas ninguém disse nada.

Dois guardas e o Sr. Welty cortaram a fila e entraram na agência. E não saíram.

Elsa segurou a mão de Loreda. Em tempos normais, os que estavam na fila poderiam ter perguntado uns aos outros o que estava acontecendo, mas aqueles não eram tempos normais. Havia espiões em toda parte; gente precisando de trabalho, querendo uma vaga na Welty.

Finalmente Elsa entrou no escritório pequeno e abafado, com uma jovem bonita numa mesa, em frente a um fichário com os nomes dos residentes.

Welty estava em pé ao lado da mulher, parecendo quase uma ameaça à pobre garota. Os dois guardas se mantinham parados ao seu lado, as mãos apoiadas no cinturão.

Elsa deixou Loreda num canto e foi até a mesa sozinha. Sua garganta estava tão seca que precisou pigarrear duas vezes antes de falar.

– Elsa Martinelli. Abril de 1935.

Welty apontou o cartão vermelho de Elsa.

– Moradora das Fazendas Welty. Ela está na lista.

A mulher olhou para Elsa com pesar.

– Sinto muito, senhora. O auxílio emergencial não se aplica mais a pessoas aptas a colher algodão.

– Mas...

– Se estiver colhendo, não pode receber – explicou. – É a nova diretriz. Mas não se preocupe, assim que a colheita terminar a senhora vai voltar a receber o auxílio.

– Espere aí. Agora o governo do estado vai cortar meu auxílio? Mas eu sou residente e estou colhendo algodão.

– E queremos garantir que continue colhendo – disse Welty.

– Sr. Welty – disse Elsa. – Por favor. Nós precisamos...

– Próximo! – falou Welty em voz alta.

Elsa não conseguia acreditar naquela nova crueldade. As pessoas precisavam do auxílio para alimentar os filhos, mesmo se estivessem colhendo algodão.

– O senhor não tem vergonha?

– Próximo – repetiu Welty.

Um dos guardas retirou Elsa da fila. Ela saiu cambaleando; sentiu que Loreda a segurava para impedi-la de cair.

Saiu da agência de assistência social (que piada era aquele nome) e olhou para as pessoas na fila, muitas das quais não sabiam que seu auxílio havia sido cortado. Então o governo estava ajudando os fazendeiros a impedir uma greve cortando o auxílio de gente que já mal conseguia sobreviver.

Ouviu um grito e virou-se para ver.

Dois policiais prensavam um homem contra a parede, dizendo:

– Onde é a reunião de hoje à noite? Onde? Como vai sustentar sua família na prisão de San Quentin?

– Elsa!

Era Jeb, correndo na direção dela. Parecia desesperado.

– Jeb. Qual é o problema?

– É a Jean. Ela tá doente. Você pode ajudar?

– Eu dirijo – disse Elsa, já correndo para a caminhonete.

Foram até o antigo acampamento e pararam perto do caminhão dos Deweys. Os três desceram depressa. A carroceria estava coberta por um teto de madeira e metal que se estendia para o lado, abrigando uma cozinha e, no momento, dois dos filhos do casal. Jean estava deitada num colchão dentro do veículo.

– O que nós podemos fazer? – perguntou Jeb.

Elsa entrou na carroceria e se ajoelhou ao lado de Jean.

– Oi, querida.

– Elsa – falou Jean, com uma voz tão baixa que mal podia ser ouvida. Os olhos dela pareciam vítreos e desfocados. – Eu disse ao Jeb que você estaria na agência de assistência social hoje.

Elsa encostou a mão na testa da amiga.

– Você está ardendo em febre. – Então gritou para Jeb: – Traga um pouco de água!

Momentos depois, Loreda deu a Elsa um copo com água morna.

– Aqui, mamãe.

Elsa pegou o copo. Apoiando a cabeça de Jean, ajudou-a a tomar um pequeno gole.

– Vamos, Jean, só um gole.

A amiga tentou afastá-la.

– Vamos lá, Jean. – Elsa forçou-a a beber.

Jean olhou para ela.

– Desta vez é grave.

Elsa olhou para Jeb.

– Vocês têm aspirina?

– Não.

– Loreda, vá com a caminhonete até a loja da fazenda e compre aspirinas. E um termômetro. A chave está na ignição.

Loreda saiu correndo.

Elsa se acomodou mais perto de Jean, apoiou a cabeça dela no braço e acariciou sua testa.

– Acho que é tifo – disse Jean. – É melhor você não chegar muito perto.

– Não é tão fácil assim se livrar de mim. Pergunte ao meu marido. Ele teve que fugir no meio da noite.

Jean conseguiu dar um breve sorriso.

– Ele era um idiota.

– Jack disse a mesma coisa. Aliás, a mãe dele também.

– Aquele gim de que falamos cairia muito bem agora.

Elsa passou os dedos pelo cabelo úmido de Jean. Sentia o calor irradiando da pele da amiga.

– Eu poderia cantar...

– Não, por favor.

As duas sorriram uma para a outra, mas Elsa percebeu o medo de Jean.

– Está tudo bem. Você é forte.

Jean fechou os olhos e adormeceu nos braços de Elsa, que ficou acariciando sua testa febril e murmurando palavras de encorajamento até ouvir o ronco do motor da caminhonete voltando.

Graças a Deus.

Loreda estacionou e saiu.

– Mãe! A loja está fechada.

Elsa se virou para Loreda.

– Por quê?

– Provavelmente por causa das conversas sobre a greve. Eles querem mostrar pra gente o quanto precisamos deles. Esses porcos.

De repente o corpo de Jean se arqueou e enrijeceu. Os olhos se reviraram nas órbitas. O corpo começou a tremer violentamente.

Elsa ficou segurando a amiga até as convulsões pararem.

– Não tem aspirina, Jean – falou Elsa.

Jean abriu os olhos aos poucos.

– Não se preocupe, Elsa. Só me deixe...

– *Não* – retrucou Elsa. – Eu já volto. Não se atreva a ir a lugar algum.

A respiração de Jean enfraqueceu.

– Eu poderia ir dançar.

Elsa acomodou a cabeça da amiga e foi até a caminhonete.

– Você fica aqui – disse a Loreda. – Tente fazer Jean tomar mais água. Mantenha um pano molhado na testa dela. Não a deixe se descobrir.

Virou-se para Jeb.

– Eu já volto.

– Aonde você vai? – perguntou Jeb.

– Vou arranjar aspirina.

– Onde? Você tem dinheiro pra pagar?

– Não – respondeu Elsa, irritada. – Eles não deixam a gente ter dinheiro. Espere aqui.

Entrou no veículo, ligou o motor e pegou a estrada.

No hospital, atravessou o estacionamento e entrou no edifício, deixando pegadas de barro no piso a caminho da recepção, onde uma mulher jogava paciência com um baralho.

– Preciso de ajuda – falou. – Por favor. Sei que vocês não nos atendem neste hospital, mas algumas aspirinas já seriam de grande ajuda. Minha amiga está com febre. Uma febre muito alta. Pode ser tifo. Me ajude, por favor. *Por favor*.

A mulher se endireitou na cadeira, olhou de um lado para outro do corredor.

– Você sabe que isso é contagioso, não sabe? Tem uma enfermeira no novo acampamento do governo em Arvin. Ela pode ajudar. Ela trata da sua laia.

Sua laia.

Chega.

Elsa saiu do hospital, foi até a caminhonete e pegou o taco de beisebol de Ant. Voltou com o taco pelo estacionamento, tentando manter a calma.

Dessa vez abriu a porta com um estrondo, olhou para a mulher com desdém e bateu com o taco no balcão com tanta força que marcou a madeira.

A mulher deu um grito.

– Ah, certo. Agora eu chamei a sua atenção. Eu preciso de aspirina – disse Elsa calmamente.

A mulher abriu um armário. Começou a remexer nos remédios com as mãos trêmulas.

– Okies desgraçados – resmungou em voz baixa.

Elsa quebrou o abajur. Depois o telefone.

A mulher pegou dois frascos e os jogou em Elsa.

– Vocês são uns animais – disse a mulher.

– Assim como a senhora.

Elsa pegou a aspirina.

Estava quase chegando à porta quando viu um homem corpulento vindo em sua direção pelo corredor.

– Não deixe ela sair, Fred! – gritou a mulher da recepção. – É uma criminosa!

O homem barrou a porta.

Elsa continuou andando na direção do segurança, segurando o taco de beisebol. Seu coração trovejava, mas ela se sentia estranhamente calma. Até mesmo no controle da situação. Ia sair com o remédio e ninguém iria impedir que o levasse para Jean.

– Você vai mesmo me impedir, Fred?

A expressão do homem amansou.

– Eu e minha esposa chegamos aqui vindo de Indiana uns cinco anos atrás. Naquela época era muito mais fácil. Sinto muito pela maneira como a senhora foi tratada. – Ele tirou uma nota de 5 dólares do bolso. – Isso ajuda um pouco?

Elsa quase chorou diante daquela pequena gentileza.

– Muito obrigada.

– Vá logo. A esta altura, Alice já deve estar chamando a polícia.

Elsa saiu correndo do hospital, jogou o taco de beisebol na caçamba, ligou o motor e pisou no acelerador. A velha caminhonete patinou no cascalho, mas logo se alinhou e pegou a estrada escura.

Entrou no acampamento e parou na frente do caminhão dos Deweys.

Viu Jeb na traseira com Jean, apoiando a cabeça da esposa com o braço; os filhos estavam com Loreda embaixo do puxadinho ao lado do caminhão, os garotos de mãos dadas com as meninas.

– Ela continua querendo tomar gim – disse Jeb, parecendo perplexo e confuso. – Ela nem bebe.

Elsa subiu na traseira do caminhão, colocando-se do outro lado de Jean.

– Ei, sua travessa. Eu trouxe aspirina.

Jean abriu os olhos devagar.

– Ouvi dizer que você está criando encrenca, pedindo gim – disse Elsa.

– Um martíni antes de morrer. Acho que não é pedir muito.

Elsa ajudou Jean a engolir duas aspirinas e a tomar um copo d'água. Passou a mão na testa da amiga.

– Não desista, Jean...

A amiga olhou para ela, a respiração pesada, suando.

– Você ainda vai dançar, Elsa – falou, com a voz tão fraca que mal dava para ouvir. – Por nós duas. – Apertou a mão de Elsa. – Eu te amei muito, minha amiga querida.

Não no pretérito. Por favor.

Jeb começou a chorar.

– Eu também te amo, Jean – sussurrou Elsa.

Jean virou lentamente a cabeça na direção do marido.

– Onde estão... meus filhos, Jeb?

Elsa teve que se obrigar a sair do caminhão. Os quatro filhos dos Deweys entraram e se reuniram ao redor da mãe.

Elsa ouviu Jean murmurar.

Elroy respondeu:

– Pode deixar, mãe.

As meninas apenas choravam.

Em seguida, ouviu a voz entrecortada de Jean:

– Eu tinha tanta coisa a dizer a vocês...

Loreda pôs a mão no ombro da mãe.

– Tudo bem com você?

A resposta de Elsa foi um grito primal.

Assim que começou, não conseguiu mais parar.

Loreda abraçou a mãe enquanto ela desabafava, aos gritos – pela maneira como viviam, pelos sonhos perdidos, pelo futuro no qual tinham acreditado tão cegamente. Pelas crianças que cresceriam sem conhecer Jean. Sem conhecer seu humor, sua bondade, sua força, suas esperanças para os filhos.

Elsa chorou até se sentir vazia por dentro.

Afastou-se de Loreda, que parecia amedrontada.

– Me desculpe – falou Elsa, enxugando os olhos.

– Tem momentos que... a gente não aguenta – disse Loreda. – Às vezes é bom enlouquecer.

– Tem razão – concordou Elsa. *Basta.* – Se eu quisesse encontrar o Sr. Valen e seus amigos comunistas, você saberia onde procurar?

– Acho que sim.

– Onde?

– Tem um celeiro onde eles fazem os panfletos e outras coisas. No fim da estrada de Willow.

– Certo. – Elsa respirou fundo e soltou o ar lentamente. – Então vamos lá.

Mais tarde, quando as estrelas despontaram no céu sobre o vale, Elsa saiu silenciosamente da cabana com os filhos e foram para a caminhonete. Ninguém falou nada enquanto subiam no veículo e partiam. Todos entendiam o perigo da decisão que tinham tomado naquela noite.

– Vire aqui – disse Loreda.

Elsa pegou uma estrada de terra que passava por um campo não cultivado. No fim da estrada, um celeiro cinza-amarronzado se erguia ao lado de uma velha casa de fazenda com janelas quebradas e tapumes nas portas – com uns seis ou sete automóveis parados na frente.

Elsa estacionou ao lado de um Packard empoeirado. Os três saíram do carro e se encaminharam para o celeiro. Loreda abriu a porta meio quebrada.

O interior era iluminado por lampiões. Várias mesas se distribuíam pelo chão de terra coberto de palha; cadeiras enfileiravam-se aleatoriamente ao longo das paredes. Pelo menos dez pessoas estavam trabalhando: algumas em máquinas de escrever, outras em máquinas de mimeógrafo. Os cigarros acesos esfumavam o ar, mas não disfarçavam o cheiro do feno.

Elsa e os filhos passaram pelos comunistas; ninguém pareceu notar sua presença. Ela viu uma folha de papel saindo do mimeógrafo: TRABALHADORES, UNI-VOS! era o título em negrito. O cheiro era de tinta e metal.

Passaram por uma mulher miúda, de óculos e cabelos escuros, andando de um lado a outro enquanto ditava para outra mulher, que datilografava.

– Não podemos permitir que os ricos fiquem mais ricos enquanto os pobres ficam mais pobres. Como podemos afirmar que somos a terra da liberdade com pessoas morando na rua e morrendo de fome? Mudanças radicais exigem métodos radicais...

Loreda cutucou a mãe com o cotovelo. Elsa ergueu o olhar.

Jack se aproximava.

– Olá, boa noite – falou, olhando diretamente para Elsa. – Oi, Loreda. Natalia está na máquina de mimeografar. Talvez você possa ajudar.

– Você também, Ant – disse Elsa. – Fique com a sua irmã.

Jack levou Elsa para fora, até uma fogueira rodeada por alguns móveis de diversos formatos. Vários cinzeiros transbordavam com guimbas de cigarros.

– Então é assim, os comunistas se sentam ao redor de uma fogueira e fumam como qualquer um – comentou Elsa.

– Nesse aspecto nós somos quase humanos. – Jack chegou mais perto. – O que aconteceu?

– Jean morreu. Não havia como salvá-la. A loja da fazenda estava fechada para nos ensinar uma lição e o hospital não fez nada. Cheguei até a... usar um taco de beisebol para chamar a atenção deles. Mas só consegui aspirinas. Ah, e hoje eles tiraram o nosso nome da lista de beneficiários. Quem estiver colhendo algodão não tem mais direito ao auxílio do estado.

– Nós soubemos. Os fazendeiros forçaram o estado a tomar essa medida. Eles estão chamando isso de política de Não Trabalha, Não Come. Eles têm medo que vocês deem de comer aos filhos com o dinheiro do auxílio e façam greve por um pagamento mais digno.

Elsa cruzou os braços.

– Durante toda a minha vida me ensinaram a não reclamar, a não querer muito, a me sentir grata pelas migalhas que conseguisse. E eu fiz isso. Achei que, se fizesse o que as mulheres devem fazer e agisse de acordo com as regras, isso iria... sei lá... melhorar. Mas a maneira como somos tratados...

– É injusta – completou Jack.

– É errada – disse Elsa. – Isso não deveria acontecer.

– Não.

– Uma greve. – Ela disse a temível palavra em voz baixa. – Isso poderia funcionar?

– Talvez.

Sentiu-se grata pela honestidade.

– Eles vão reagir se tentarmos.

– Sim – concordou Jack. – Mas a vida é mais do que o que acontece conosco, Elsa. Nós temos escolhas a fazer.

– Eu não sou uma mulher corajosa.

– Mas aqui está você, tomando uma posição nesta luta.

As palavras dele tocaram em algum ponto sensível.

– Meu avô era um Texas Ranger. Ele me dizia que a coragem é uma mentira. Que é só o medo que a gente precisa ignorar. – Olhou para ele. – Bom, eu sinto medo.

– Todos nós sentimos medo – falou Jack.

– Eu me preocupo pelos meus filhos, filhos que preciso alimentar e vestir, manter em segurança. Não posso arriscar a vida deles.

Jack não disse nada, e ela sabia por quê. Estava deixando que ela falasse.

– Eles já estão em perigo – continuou. – Não podem achar que isso é o que nós merecemos, que esses são os Estados Unidos. Eu preciso ensinar a eles como se defender.

Elsa sentiu uma grande onda de alívio, quase como se tivesse voltado para casa... mas ao mesmo tempo sentia também um medo intenso e avassalador. *Coragem é o medo que a gente ignora*. Mas como fazer isso? Em termos práticos?

– A torre com homens armados que eles construíram na plantação... é para causar medo, certo? O que nós queremos fazer... uma greve... não é ilegal.

– Não é ilegal. Diabos, é a própria essência do nosso país. Nós temos o direito de protestar, as leis são impostas pelo governo. Pela polícia. Você viu como eles apoiam os grandes negócios.

Elsa assentiu.

– E o que nós podemos fazer?

– Primeiro precisamos espalhar a palavra. Nós marcamos uma reunião na sexta-feira para falar sobre a greve. Mas se já é perigoso falar sobre isso com os outros, imagine comparecer à reunião.

– Tudo é perigoso – disse Elsa. – E daí?

Jack acariciou o rosto dela.

Elsa aceitou o toque dele, sentindo-se mais forte e encorajada.

TRINTA E TRÊS

No lusco-fusco antes do amanhecer, Loreda saiu da cabana. Sentia-se energizada, entusiasmada depois da reunião da Aliança pelos Trabalhadores da noite anterior. Os comunistas estavam trabalhando arduamente para organizar uma greve, mas eles precisavam de gente como ela para espalhar a mensagem pelos acampamentos. Os comunistas não podiam fazer isso pessoalmente.

Mas é perigoso, como Natalia tinha alertado. *Não se esqueça disso. Quando era menina, eu vi uma revolução de perto. Com sangue correndo pelas ruas. Nunca esqueça que o Estado tem todo o poder... dinheiro, armas e recursos humanos.*

Mas temos a coragem e o desespero, fora a resposta de Loreda.

Isso, concordara Natalia, exalando fumaça do cigarro que fumava. *E inteligência. Então use a sua inteligência.*

Loreda fechou a porta da cabana e saiu andando pelo acampamento. Ouviu as pessoas se preparando para o dia, servindo refeições, embrulhando o almoço. A fila para os banheiros era grande.

O silêncio era algo novo e enervante. Ninguém ria nem conversava. O medo dominava o acampamento. Todos sabiam que estavam sendo vigiados por pessoas leais aos fazendeiros, não aos trabalhadores. Infelizmente, nunca se sabia quem era o traidor até dizer a palavra errada para a pessoa errada e ouvir alguém batendo na sua porta no meio da noite. Eles já tinham ouvido gritos de famílias sendo expulsas do acampamento à força.

As primeiras cores da alvorada iluminaram o arame farpado em cima das novas cercas. Loreda foi até a fila dos banheiros e esperou sua vez. Depois, viu Ike enchendo o cantil na bomba d'água perto da lavanderia. Tentou parecer totalmente casual ao andar na direção dele, mas talvez não tivesse conseguido. Sentiu uma descarga de adrenalina que a deixou amedrontada, agitada e ansiosa.

Chegou perto de Ike e falou, sem parar de andar:

– Sexta-feira. Celeiro da estrada de Willow. Oito horas. Passe adiante.

Continuou andando, sem nem olhar para trás para ver se ele tinha ouvido. Seguiu na direção da cabana, devagar, esperando ser detida a qualquer momento.

Entrou e fechou a porta.
Elsa e Ant olharam para ela.
– Então…? – perguntou a mãe em voz baixa.
Loreda aquiesceu.
– Eu falei para o Ike.
– Ótimo. Vamos colher algodão.

Naquela noite, depois de mais um longo e sufocante dia na lavoura, receberam uma carta de Tony e Rose para animá-los. Depois do jantar, as crianças se sentaram na cama com Elsa, e ela abriu o envelope. A carta estava escrita no verso do papel da última carta enviada por Elsa. Não havia razão para desperdiçar papel.

Queridos,
Está sendo um verão quente e seco. A boa notícia é que o vento e a poeira deram uma amainada. Estamos há dez dias sem nenhuma tempestade de poeira. Ainda não dá para dizer que elas não vão mais acontecer, mas de qualquer forma é uma resposta às nossas preces. Agosto e a primeira metade de setembro foram bem desagradáveis. A impressão é que não fizemos nada além de varrer a casa, mas até agora os últimos dias têm sido melhores. Além disso, o governo finalmente entendeu que o que mais precisamos aqui é água, que tem sido trazida por caminhões-tanque. Estamos rezando para termos uma colheita já no próximo inverno. Pelo menos o suficiente para alimentar nossas duas novas vacas e o cavalo. Mas ainda é difícil ter esperança.
Muito amor a todos vocês. Sentimos muita saudade.
Com amor, Rose e Tony

– Você acha que a gente ainda vai vê-los de novo, mamãe? – perguntou Loreda no silêncio que se seguiu à leitura da carta.
Elsa se recostou na cabeceira enferrujada da cama. Ant deitou a cabeça no colo dela. A mãe afagou seus cabelos.
Loreda recostou-se do outro lado da cama.
– Vocês se lembram daquela casa em que paramos em Dalhart, no dia que partimos para a Califórnia? – perguntou Elsa.
– Aquela casa grande com as janelas quebradas?
Elsa assentiu.

– Era grande mesmo. Foi lá que eu cresci... numa casa que não tinha coração. Minha família... me rejeitava, acho que essa é a melhor forma de descrever. As aparências eram muito importantes para eles, e minha falta de atrativos era uma falha fatal.

– Mas você...

– Não estou dizendo isso para receber elogios, Loreda. E Deus sabe que já não tenho mais idade para ouvir mentiras. Só estou respondendo a sua pergunta. Essa que você fez e a outra que não faz há algum tempo. Sobre mim e seus avós e seu pai. Enfim, o que estou dizendo é que fui uma menina muito sozinha. Nunca consegui entender o que tinha feito para merecer meu isolamento. Eu me esforçava tanto para ser amada... – Elsa fez uma pausa e respirou fundo. – Quando conheci seu pai, achei que tudo tinha mudado. E mudou mesmo. Para mim. Mas não para ele. Seu pai sempre quis mais na vida do que aquela fazenda. Sempre. Como você sabe.

Loreda assentiu.

– Eu amava seu pai. Amava mesmo. Mas isso não era suficiente para ele, e agora eu percebo que também não era para mim. Ele merecia mais, e eu também. – Ao dizer aquelas inesperadas palavras, Elsa se sentiu transformada de alguma forma. – Mas sabem o que realmente mudou minha vida? Não foi o casamento. Foi a fazenda. Rose e Tony. Foi quando comecei a fazer parte de um lugar, a conviver com pessoas que me amavam, e aquilo se tornou o lar com que eu sonhava quando era pequena. E depois vieram vocês e me ensinaram o quanto uma pessoa pode amar.

– Eu tratava você como se fosse uma praga – admitiu a menina.

Elsa sorriu.

– Por alguns anos. Mas antes disso você... você não conseguia ficar longe de mim. Você me chamava na hora da sua soneca, dizia que não conseguia dormir sem mim.

– Me desculpe – disse Loreda. – Pelo...

– Não há por que se desculpar. Nós brigamos, discutimos, magoamos uma à outra, e daí? O amor é assim, acho. Tudo isso. Lágrimas, raiva, brigas. Mas, acima de tudo, é permanente. Continua. Durante tudo que aconteceu... a poeira, a seca, as nossas brigas, nem por um momento eu deixei de amar você, Ant ou a fazenda. – Elsa abriu um sorriso. – Então, tudo isso é pra responder sua pergunta: Rose, Tony e a fazenda são o nosso lar. Nós ainda vamos reencontrá-los. Algum dia.

– Eles eram loucos – disse Loreda. – Estou falando da sua outra família. E perderam uma coisa preciosa.

– Como assim?

– Você. Eles nunca perceberam como você é especial.

Elsa sorriu.

– Acho que essa foi a coisa mais linda que você já me disse, Loreda.

Na noite de sexta-feira, depois de outro longo dia colhendo algodão, Elsa e os filhos saíram discretamente do acampamento e foram até o fim da estrada de Willow para a reunião sobre a greve.

No celeiro, máquinas de escrever tilintavam, pessoas conversavam em voz alta e andavam de um lado para outro. Comunistas, a maioria. Não havia muitos trabalhadores presentes.

Jack os viu na porta e se aproximou.

– Os fazendeiros estão ficando nervosos – falou. – Ouvi dizer que o Welty está pronto para lutar.

– Ontem à noite o acampamento estava cheio de homens armados – disse Loreda. – Ninguém fez nenhuma ameaça, mas nós entendemos a mensagem.

– Não dá para culpar as pessoas por não quererem comparecer – falou Jack.

– Os Brennans não vêm – disse Ant. – E disseram que nós éramos loucos por vir aqui.

– Nós não estamos na terra dos fazendeiros – opinou Loreda. – Não tem nenhuma lei proibindo a gente de *conversar*.

– Às vezes os direitos legais não são levados em consideração como deveriam – explicou Jack.

Natalia foi falar com Jack. Como sempre, impecavelmente vestida, com uma calça preta e um blazer castanho sobre uma camisa branca abotoada até o pescoço. Não era à toa que Loreda idolatrava aquela mulher. Em meio àquela arriscada reunião, ela conseguia se manter calma e glamourosa. Como uma mulher podia se tornar tão segura?

– Vamos – falou, pegando Jack pelo braço. – Vocês também.

Natalia levou todos até a porta do celeiro.

No terreno entre o celeiro e a estrada, Loreda viu uma longa fila de veículos se aproximando. Um após outro, os carros estacionaram na frente; portas se abriram. Pessoas saíram dos veículos, reunindo-se casualmente; outros automóveis pararam. Pessoas chegavam a pé pelo terreno baldio ao lado da estrada.

Por volta das oito da noite, Elsa calculou que deveria haver umas quinhentas pessoas lá. Mais gente chegava a pé pela estrada, misturando-se aos que já estavam na frente do celeiro. Falavam entre si, mas em voz baixa. Todos estavam com medo por estarem ali, medo das consequências de simplesmente falar sobre uma greve.

– Você deveria falar com eles – disse Jack a Elsa.

Elsa deu uma risada.

– Eu? E por que alguém me ouviria?

– Você conhece essas pessoas. Elas vão dar atenção a você.

– É melhor você falar – disse ela. – Convença esse pessoal do jeito que você me convenceu.

Jack arrastou uma mesa do celeiro até as portas duplas da frente e subiu nela.

Todos ficaram em silêncio. Elsa olhou para aquelas famílias: gente que tinha vindo do Meio-Oeste ou do Sul, do Texas e das Grandes Planícies; gente que tinha trabalhado arduamente a vida toda e queria continuar trabalhando, confusa por de repente se encontrar naqueles inexplicáveis tempos difíceis. Todos eles pensavam, ou tinham pensado, como Elsa, que se tivessem uma oportunidade, uma chance, poderiam acertar o rumo de suas vidas.

– Oito anos atrás, os mexicanos trabalhavam em quase todas as plantações deste grande vale – começou Jack. – Eles atravessavam a fronteira, trabalhavam nas colheitas daqui e partiam. Em fevereiro colhiam ervilhas em Nipomo, em junho eram os damascos de Santa Clara. As uvas de Fresno em agosto, e em setembro voltavam aqui para o algodão. Vinham, trabalhavam e voltavam para casa no inverno. Praticamente invisíveis para os moradores locais. Até a Crise de 1929 quebrar o sistema e fazer os californianos terem medo de perder seus empregos. Eles começaram a temer o que todos os americanos temem: os forasteiros. Assim, o estado da Califórnia se opôs à imigração, rotulou os mexicanos como criminosos e os deportaram. Em 1931, a maioria deles estava na clandestinidade. Teria sido uma catástrofe para os grandes fazendeiros, mas então… – Jack estendeu os braços – … veio o Dust Bowl. A seca. A Grande Depressão. Milhões perderam seus empregos e suas casas. Vocês vieram para o Oeste em busca de empregos, querendo só pôr comida na mesa e sustentar suas famílias. Vocês ocuparam o lugar dos mexicanos na lavoura. Agora vocês representam noventa por cento dos trabalhadores no campo. Mas vocês não querem ser invisíveis, querem? Vocês vieram para morar aqui, fincar raízes, serem *californianos*.

– Nós somos americanos! – gritou alguém na multidão.

– Temos todo o direito de estar aqui!

– Certo – concordou Jack, olhando para todos. – Esse direito vale para todos os americanos, certo?

– Sim!

– Aqui vocês têm o direito de serem pagos pelo seu trabalho e receberem um pagamento justo. Vocês têm o *direito* de receber um pagamento justo, mas precisam lutar por isso. Eles não vão lhes dar isso de graça. Eles estão mais interessados nas próprias contas bancárias do que na sobrevivência de vocês. Nós precisamos nos unir. Homens, mulheres, crianças que trabalham nas colheitas deles. Precisamos nos unir e tomar uma posição e dizer CHEGA. Não vamos ser tratados como imprestáveis. Vamos mostrar nossa força no dia 6 de outubro. Passem a palavra. O movimento vai ser pacífico. Isso é crucial. Isso é um protesto, não uma briga. Vocês vão chegar nas plantações de algodão e se sentarem. Só isso. Se conseguirmos reduzir o ritmo dos meios de produção, mesmo que só por um dia, nós vamos chamar a atenção deles.

– Chamar a atenção deles é perigoso! – gritou alguém. – Eles vão atacar a gente.

– Eles atacam vocês todos os dias. Precisamos lembrar pelo que estamos lutando – disse Jack. – No dia 6 de outubro, meus camaradas vão comandar greves em todas as fazendas e plantações que pudermos por todo o vale. Se conseguirmos interromper o trabalho em todos esses lugares ao mesmo tempo, podemos...

O discurso foi interrompido pelo som de sirenes.

A polícia. Bloqueando a estrada com as viaturas, as luzes piscando.

– A polícia! – gritou alguém.

– Greve no dia 6 de outubro! – bradou Jack. – Espalhem a palavra. Todos no mesmo dia. Em todas as plantações.

Atrás dos carros de polícia, chegaram caminhões cheios de homens armados com porretes, pás e cassetetes.

Um homem com um alto-falante, em pé na traseira de um dos caminhões, falou:

– Por favor, dispersem. Vocês estão envolvidos em atividades ilegais.

Os veículos pararam. Homens saíram empunhando suas armas.

A multidão se dispersou. Pessoas gritavam e se empurravam.

– Loreda! – Elsa não conseguia ver seus filhos naquele pandemônio. – Ant!

Pessoas corriam em todas as direções. Os que chegaram de carro partiram com seus veículos. Os outros fugiam correndo pela mata.

Elsa viu Ant e Loreda, abraçados um ao outro, sendo levados pela multidão.

Começou a correr até eles, mas sentiu uma pancada na cabeça, forte, e caiu no chão, inconsciente.

Elsa recobrou a consciência aos poucos. Sentiu a boca seca. Estava com sede. A última coisa que lembrava era...

– Loreda! Ant! – Sentou-se tão depressa que se sentiu zonza.

Viu Jack ao seu lado.

– Eu estou aqui, Elsa – falou.

Ela percebeu que estava numa cama. Mas em um quarto em que nunca estivera. Viu uma cadeira vazia ao lado da cama.

Jack deu a ela um copo de água e se sentou na cadeira.

– Cadê os meus filhos?

– Natalia levou os dois para a sua cabana. Na sua caminhonete.

– Como você sabe?

– Eu pedi a ela para fazer isso. Natalia é infalível. Ela vai ficar na cabana, com a porta trancada. E abrir fogo contra qualquer um que tentar fazer mal a eles.

– Eles sabem que estou em segurança?

– Natalia sabe que você está comigo, então sim. Ela confia em mim, e eu confio nela.

– Que bela relação vocês dois têm.

– Nós passamos por muita coisa juntos.

Elsa tomou a água e se recostou. Sentia um zumbido no ouvido e a cabeça latejando. Pôs a mão na nuca. Seus dedos se mancharam de sangue.

– O que aconteceu?

– Um dos brutamontes deles acertou você.

Elsa viu que as juntas da mão direita dele estavam esfoladas.

– E você bateu nele?

– Bastante.

Molhou um pedaço de pano numa bacia com água, torceu-o e pôs na testa dela. O frescor a fez se sentir melhor.

– Há quanto tempo foi isso?

– Uma hora, talvez. Eles conseguiram o que queriam: todos estão com medo de fazer greve.

– Eles já estavam com medo antes, Jack, mas vieram à reunião. Alguém mais foi ferido além de mim?

– Vários. Alguns foram presos. Eles puseram fogo no celeiro. Levaram todos os nossos mimeógrafos e máquinas de escrever.

Elsa examinou o quartinho onde estava, viu o mobiliário espartano: um velho gaveteiro, uma mesa de cabeceira com um lampião, um tapete de pano. Pilhas de papéis e livros, revistas e jornais encostadas nas paredes, cobrindo todas as superfícies. Nenhum espelho. Nenhum guarda-roupa. Só algumas roupas masculinas penduradas em ganchos na parede. Tudo parecia temporário. Ou talvez fosse como os homens viviam quando não tinham uma esposa.

– Onde nós estamos? – perguntou, mas já sabia.

– Eu durmo aqui quando estou na cidade.

– Interessante você não dizer que mora aqui.

– Minha vida é… mais que um ideal. Uma causa. Ou já foi.

– Como assim?

– Há anos eu venho lutando para fazer os ricos pagarem um salário digno aos que trabalham para eles. Odeio a desigualdade entre os que têm muito e os que têm muito pouco. Já fui espancado e preso por isso. Vi meus camaradas sendo espancados, mas hoje… quando vi você ser atingida…

– O que tem?

– Eu pensei: isso não vale a pena. – Olhou para ela. – Você me desestabilizou, Elsa.

Ela sentiu uma ligação entre eles, mas não soube o que fazer com aquilo, como chegar até ele sem se humilhar.

– Eu também não sou a mesma quando estou perto de você – foi só o que conseguiu pensar em dizer.

Jack segurou a mão dela e não soltou.

O silêncio se tornou constrangedor. Ele parecia estar esperando Elsa dizer alguma coisa, mas o quê?

– Você está com sangue no rosto e no cabelo. Talvez queira tomar um banho antes de eu levar você de volta para sua cabana. Para seus filhos não verem você assim.

Ele a ajudou a se levantar e a ajudou a percorrer o caminho até o pequeno banheiro. Jack abriu a torneira da banheira de porcelana e a deixou sozinha.

Elsa se despiu e entrou na banheira. Imergiu na água quente com um suspiro.

Relaxou de uma maneira que não acontecia havia muito tempo. Lavou o corpo e os cabelos e se sentiu rejuvenescida.

Mas o tempo todo não parou de pensar em Jack.

Você sabe como é bonita? Nunca esquecera o momento em que ele tinha dito aquelas palavras, e minutos antes ele dissera que ela a desestabilizara. Com certeza o sentimento era recíproco.

Elsa saiu da banheira e se enxugou, enrolou uma toalha no corpo nu e estendeu a mão para pegar o vestido esfarrapado.

Mas hesitou.

Quando vestisse aquela roupa de novo, voltaria a ser a Elsa.

Ela não queria isso. Não queria ser a Elsa que não se manifestava, aceitava menos do que merecia e achava que aquilo era o seu dever. Preferia se arriscar no amor e fracassar a nunca ter se arriscado.

Girou a maçaneta bem devagar.

Mesmo enquanto abria a porta, não conseguia acreditar que estava fazendo aquilo: ela, que por mais de doze anos ansiou pelo toque do marido sem nunca ter coragem de procurá-lo, ia sair do banheiro enrolada numa toalha.

Parecia ser a atitude mais corajosa de toda a sua vida. Entrou no quarto.

Jack estava encostado numa parede, com os braços cruzados. Quando a viu, descruzou os braços e andou na direção dela.

Elsa deixou a toalha cair, tentando não sentir vergonha do corpo magro.

Jack hesitou, então voltou a se aproximar, dizendo o nome dela com carinho.

Elsa não conseguia acreditar na expressão dos olhos dele, mas estava lá. Desejo. Por ela.

– Você tem certeza? – perguntou ele, tirando uma mecha de cabelo do ombro dela.

– Tenho.

Jack a pegou pela mão e a levou para a cama. Elsa estendeu o braço para apagar o lampião. Jack a deteve, dizendo:

– Não – disse, numa voz rouca. – Eu quero ver você, Elsa.

Tirou a camisa e a camiseta, então tirou a calça e a abraçou.

– Me diga o que você quer – murmurou, seus lábios tocando os dela.

Ele estava pedindo palavras que ela não conhecia, respostas que não sabia.

– Talvez queira que eu beije você aqui? Ou aqui?

– Ah, meu Deus – disse Elsa, e ele riu, beijando-a mais uma vez. O toque dele era mágico, criando um anseio que ela não podia nem controlar nem negar, fazendo-a ansiar por mais.

As mãos dele acariciavam seu corpo todo, tocando-a com uma intimidade que ela nunca imaginara. O mundo se dissolveu, deixando nada além de sua vontade. Ninguém jamais explorara o corpo dela dessa maneira; Jack lhe mostrou o poder do seu corpo, a beleza do seu querer. Teve coragem de fazer com ele todas as coisas com que sonhava. O alívio chegou em ondas; sentiu-se etérea, fora do corpo, como se flutuasse pelo quarto. Quando por fim voltou a si – e essa era a sensação, retornar ao corpo depois de ter se tornado nada além de desejo –, Elsa abriu os olhos.

Jack estava ao seu lado, observando-a.

Debruçou-se com ousadia sobre ele, beijando sua boca, sua testa. Em algum momento em meio a tudo isso, percebeu que estava chorando.

– Não chore, meu amor – sussurrou Jack, abraçando-a, apertando-a contra seu peito. – Nós temos muito mais pela frente. Prometo. Isso é só o começo.

Meu amor.

– Você vai abrir um buraco no chão – disse Natalia, dando uma tragada no cigarro.

Loreda parou de andar.

– Já faz duas horas. Será que ela morreu?

Ant ficou assustado.

– Você acha que ela morreu?

Loreda balançou a cabeça. *Idiota.*

– Não, Antsy, eu não acho isso.

– Ela vai voltar – disse Natalia. – Jack vai trazê-la de volta.

Loreda ouviu passos lá fora.

– Ant – falou de repente. – Venha cá.

Ant disparou até ela, abraçando-a pelos quadris. Loreda segurou-o pelos ombros num gesto de proteção.

Natalia se levantou e ficou na frente deles enquanto a porta se abria.

Jack e a mãe entraram.

– Mamãe! – Ant correu para abraçá-la.

– Opa! – disse a mãe. – Calma, filho, está tudo bem. – Abaixou-se para beijar o menino.

– Agora ela precisa dormir. – Jack ajudou a levar Elsa até a cama e a acomodou.

Ant imediatamente subiu no pé da cama e se enroscou como um cachorrinho.

Loreda, Natalia e Jack se dirigiram à porta.

– Ela tá bem mesmo? – perguntou Loreda.

– Está – respondeu Jack. – Foi uma pancada forte na nuca, mas é preciso mais do que isso para derrubar a sua mãe. Ela é uma guerreira.

– Tudo isso é muito perigoso – falou Loreda, percebendo pela primeira vez o quanto aquelas palavras eram verdadeiras.

Todo mundo dizia isso, mas até aquela noite ela ainda não tinha entendido de fato. Eles estavam arriscando tudo na greve. Não só o trabalho. As coisas podiam ficar muito feias.

– Agora você entende – disse Jack. – Uma luta como essa não é como nos romances. Eu estava em São Francisco quando a Guarda Nacional atacou grevistas com baionetas.

– Muita gente morreu naquele dia – comentou Natalia. – Grevistas morreram. Ficou conhecida como "Quinta-feira Sangrenta".

– Mas nós precisamos lutar – disse Loreda. – Com o que tivermos. Como quando a mamãe entrou com o taco de beisebol no hospital para conseguir aspirina para Jean.

– É – concordou Jack, com uma expressão tensa. – É o que nós vamos fazer.

TRINTA E QUATRO

Na manhã do dia 6 de outubro, pouco antes do amanhecer, Elsa e os filhos embarcaram em um dos caminhões das Fazendas Welty.

Os trabalhadores estavam calados, abatidos. Todos relutantes em se olhar nos olhos. Elsa não sabia se isso significava que eles apoiavam ou não a greve, mas todos sabiam dela. Falava-se disso em toda parte. Palavras cautelosas, sussurradas em cantos escuros. Todos que trabalhavam no vale sabiam que ela aconteceria naquele dia – logo, os fazendeiros também sabiam.

– Quero que você e Ant fiquem perto de mim o tempo todo – disse Elsa quando o caminhão se deteve na frente da plantação.

A caminhonete de Jack estava parada no meio da estrada; ele, Natalia e vários de seus camaradas esperavam os grevistas, segurando cartazes para um piquete. O portão da plantação se abriu.

– Pagamento justo! Pagamento justo! Pagamento justo! – entoou Jack para os trabalhadores desembarcando do caminhão.

Diversos carros e caminhões apareceram na estrada atrás de Jack e Natalia, avançando lentamente. Em poucos minutos, Jack e seus camaradas seriam apanhados entre os grevistas à frente e os fazendeiros atrás, presos pelas cercas dos dois lados.

Os trabalhadores pararam em conjunto, reunidos, diante dos comunistas.

O primeiro carro parou atrás do de Jack. Três homens saíram, um deles armado com um rifle.

Um caminhão parou ao lado. Outros dois homens desceram.

Um terceiro caminhão estacionou, e o Sr. Welty saiu com uma escopeta. Andou e parou a mais ou menos 1 metro de Jack, encarando os grevistas.

– O pagamento hoje foi reduzido a 75 centavos por 50 quilos de algodão – falou. – Se não aceitarem, tem muita gente que vai aceitar.

Cinco homens armados se espalharam atrás dele, armas de prontidão.

Jack virou-se, olhou para Welty e andou corajosamente na direção do fazendeiro, tornando-se o porta-voz dos grevistas.

– Eles não vão trabalhar por essa quantia – falou.

– Você nem trabalha para mim, seu vermelho mentiroso – retrucou Welty.

– Estou tentando ajudar os trabalhadores. Só isso. Sua ganância é antiamericana. Eles não vão trabalhar por 75 centavos. Isso não é um pagamento digno. – Virou-se para os trabalhadores. – Ele precisa de vocês para colher o algodão, mas não quer pagar. O que nós vamos dizer?

Ninguém respondeu.

Os homens de Welty começaram a bater os canos das armas na palma da mão.

– Eles são mais inteligentes que você, seu vermelho – disse Welty.

Elsa sabia o que deveriam fazer; todos eles sabiam. Jack os tinha orientado no celeiro. *Entrem na plantação pacificamente. Sentem-se no chão.*

Se eles não se mexessem, se não agissem, aquela greve estaria terminada antes mesmo de ter começado; eles perderiam, e os patrões ficariam mais fortes ainda.

Elsa pôs uma mão no ombro de cada filho.

– Vamos, crianças. Vamos entrar na plantação.

Eles atravessaram a multidão e saíram do outro lado, três figuras solitárias andando até a entrada da plantação.

O arame farpado em cima da cerca cintilava sob a luz do sol; um homem armado observava do parapeito da torre de vigia, o rifle apontado para os trabalhadores.

– Está vendo? – disse Welty a Jack. – Aquela senhora sabe quem a paga. Setenta e cinco centavos é melhor do que nada.

Elsa passou por Jack e Welty sem olhar para nenhum dos dois. Entrou com os filhos na plantação de algodão.

Loreda olhou para trás.

– Ninguém está vindo atrás da gente, mamãe.

Venham, pensou Elsa. *Por favor. Não nos deixem sozinhos, senão terá sido tudo em vão.* Jack dissera que todos tinham que fazer o mesmo, juntos, para deter os meios de produção.

– Pagamento justo! – gritou Jack atrás dela. – Pagamento justo!

A caminhada pela plantação de algodão representou os seis minutos mais longos da vida de Elsa. Ela ocupou seu lugar na lavoura e se virou.

Por um instante os trabalhadores da lavoura ficaram ali, imóveis, olhando para Elsa e seus filhos, sozinhos na plantação.

Ike foi o primeiro a dar um passo à frente, abrindo caminho entre os outros, e começou a andar em direção ao portão aberto.

– Olhe, mamãe – disse Loreda em voz baixa quando os outros começaram a vir atrás de Ike, entraram na plantação e ocuparam seus postos.

Como se fossem um só, todos se viraram para encarar Welty.

– Comecem a trabalhar, homens! – gritou Welty.

Como se só houvesse homens lá.

Elsa viu as pessoas ocupando seus lugares na plantação, os seus colegas. A sua *gente*. A coragem deles a revigorou.

– Vocês sabem o que fazer! – gritou.

Os trabalhadores se sentaram no chão.

Pouco antes do crepúsculo, os grevistas se levantaram e saíram da plantação, sob o olhar furioso de Welty e seus homens.

Os grevistas tinham passado o dia inteiro no local, sentados em silêncio.

Jack ficou esperando ali perto, na estrada, com sangue nos lábios e um olho roxo. Mesmo assim, sorriu para o grupo.

– Estão todos de parabéns. Nós chamamos a atenção deles. Amanhã vamos ter que começar mais cedo. Dessa vez eles vão estar preparados e não vão mandar os caminhões para buscar vocês. Vamos nos encontrar às quatro da manhã. Na frente do El Centro Hotel.

Começaram a longa caminhada de volta para casa, todos juntos.

Loreda estava exultante.

– Hoje não foi colhida nenhuma bola de algodão – falou. – Isso vai ensinar ao Sr. Ricaço a não explorar mais a gente.

Elsa andava ao lado de Jack. Gostaria de estar se sentindo tão feliz quanto a filha, mas suas preocupações eram maiores que seu entusiasmo. Percebia que a maioria dos grevistas sentia o mesmo. Olhou para o rosto ferido de Jack e falou:

– Dá para ver que você chamou a atenção deles.

Ele chegou mais perto. Seus dedos roçaram os dela enquanto andavam.

– Quando um homem apela para a violência, é porque está assustado – falou. – Isso é um bom sinal.

– Será que nós pioramos ainda mais a nossa situação?

– Amanhã eles vão estar preparados – respondeu Jack.

– Quanto tempo isso vai durar? – perguntou Elsa. – Sem o auxílio, nós vamos ter problemas, Jack. Eles não vão nos vender a crédito na loja se não trabalharmos, e nenhum de nós tem dinheiro guardado. Não vamos aguentar muito tempo…

– Eu sei – concordou Jack.

Chegaram ao acampamento de Welty. Os que moravam lá entraram, rumando para suas tendas e cabanas. Loreda e Ant saíram correndo na frente, os outros seguindo pela estrada.

Jack e Elsa pararam, olharam um para o outro.

– Você foi incrível hoje – murmurou Jack.

– Só o que eu fiz foi ficar sentada.

– Foi uma atitude corajosa, você sabe disso. Eu disse que eles respeitam você.

Elsa tocou a pele arroxeada embaixo do olho dele.

– Você precisa tomar cuidado amanhã.

– Eu sempre tomo cuidado. – Então abriu um sorriso que deveria ser reconfortante, mas não foi.

Mais tarde naquela noite, Elsa cozinhou feijões num caldeirão.

Alguém bateu na porta com tanta força que as paredes estremeceram.

– Crianças, fiquem atrás de mim – disse Elsa, e foi abrir a porta.

Viu um homem segurando um martelo.

– Ora, ora – falou. – Se não é a mulher na frente da fila. A putinha do vermelho.

Elsa escondeu os filhos atrás de si.

– O que você quer?

O homem mostrou uma folha de papel.

– Você sabe ler?

Elsa arrancou o papel da mão dele e leu.

Para Fulano de Tal e Sicrana de Tal, cujos verdadeiros nomes são desconhecidos.

Considerem-se notificados que devem vagar e entregar as instalações que ocupam, conhecidas como Terras da Califórnia, Unidade 10.

Este aviso implica um prazo de três dias para vagar a referida propriedade, baseada no fato da posse se tornar ilegal a partir de então, e se não o fizerem, serão submetidos às devidas ações legais.

Thomas Welty, proprietário, Fazendas Welty

– Vocês estão nos despejando? Como posso estar fora da lei? – disse Elsa. – Eu pago 6 dólares por mês por esta cabana.

– Essas cabanas são para os trabalhadores da plantação – disse o homem. – Vocês trabalharam hoje?

– Não, mas...

– Só mais duas noites, senhora – continuou o homem. – Depois disso, vamos voltar e colocar todos os seus bagulhos para fora. A senhora está notificada.

E foi embora.

Elsa ficou na soleira da porta aberta, vendo o pandemônio no acampamento. Uns dez homens andavam por lá, arrogantes, batendo de porta em porta para entregar notificações, arrombando casas, entregando ordens de despejo e pregando avisos nos postes perto de todas as tendas.

– Eles não podem fazer isso! – bradou Loreda. – Esses porcos!

Elsa puxou os filhos para dentro e trancou a porta.

– Eles não podem despejar a gente por exigirmos nossos direitos como americanos – continuou Loreda. – Podem?

Elsa viu quando Loreda assimilou a verdade, quando realmente entendeu o risco que eles corriam. Por pior que tivesse sido o período em que moraram no acampamento à beira da valeta de irrigação, ao menos eles tinham uma tenda. Agora, se fossem expulsos dali, não teriam mais nada.

Os fazendeiros sabiam de tudo isso, sabiam que no dia seguinte seria mais difícil para eles não trabalharem, e mais difícil ainda no outro.

Quanto tempo pessoas famintas e sem teto conseguiriam lutar por uma ideia?

Elsa acordou com uma mão tapando sua boca.

– Elsa, sou eu.

Jack. Ela se sentou.

– Qual é o problema? – perguntou Elsa em voz baixa.

– Correm boatos de que vai haver problemas. Você e as crianças precisam sair do acampamento agora mesmo.

– Eu sei. Eles despejaram todos hoje. Acho que é só o começo.

Elsa afastou as cobertas e se levantou. A mão de Jack passou por seu corpo fazendo uma breve carícia.

Ela fechou os basculantes, acendeu o lampião de querosene e foi acordar os filhos.

Ant resmungou, deu um chute nela e virou para o outro lado.

– O que foi? – perguntou Loreda, bocejando.

– Jack está dizendo que amanhã nós vamos ter problemas. Ele quer que a gente saia daqui.

– Da cabana? – questionou.

Mesmo na penumbra, Elsa viu o medo nos olhos da filha.

– Sim – confirmou.

– Certo. – Ela deu uma cotovelada no irmão. – Acorda, Ant. A gente vai se mudar.

Eles encaixotaram seus poucos pertences em silêncio e puseram tudo na traseira da caminhonete, junto com os baldes e engradados que tinham resgatado nos últimos meses.

Por fim, Elsa e Loreda pararam na porta, olhando para a chapa elétrica e as duas camas de metal enferrujadas, com colchões, pensando no luxo que representavam.

– A gente pode voltar quando a greve acabar – disse Loreda.

Elsa não respondeu, mas sabia que nunca mais morariam ali.

Eles saíram e foram para a caminhonete.

As crianças subiram na traseira, e Elsa assumiu o volante. Jack sentou-se ao seu lado.

– Tudo certo? – perguntou ele.

– Acho que sim.

Ela ligou o motor, mas não acendeu os faróis. Dirigiu até a estrada.

Estacionou em frente ao El Centro Hotel, onde tinham ficado depois da enchente.

Jack destrancou o cadeado da porta.

O saguão cheirava a cigarro e suor, indicando que pessoas tinham estado ali recentemente. No escuro, Jack subiu a escada com eles e parou na primeira porta fechada no segundo andar.

– Tem duas camas aqui. Loreda e Ant?

Loreda assentiu com uma expressão cansada, com o irmão semiadormecido apoiado nela.

– Não acendam a luz – disse Jack. – Nós vamos voltar para buscar vocês de manhã para a greve. Elsa, o seu quarto é... na porta ao lado.

– Obrigada. – Ela apertou a mão dele e observou Jack se afastar antes de entrar no quarto para acomodar os filhos nas duas camas.

Ant dormiu quase instantaneamente; Elsa o ouviu ressonando. De repente percebeu com uma dolorosa clareza que aquele som simples era a própria essência da sua responsabilidade. A *vida* deles dependia dela, e iria deixar que participassem da greve amanhã.

– Você está com aquela sua cara de preocupação – disse Loreda quando Elsa se sentou ao seu lado na cama.

– É a minha expressão de amor – respondeu Elsa, acariciando os cabelos da filha. – Estou orgulhosa de você, Loreda.

– Você está com medo do que vai acontecer amanhã.

Elsa deveria ficar envergonhada por Loreda conseguir enxergar seu medo tão claramente, mas não ficou. Talvez já estivesse cansada de se esconder dos outros, de se sentir inadequada; tinha enchido aquele poço durante anos, e agora estava vazio. Tinha se livrado daquele peso.

– É verdade – concordou. – Eu estou com medo.

– Mas nós vamos assim mesmo.

Elsa sorriu, pensando de novo no seu avô. Depois de décadas, ela enfim sabia exatamente o significado das palavras que ele dizia para ela. Não era que o medo não fosse importante. O mais importante, porém, eram as escolhas feitas quando se está com medo. As pessoas são corajosas por causa do medo, não apesar dele.

– Vamos.

Elsa se abaixou e beijou a filha na testa.

– Durma bem, garota levada. Amanhã vai ser um longo dia.

Deixou os filhos e foi para o quarto ao lado, onde encontrou Jack sentado na cama, esperando por ela. Uma única vela queimava num castiçal de bronze na mesa de cabeceira. Caixas com alguns de seus pertences se empilhavam perto de uma das paredes.

Jack se levantou.

Elsa foi até ele, decidida. Viu amor em seus olhos. Amor por *ela*. Era um sentimento jovem, novo, não profundo, assentado e familiar como o de Rose e Tony, mas o amor era o mesmo, ou ao menos um lindo e promissor começo. Por toda a sua vida ela havia esperado por um momento como aquele, ansiado por ele, e agora não o deixaria passar despercebido ou não valorizado. O tempo parecia incrivelmente precioso naquelas horas antes da greve.

– Eu prometi uma coisa louca a uma amiga.

– Ah, é?

Elsa entrelaçou as mãos atrás da nuca dele.

– Eu nunca tirei um homem para dançar. E sei que não temos música.

– Elsa – murmurou Jack, abaixando-se para beijá-la, dançando ao som de uma música inexistente. – Nós somos a música.

Ela fechou os olhos e se deixou conduzir.

Para você, Jean.

TRINTA E CINCO

Elsa foi acordada por um beijo. Abriu os olhos devagar. Foi a melhor noite de sono da sua vida, o que parecia quase obsceno, dadas as circunstâncias. Jack debruçou-se sobre ela.

– Meus camaradas já devem estar lá embaixo.

Elsa sentou-se, tirou os cabelos emaranhados dos olhos.

– Em quantos vocês estão?

– No estado todo, milhares. Mas estamos lutando em muitas frentes. Estamos organizando todas as plantações daqui até Fresno. – Beijou-a mais uma vez. – A gente se vê lá embaixo.

Elsa saiu da cama – nua – e foi até uma das caixas com seus pertences. Revirou o conteúdo e encontrou seu diário, junto com o mais recente toco de lápis, que Ant tinha achado na lata de lixo da escola.

Voltou para a cama, abriu o caderno na primeira página em branco e começou a escrever.

Amor é o que permanece quando tudo o mais acabou. É o que eu deveria ter dito aos meus filhos quando saímos do Texas. É o que vou dizer a eles esta noite. Acho que eles ainda não vão entender. Como poderiam? Eu mesma estou com 40 anos e só agora entendi essa verdade fundamental.

Amor. Na melhor das ocasiões, é um sonho. Na pior, uma salvação.

Eu estou apaixonada. Pronto. Está escrito. Logo vou conseguir dizer em voz alta. Para ele.

Estou apaixonada. Por mais louco, ridículo e implausível que pareça, eu estou apaixonada. E sendo retribuída.

É ele – o amor – que me dá a coragem de que preciso hoje.

Os quatro ventos nos sopraram até aqui, gente de todo o país, aos limites deste grande território, e agora, finalmente, tomamos uma posição, a de lutar pelo que sabemos ser o certo. Lutamos pelo nosso sonho americano, que será possível novamente.

Jack diz que sou uma guerreira e, embora eu não acredite, sei de uma coisa: uma guerreira acredita em um fim que não pode ver e luta por isso. Uma guerreira nunca desiste. Uma guerreira luta pelos mais fracos.

Para mim isso é muito parecido com ser mãe.

Ela fechou o diário, vestiu-se rapidamente e foi para o quarto ao lado.

Ant estava se balançando na cama, dizendo:

– Olhe só, Loreda. Eu tô voando.

Loreda ignorava o irmão, andando de um lado para outro e roendo as unhas.

Quando Elsa entrou, os dois congelaram.

– Está na hora? – perguntou Loreda, com os olhos brilhantes. Parecia entusiasmada, pronta para ir.

Elsa sentiu uma pontada de preocupação.

– Hoje vai ser...

– Perigoso – completou Loreda. – Nós sabemos. Já está todo mundo lá embaixo?

– Acho que nós devíamos...

– Conversar mais a respeito? – retrucou Loreda. – Já falamos bastante.

Ant pulou da cama, aterrissando descalço ao lado da irmã.

– Eu sou o Sombra! Não tenho medo de ninguém.

– Tá bom – disse Elsa. – Mas não saiam de perto de mim. Não quero perder vocês de vista nem por um segundo.

Loreda empurrou a mãe na direção da porta enquanto Ant calçava as botas.

– Ei, esperem pelo Sombra!

O saguão estava vazio quando os três desceram, mas em poucos minutos uma multidão se formou. Membros da Aliança dos Trabalhadores reuniam-se em grupos, empilhando panfletos na mesa e encostando cartazes a favor de piquetes nas paredes. Trabalhadores do acampamento da valeta de irrigação, das Fazendas Welty e do recém-construído acampamento da Administração de Reassentamento de Arvin permaneciam em silêncio, parecendo nervosos.

Elsa viu Jeb e os filhos num canto dos fundos e Ike com alguns moradores do acampamento de Welty.

Loreda pegou um cartaz que dizia PAGAMENTO JUSTO e ficou ao lado de Natalia, cujo cartaz dizia TRABALHADORES, UNI-VOS.

Jack foi para a frente do grupo.

– Amigos e camaradas, chegou o momento. Lembrem-se do nosso plano: greve pacífica. Chegamos às plantações e nos sentamos. Só isso. Estamos esperando que isso aconteça em todo o estado da Califórnia na manhã de hoje, como também esperamos que outros trabalhadores se juntem ao nosso movimento. Vamos lá.

Todos saíram do hotel e se reuniram na rua. Menos de cinquenta grevistas ao todo. Natalia assumiu o volante da caminhonete de Jack e ligou o motor. Jack subiu na traseira e olhou para as poucas pessoas reunidas ali.

– Um punhado de pessoas corajosas pode mudar o mundo. Hoje vamos lutar em nome dos que têm medo. Vamos lutar por um pagamento digno. – Em seguida gritou: – Pagamento justo! Pagamento justo!

Loreda ergueu seu cartaz e entoou com ele:

– Pagamento justo! Pagamento justo!

O veículo começou a andar; os grevistas seguiram atrás. Jack pegou um megafone e amplificou seu apelo:

– Pagamento justo! Pagamento justo!

Elsa, os filhos e os grevistas andavam atrás da caminhonete, ouvindo Jack.

Passaram por um cartaz anunciando a marca de cigarro Lucky Strike. Diversas pessoas que moravam sob ele se levantaram e se juntaram aos grevistas.

Quatrocentos metros adiante, um grupo de clérigos aderiu à passeata, portando cartazes que diziam SALÁRIO MÍNIMO PARA OS TRABALHADORES.

A cada rua ou acampamento por que passavam, mais gente se juntava ao grupo. As vozes aumentaram:

– *Pagamento justo! Pagamento justo!*

Mais gente se juntou à marcha.

Elsa olhou para trás para ver a multidão. Àquela altura eram umas seiscentas pessoas, todas juntas para lutar por um pagamento decente.

Ela cutucou Loreda com o cotovelo e apontou para o tanto de gente atrás delas.

Loreda sorriu e entoou mais alto:

– Pagamento justo! Pagamento justo!

Jack e a Aliança dos Trabalhadores tinham razão. Os fazendeiros teriam que tratar os trabalhadores com mais decência se quisessem que seu algodão fosse colhido antes de o clima mudar e arruinar a plantação. Não era uma questão de ser comunista ou agitador. Era uma luta pelos direitos de todos os americanos.

Pouco menos de 2 quilômetros adiante eles viraram uma esquina, agora com mais de mil seguidores, os cartazes à mostra, e começaram a se aproximar das Fazendas Welty. A estrada se estendia à frente, uma linha reta ladeada por plantações de algodão cercadas. Um homem sozinho esperava por eles, de pé no meio da estrada.

Welty.

Natalia parou o veículo bem na frente dele.

Ainda na traseira, Jack falou com a multidão pelo megafone:

– O seu dia chegou, trabalhadores. Chegou o momento. Os fazendeiros vão ouvir as suas reivindicações. Não podem ignorar tanta gente dizendo *Basta*.

Loreda respondeu em voz alta, gritando:

– Basta! Basta!

A multidão se juntou a ela, erguendo seus cartazes.

– Nosso movimento é pacífico, mas vamos firmar nossa posição – disse Jack. – Chega de passar fome e ser explorado. Vocês merecem um pagamento justo por suas jornadas de trabalho.

Elsa ouviu o som de motores. Sabia que todos também tinham ouvido. A cantoria esmaeceu.

– Entrem na plantação – orientou Jack. – Sentem-se. Arrombem o portão se for preciso.

Elsa olhou para trás, viu um caminhão cheio de trabalhadores surgir atrás dos grevistas. O motorista tocou a buzina para que os deixassem passar.

– Fura-greves. Eles vieram tomar os seus lugares – falou Jack. – Não deixem ninguém passar.

A multidão se espalhou, bloqueando a passagem do caminhão com os próprios corpos.

– Pagamento justo! Pagamento justo! – bradou Jack.

Welty passou pela caminhonete de Jack e se dirigiu aos grevistas:

– Hoje estou pagando 75 centavos. Quem quer sustentar a família e morar em uma das minhas cabanas? Quem quer ter crédito na loja da fazenda e um colchão para dormir no próximo inverno?

– Nada disso! – clamou Jack.

Todos concordaram, em uníssono.

Um caminhão surgiu na estrada atrás de Welty, vindo na direção dos grevistas. Um homem saiu do veículo com um rifle apoiado no ombro. Foi até a plantação e abriu o portão.

– Eles não vão atirar! – gritou Ike. – Nós não fizemos nada de errado. Fiquem firmes.

O homem com o rifle subiu na torre de vigia e apontou para os grevistas.

– Ele não pode atirar sem motivo! – gritou Ike. – Estamos nos Estados Unidos.

Mais caminhões cheios de migrantes dispostos a trabalhar por 75 centavos se aproximaram por trás dos grevistas, buzinando para passar.

– Não deixem ninguém passar! – gritou Jack.

Sirenes.

Viaturas, carros e caminhões da polícia despontaram em outra estrada, levantando uma nuvem de poeira. Um a um, entraram pela outra extremidade da estrada onde estavam os grevistas e pararam em linha reta, bloqueando a frente da caminhonete de Jack.

As portas se abriram. Homens mascarados saíram dos veículos, armados com cassetetes e armas de fogo.

Dez vigilantes.

Policiais saíram de suas viaturas, com armas na mão.

Os vigilantes começaram a avançar lentamente.

Os grevistas recuaram, os gritos se silenciaram.

– Esses homens usam máscaras porque têm vergonha do que estão fazendo! – disse Jack pelo megafone. – Eles sabem que estão errados.

Elsa viu os homens mascarados vindo na sua direção e na de seus filhos. Abraçou os dois e começou a recuar.

– Não, mamãe! – gritou Loreda.

– Quieta – disse Elsa, puxando-a para mais perto.

– Continuem firmes – falou Jack, olhando diretamente para Elsa. – Não tenham medo.

Três vigilantes subiram no veículo de Jack. Um deles deu uma bastonada na cabeça dele. Jack se desequilibrou e soltou o megafone. Os vigilantes o pegaram pelos cabelos e o arrastaram para fora da caminhonete, e então deram uma coronhada na cabeça do líder sindical, que caiu de joelhos.

– Vão trabalhar! – gritou Welty. – Esta greve acabou.

Os vigilantes formaram um círculo, batendo e chutando Jack.

Os trabalhadores recuaram; alguns começaram a se dirigir à plantação. Os caminhões com os fura-greves buzinaram pedindo passagem.

– Elsa! – chamou Jack, e tomou mais um chute por isso.

Elsa sabia o que ele queria. *Elas vão dar atenção a você.*

Ela subiu na traseira da caminhonete, pegou o megafone de Jack e encarou os grevistas. Suas mãos tremiam.

– Parem! – gritou.

Os grevistas pararam de recuar, olhando para ela.

Sua respiração estava ofegante. E agora?

Pense.

Elsa conhecia aquele pessoal, conhecia *bem*. Eram seus companheiros. *Sua laia*, como os californianos diziam com desprezo, mas era um elogio.

Eram todos como ela. Hoje faziam parte de um novo grupo: gente que tomava uma posição, que usava sua voz para dizer *Basta*. Acordaram no meio da noite, famintos, para defender os seus direitos, e agora era o momento de Elsa mostrar aos filhos o que seu avô a ensinara muito tempo antes. Segurou a bolsinha de veludo macio pendurada em seu pescoço. *São Judas, santo patrono dos casos desesperados e das causas perdidas, me ajude.*

– Que foi? – gritou alguém.

– Esperança. – O megafone transformou a voz sussurrante de Elsa num clamor que silenciou a multidão. – Esperança é uma moeda que eu levo comigo: um *penny* americano que ganhei de presente de um homem que passei a amar. Em certos momentos… da minha jornada, essa moeda e a esperança que ela representava foram as únicas coisas que me fizeram seguir em frente. Vim para o Oeste… em busca de uma vida melhor… mas a pobreza, as dificuldades e a ganância transformaram meu sonho americano em pesadelo. Os últimos anos foram um período de coisas perdidas: empregos, casa, comida. A terra que amávamos nos traiu, nos deixou alquebrados, todos nós, até os velhos teimosos que falavam sobre o clima e parabenizavam uns aos outros pela abundante colheita de trigo da estação. *Aqui os homens precisam dar duro para ganhar a vida*, diziam uns aos outros.

Passou os olhos pela multidão, viu todas as mulheres e crianças que estavam ali olhando para ela. Viu a própria vida nos olhos delas, as dores que pesavam em seus ombros cansados.

– "Os homens." Sempre os homens. Eles pareciam achar que cozinhar e lavar e criar os filhos e cuidar dos jardins não era nada. Mas nós, as mulheres das Grandes Planícies, também trabalhávamos de sol a sol, labutando nas plantações de trigo até ficarmos tão ressecadas e queimadas quanto a terra que amávamos. Às vezes, quando fecho os olhos, juro que ainda sinto o gosto do pó.

Ela fez uma pausa, surpresa com a altura e a intensidade da própria voz. Olhou para os trabalhadores e entendeu pela primeira vez que suas roupas esfarrapadas e expressões famintas eram emblemas de coragem, de capacidade de sobrevivência. Eram pessoas de bem, que não desistiam.

– Nós viemos para cá em busca de uma vida melhor, para alimentar nossos filhos. Não somos preguiçosos nem indolentes. Não queremos viver como estamos vivendo agora. Chegou o momento. Chegou o momento de dizer *Basta*. Não aguentamos mais ser enganados pela loja da fazenda, que quer nos manter pobres. Não aguentamos mais o pagamento cada vez menor. Não aguentamos mais ser usados, descartados e jogados uns contra os outros. Nós merecemos mais do que isso. *Basta!*

– Basta! – gritou Ike.

– Basta! – bradou Loreda.

Houve um momento de silêncio, e em seguida a multidão se mobilizou, bloqueando os fura-greves, e entoou em uníssono com Elsa:

– Basta! Basta! Basta!

Os cartazes subiram junto com o volume das vozes, ignorando os atiradores na torre, a polícia e os vigilantes mascarados.

Elsa se surpreendeu e se revigorou com aquela coragem, e ela entoou com todos.

– Pagamento justo! – gritavam os grevistas, erguendo e agitando os cartazes.

Elsa ouviu um som alto e sibilante, seguido pelo baque de alguma coisa metálica caindo aos seus pés. Um segundo depois surgiu a fumaça, obliterando tudo, obscurecendo o mundo.

Seus olhos ardiam. Viu os grevistas correndo às cegas, trombando em pânico. Afastando-se.

Alguém gritou:

– Estão jogando bombas de gás lacrimogêneo!

O som sibilante continuou, cilindros de metal com gás lacrimogêneo atingindo a multidão, soltando fumaça.

Elsa ergueu o megafone.

– Não fujam, corram para a plantação! – comandou, tossindo muito. Enxugou os olhos, mas de nada adiantou. – Não desistam!

Os grevistas continuaram em pânico, correndo em todas as direções, chocando-se uns contra os outros. Ninguém conseguia enxergar por causa do gás.

Um tiro reverberou, ainda mais alto que o pandemônio.

Elsa sentiu um baque tão forte que cambaleou. Pôs a mão no lugar atingido.

Quente, molhado, pegajoso.

Estou sangrando.

Ouviu Loreda gritando:

– Mãe!

Queria responder *Eu estou bem*, mas a dor...

A dor.

Largou o megafone, ouviu o som que fez ao cair. Em meio à névoa da nuvem de fumaça ardente, viu Loreda abrindo caminho na multidão aos gritos enquanto Ant cambaleava ao seu lado.

Elsa só queria que eles chegassem até ela, se manter acordada, dizer o quanto os amava, mas a dor era avassaladora, ela mal conseguia respirar... *Meus filhos queridos*, pensou, estendendo os braços na direção deles.

Tudo pareceu acontecer em câmera lenta: o som do disparo, a mãe cambaleando, o sangue tingindo seu vestido, Jack empurrando os homens que o seguravam.

Loreda gritou e agarrou a mão de Ant, abrindo caminho pela multidão desesperada em direção à caminhonete. Viu Jack golpear um vigilante com seu próprio porrete e derrubar outro com um soco.

– Atiraram nela! – gritou alguém.

Os vigilantes se afastaram.

Jack subiu no veículo, segurou Elsa nos braços.

– Ela está viva? – perguntou Loreda, aos gritos.

A mãe abriu os olhos injetados e lacrimosos e virou-se para Jack.

– Nós perdemos.

Jack ergueu a mãe e tirou-a do automóvel.

Ficou na frente dos grevistas com Elsa no colo. O sangue escorria pelos seus dedos e tingia o chão. Bombas de gás passavam zunindo por eles.

– Os grevistas... precisam de uma liderança – sussurrou a mãe, e Loreda entendeu.

– Prendam todos! – gritou Welty para os seus capangas, mas os policiais se afastaram da mulher coberta de sangue.

Os vigilantes ficaram imóveis. Alguns largaram as armas. Os fura-greves ficaram em silêncio.

Loreda viu um rifle no chão caído aos seus pés. Pegou a arma e andou na direção de Welty, que barrava a entrada para a plantação, antes de apontar o cano para o peito do homem.

Welty levantou as mãos.

– Você não vai fazer isso...

– Ah, é? Se você não sair do meu caminho, eu vou matar você. Não tenha dúvida.

– Não vai adiantar nada. Vou acabar com essa maldita greve.

Loreda engatilhou a arma.

– Hoje, não.

Welty deu um passo para o lado, movimentando-se lentamente.

Ike começou a abrir caminho na multidão. Passou por Jack e continuou em direção à plantação. Logo foi seguido por Jeb e os filhos... e por Bobby Rand e o pai.

Os grevistas se enfileiraram na plantação em silêncio, solenemente, ocupando os corredores, garantindo que ninguém mais faria a colheita naquele dia.

Nos braços de Jack, a mãe levantou a cabeça, viu os grevistas reunidos à sua frente. Sorriu e disse em voz baixa:

– Basta.

Apesar do medo, Loreda nunca sentira tanto orgulho na vida.

Jack abriu a porta do hospital com um pontapé, levando Elsa nos braços.

– Minha esposa precisa de ajuda.

A mulher na recepção pareceu horrorizada quando se levantou da cadeira estofada.

– Você não pode...

– Eu sou residente da Califórnia – disse Jack. – Chame um médico.

– Mas...

– *Já!* – insistiu Jack, numa voz tão intimidadora que até Loreda sentiu uma pontada de medo.

A mulher foi chamar um médico.

Ficaram esperando, o sangue pingando no chão. Ant viu aquilo e começou a chorar. Loreda o abraçou.

Um homem vestido de branco veio na direção deles, flanqueado por uma enfermeira com um uniforme engomado.

– Tiro no abdômen – disse Jack, com a voz trêmula, e Loreda percebeu o seu pavor, o que aumentou o dela.

O médico pediu ajuda, e pouco depois a mãe estava numa maca, sendo levada para longe deles.

Jack abraçou Ant. Loreda foi para junto deles. Jack abraçou a menina também.

Loreda só conseguia pensar no quanto fora injusta com a mãe. Por muitos anos. Havia tanto a dizer, a reparar. Queria dizer à mãe como a amava e admirava, que queria ser como ela quando crescesse. Por que não tinha dito isso antes?

Enxugou as lágrimas, mas continuou chorando. Não conseguia nem ser forte por Ant. Rezou pela primeira vez em anos. *Por favor, Deus, salve minha mãe.*

Eu não consigo viver sem a minha mãe.

Branco.

Luzes muito brilhantes.

Ofuscantes.

Dor.

Elsa voltou a abrir os olhos, piscando sob a intensidade da luz acima.

Estava numa cama.

Virou a cabeça devagar. Cada respiração era uma tortura.

Viu Jack numa cadeira ao seu lado, com Ant no colo. Os olhos do filho estavam vermelhos, injetados. Lágrimas corriam pelas bochechas sardentas.

– Elsa – disse Jack em voz baixa.

– Ela acordou – falou Ant.

Loreda chegou correndo, quase derrubando Jack e o irmão.

– Mãe – falou.

Mãe.

Aquela palavra trouxe todas as lembranças de volta: Elsa embalando Loreda para dormir, lendo histórias para ela, ensinando a fazer fettuccine, sussurrando *Seja corajosa* no seu ouvido.

– Onde...

Jack afagou o rosto dela.

– Você está no hospital.

– E...?

Elsa viu a resposta na expressão dos seus entes queridos. Já estavam de luto.

– Eles não conseguiram curar os ferimentos – começou Jack. – O sangramento interno foi intenso, e o seu coração... Eles disseram que há um problema com ele. Uma deficiência ou coisa parecida. Eles deram medicamentos para dor... Não há nada mais a fazer.

– Mas eles estão enganados – disse Loreda. – Todo mundo se enganou sobre você, mamãe. Não é? Como eu? – Loreda começou a chorar. – Você vai ficar boa. Você é forte.

Elsa não precisava que dissessem que ela estava morrendo. Sentia o corpo sucumbindo.

Mas não o coração. O coração estava tão pleno que não podia conter todo o amor que sentia ao olhar para aquelas três pessoas que tinham mostrado o mundo para ela. Acreditou ter todo o tempo do mundo para retribuir aquele amor.

Tempo.

O dela se esgotou muito depressa. Logo depois de descobrir quem era.

Achou que tinha toda uma vida para ensinar aos filhos o que eles precisavam saber, mas não recebeu a dádiva do tempo para isso. De todo modo, deu a eles o mais importante: foram amados, e sabiam disso.

Amor é o que permanece.

– Ant – chamou, abrindo os braços.

Ant passou como um macaquinho dos braços de Jack para os dela. O peso do filho provocou uma dor lancinante em seu peito. Ela beijou seu rosto molhado.

– Não morra, mamãe.

Aquilo doeu mais do que o tiro.

– Eu... vou cuidar de vocês... enquanto viverem. Como... o Sombra. À noite... enquanto você dormir.

– Como é que eu vou saber?
– Você... vai se lembrar de mim.
Ant começou a chorar.
– Eu não quero que você vá embora.
– Eu sei, querido. – Ela enxugou as lágrimas do filho, sentindo as suas se formarem nos olhos.
Jack percebeu que ela estava com dor e pegou Ant nos braços. Sentiu o coração se partir ao ver Jack segurando seu filho. Era um relance... um vislumbre do futuro que jamais viveria. A família que eles poderiam ter se tornado.
Olhou para Jack.
– Meu Deus, que vida nós poderíamos ter tido.
Jack chegou mais perto, ainda com Ant nos braços, e a beijou nos lábios por tempo suficiente para Elsa sentir o gosto das lágrimas dele.
Ela encostou a mão no rosto dele, para que sentisse seu toque uma última vez.
– Leve os meus filhos para casa por mim – murmurou, os lábios ainda se tocando.
Jack aquiesceu.
– Elsa... Meu Deus, eu te amo...
Loreda parou ao lado de Jack, que se afastou um pouco, confortando Ant, passando a mão nas costas dele.
– Oi, mamãe – falou, com a voz embargada.
Elsa olhou para a filha, linda, atrevida e impetuosa.
– Eu queria poder ver você conquistar o mundo, minha querida.
– Eu não posso fazer isso sem você.
– Pode... e vai.
– Não é justo – disse Loreda. – Ninguém nunca vai me amar como você me ama.
Elsa sentia dificuldade para respirar. Parecia estar se afogando de dentro para fora. Levantou os braços devagar, qualquer movimento doía, e tirou a correntinha do pescoço. Segurou a bolsinha de veludo com as mãos trêmulas e a deu para a filha.
– Continue... acreditando... em nós. – Fez uma pausa para recuperar o fôlego. Cada segundo doía mais do que o anterior.
Loreda pegou a bolsinha e ficou segurando enquanto as lágrimas escorriam.
– O que eu vou fazer sem você?
Elsa tentou sorrir, mas não conseguiu. Estava muito cansada. Muito fraca.
– Você vai continuar vivendo, Loreda – murmurou. – E saiba... a cada segundo que viver... o quanto eu te amei. *Encontre e use a sua voz... arrisque-se... nunca desista.*
Elsa não conseguia mais manter os olhos abertos. Tanto mais a dizer, toda uma vida de amor e conselhos a dar aos seus filhos, mas não havia mais tempo...
Seja corajosa, disse ela, ou talvez só tivesse pensado.

TRINTA E SEIS

— Ela quer que a gente volte para casa – disse Loreda.

A inesperada palavra – *casa* – lhe deu um pouco de segurança, algo em que se apoiar. A vovó e o vovô. Ela precisava deles agora.

– Foi o que ela disse.

Jack ficou com Ant no colo e o garoto chorou até adormecer.

– Ótimo. Eu não quero enterrar minha mãe aqui – disse Loreda. – Ant e eu não podemos ficar. Mesmo que as tempestades de poeira continuem no Texas. Nós não podemos ficar aqui. Não *queremos* ficar aqui.

– Eu vou levar vocês de volta, é claro, mas...

– Falta dinheiro – interrompeu Loreda, secamente. Tudo se reduzia a dinheiro.

– Vou falar com a Aliança dos Trabalhadores. Talvez...

– Não – retrucou Loreda rispidamente, surpresa com a manifestação de sua raiva, com o quanto aquela raiva queimava.

Era hora de dar um basta naquilo tudo.

De uma vez por todas.

Momentos de desespero requeriam medidas desesperadas. Loreda sabia o que a mãe tinha feito por Jean num momento como aquele.

– Eu sei onde arranjar o dinheiro de que precisamos – falou. – Posso pegar a sua caminhonete emprestada?

– Não está me parecendo uma boa ideia...

– Não é mesmo. Posso pegar as chaves?

– Estão na ignição. Não faça eu me arrepender disso.

– Eu volto assim que puder.

Loreda saiu às pressas do hospital e dirigiu a caminhonete de Jack em direção ao norte. *E se acontecer uma emergência e eu precisar dirigir, mãe?*, pensou, começando a chorar de novo.

Na cidade, passou por carros de vigilantes circulando nas ruas com megafones, dizendo para as pessoas voltarem ao trabalho para não serem presas por vadiagem, ameaçando todos com trabalhos forçados.

Ela podia fazer aquilo.

Podia.

E tudo bem se morresse, fosse para o inferno ou para a cadeia. Com a graça de Deus, ela ia levar a mãe para casa e enterrá-la na terra que ela tanto amava, não ali, naquele lugar que os traíra, os alijara.

Parou na frente do El Centro Hotel e subiu correndo até o quarto da mãe. Pegou a escopeta, jogou algumas roupas numa sacola, voltou à caminhonete de Jack e dirigiu para o norte.

Não muito longe do acampamento de Welty, estacionou atrás de um velho cartaz anunciando cigarros Old Gold. Pegou a escopeta e a sacola e entrou no acampamento, passando pela guarita vazia.

O acampamento estava quase deserto, com avisos de despejo esvoaçando nas portas de todas as cabanas. Surrupiou algumas roupas de menino de um varal – uma calça de lã e um suéter preto – e um chapéu que encontrou numa poça de lama. Vestiu as roupas folgadas por cima do vestido desbotado, escondeu os cabelos com o chapéu e esfregou lama no rosto.

Queria se passar por um garoto caçando coelhos.

O lugar parecia estar coberto por uma mortalha de derrota. Os vigilantes tinham partido, a ordem fora mantida. O poder restabelecido. Loreda não tinha dúvida: embora a mãe tivesse perdido a vida por causa disso, os grevistas seriam derrotados. Se não hoje, amanhã ou no dia seguinte. Gente faminta e desesperada não conseguia lutar por muito tempo.

Passou por algumas mulheres e crianças em filas – para os chuveiros, para os banheiros, para a lavanderia – sem olhar para ninguém. De qualquer forma, não reconheceu muitas delas; o acampamento já estava se enchendo com outras pessoas, prontas para trabalhar por qualquer quantia para ter comida na mesa.

A loja da fazenda se destacava por si só, com luzes acesas lá dentro, pronta para endividar os incautos recém-chegados, que nunca conseguiriam pagar o que deviam.

Loreda abriu a porta devagar, deu uma olhada.

Nenhum comprador.

Suspirou de alívio.

Deixou a porta bater ao entrar e fez o melhor possível para imitar o andar de um garoto. Olhando sempre para baixo.

O homem na caixa registradora era novo, alguém que ela nunca tinha visto.

Um golpe de sorte.

Ergueu a escopeta e apontou para ele.

O homem arregalou os olhos.

– O que você tá fazendo, filho?

– Isso é um assalto. Me dá todo o dinheiro da caixa registradora.

– Mas nós só vendemos a crédito.

– Não sou burro. Eu sei que vocês emprestam dinheiro com juros. – Engatilhou a arma. – Você tá preparado pra morrer pelo dinheiro do Welty?

O homem abriu a gaveta da caixa registradora, retirou todas as cédulas e as pôs na frente de Loreda no balcão.

– As moedas também.

Ele pegou as moedas e guardou todo o dinheiro num saco de estopa.

– Pronto. É tudo que tem aqui. Mas Welty vai encontrar você e...

Loreda pegou o saco.

– Fique abaixado no canto. Se sair correndo atrás de mim, você é um homem morto. Pode acreditar. Eu sou louco o bastante para fazer isso.

Ela saiu da loja andando de costas, mantendo o homem na mira.

Já lá fora, jogou a arma no meio de uns arbustos e correu na direção das árvores atrás do acampamento, tirando o suéter no caminho. Usou o suéter para limpar a lama do rosto; tirou o chapéu e a calça, jogou tudo na lata de lixo e guardou o saco de dinheiro na sacola.

Voltou a ser apenas uma garota magrela com um vestido desbotado.

Estava a meio caminho da guarita quando ouviu um apito.

Homens armados entraram correndo no acampamento, parando na loja.

Loreda entrou na fila da lavanderia.

Alguém gritou:

– Achei a arma dele!

– Espalhem-se, procurem em todos os lugares! Welty quer esse garoto.

Claro, eles não viam problemas em enganar as pessoas, esses grandes fazendeiros, mas detestavam ser roubados. Adorariam prender alguém por assalto a mão armada.

Loreda continuou na fila, o coração batendo forte, a boca seca, mas nenhum dos vigilantes sequer dirigiu o olhar para as mulheres na fila da lavanderia.

Às vezes era bom ser mulher.

Os homens vasculharam o acampamento procurando um garoto, interrogando os que encontravam, tirando tudo o que tinham nas mãos, gritando com eles.

Depois estava tudo acabado.

Quando finalmente se foram, Loreda saiu da fila e andou rente à cerca até sair do acampamento, levando sua sacola cheia de dinheiro. Ninguém prestou atenção nela.

Já na estrada, viu luzes vermelhas piscando, a polícia percorrendo todos os acampamentos, fazendo perguntas, empurrando transeuntes.

Loreda voltou para o hospital.

Parou no estacionamento e contou o dinheiro.

Cento e vinte e dois dólares. E 91 centavos.

Uma fortuna.

Naquela noite, eles atravessaram as montanhas e a pior parte do deserto de Mojave sob um céu escuro sem estrelas, com um caixão de pinho na traseira.

Passaram por poucos carros na estrada. Loreda não conseguia ver muito além do brilho dos faróis. Ant dormia encostado nela. Não tinha dito uma única palavra desde a morte da mãe.

À meia-noite, assim que passaram por Barstow, Jack parou no acostamento.

Como não tinham uma tenda, estenderam mantas e cobertores num trecho plano do gramado e deitaram, com Ant entre Jack e Loreda.

– Agora você pode me contar? – perguntou Jack em voz baixa enquanto Ant ressonava entre eles.

– Contar o quê?

– Como conseguiu o dinheiro.

– Eu fiz uma coisa ruim por um bom motivo.

– Muito ruim?

– Ruim como conseguir aspirina num hospital com um taco de beisebol.

– Alguém saiu ferido?

– Não.

– E você sabe que foi errado e não vai fazer mais?

– Sim. Mas o mundo está de ponta-cabeça.

– Verdade.

Loreda suspirou.

– Eu sinto tanta saudade que mal consigo respirar. Como vou viver o resto da vida me sentindo desse jeito?

Ela ficou grata por Jack não responder. Seu silêncio disse a verdade. Elsa sabia que era um pesar que jamais conseguiria superar.

– Eu nunca disse que me orgulhava dela – falou. – Como eu pude ser tão…

– Feche os olhos – interrompeu Jack. – Diga agora. Eu falo assim com a minha mãe há muitos anos.

– Você acha que ela vai ouvir?

– As mães ouvem tudo, garota.

Loreda fechou os olhos e pensou em todas as coisas que desejava ter dito à mãe. *Eu te amo. Tenho orgulho de você. Nunca conheci ninguém com tanta coragem. Por que a tratei tão mal por tanto tempo? Você me deu asas, mãe. Sabia disso? Eu sinto você aqui. Será que sempre vou sentir?*

Quando abriu os olhos, o céu estava estrelado.

EPÍLOGO

1940

Estou atrás da casa da fazenda em um campo de relva azul-esverdeada. À minha esquerda, um mar de trigo dourado ondula na brisa. A fazenda dos meus avós foi reformulada, como todas as grandes fazendas do condado. Os jornais atribuem tudo isso ao plano de conservação do solo das Grandes Planícies do presidente, mas minha avó diz que foi Deus quem nos salvou, Deus e Sua chuva.

Minha aparência é semelhante à de qualquer garota da minha idade, mas sou diferente da maioria delas. Não há como esquecer o que passamos durante a Grande Depressão ou como desaprender a lição das vicissitudes. Apesar de ter só 18 anos, lembro-me da minha infância como um tempo de perdas.

É dela que eu sinto falta todos os dias, é quem não consigo substituir.

Ando na direção do cemitério da família atrás da casa. Foi reformado nos últimos anos, com uma nova cerca branca em volta de um quadrado de grama viçosa. Um de nós rega o gramado todos os dias. Ásteres brancas florescem ao longo da cerca. Cada broto novo evoca um sorriso. Todas as coisas devem ser valorizadas.

Eu pretendia me sentar no banco que meu avô construiu, mas por alguma razão prefiro continuar em pé, olhando para a lápide. Ela deveria estar aqui hoje, ao meu lado. Significaria muito para ela... e mais ainda para mim. Seguro seu diário junto ao peito. As poucas palavras que ela escreveu permanecerão comigo a vida inteira.

Ouço o portão se abrir atrás de mim. Sei que é a minha avó, que me seguiu. Ela consegue sentir quando me bate a tristeza: alguns dias ela me deixa a sós com a minha dor, em outros segura minha mão. Não sei como, mas ela sempre sabe do que preciso.

O portão se fecha com um rangido.

Minha avó chega ao meu lado. Sinto o perfume de lavanda que ela põe no sabonete e a baunilha que usou na fornada de hoje. Seus cabelos já estão brancos; ela diz que essa cor é um símbolo de coragem.

– Isso chegou para você hoje pelo correio. Do Jack.

É um grande envelope amarelo, com o endereço do remetente em Hollywood. Atualmente Jack está lutando outra batalha, contra o fascismo, por conta da guerra na Europa.

Abro o pacote, contendo um livro fino com uma página marcada. Abro o livro nessa página.

É uma fotografia granulada e em preto e branco da minha mãe, na traseira de um caminhão, falando em um megafone. A legenda diz: *Sindicalista Elsa Martinelli lidera grevistas em meio a uma chuva de balas e bombas de gás lacrimogêneo.*

Passo os dedos pela foto, como se fosse cega e meu toque pudesse de alguma forma revelar uma imagem mais profunda. Fecho os olhos e me lembro dela naquele momento, gritando: *Basta, basta...*

– O dia em que ela encontrou sua voz – comento.

Minha avó concorda com a cabeça. É uma coisa de que falamos muitas vezes nos últimos anos.

– Você devia ter visto – falo. – Eu senti tanto orgulho dela...

– Como ela sentiria de você hoje – diz minha avó.

Abro os olhos e vejo a lápide à minha frente:

Elsa Martinelli
1896-1936
Mãe. Filha.
Guerreira.

– Gostaria de ter dito que sentia orgulho dela – falo em voz baixa. O arrependimento ressurge nos momentos mais estranhos.

– Ah, querida, ela sabe.

– Mas por que eu não disse? Tudo era tão horrível, e eu... não a enxergava. Ficava pensando que minha vida estava *longe*, em outro lugar, quando estava bem ao meu lado. Ela estava bem ao meu lado.

– Ela sabia – diz minha avó com delicadeza. – E agora chegou a hora de partir.

– Mas como eu posso ficar longe dela?

– Você não vai ficar longe. Ela vai estar sempre ao seu lado.

Ouço a risada de Ant ao longe. Olho para trás e vejo meu irmão e seu novo golden retriever correndo na nossa direção, um esbarrando no outro. Meu avô está esperando perto do moinho para me levar à estação ferroviária, de onde sigo viagem para cursar uma faculdade na Califórnia, numa cidade perto do mar.

Califórnia, mamãe. Eu vou voltar.

Inquebrantável.

– O trem não vai esperar – diz minha avó. – Não se atrase.

Ouço-a se afastando e sei que está me dando um último momento aqui sozinha, como se as palavras que não fui capaz de dizer durante anos pudessem me ocorrer agora.

– Eu vou para a faculdade, mãe.

Uma brisa ondula a relva; juro que consigo escutar a voz dela e me lembro de suas palavras há muito esquecidas: *Você é* parte *de mim, Loreda, de um jeito que nunca poderá ser rompido. Você me ensinou a amar. Você, mais que ninguém, e meu amor por você vão viver mais do que eu.*

É uma memória perfeita. Uma despedida que dá paz e coragem. A coragem dela. Se eu tiver um pedacinho dessa coragem, já me sentirei afortunada.

Seja corajosa.

Foi a última coisa que ela me falou neste mundo, e eu gostaria de ter dito que sua coragem sempre será o meu norte. Nos meus sonhos, digo que a amo, digo todos os dias o quanto ela me influenciou, como me ensinou a me posicionar, a encontrar minha voz enquanto mulher, mesmo neste mundo de homens.

É assim que meu amor por ela continua: em momentos lembrados e em momentos imaginados. É como a mantenho viva. É a voz dela que soa em meus pensamentos, na minha consciência. Vejo o mundo, ao menos em parte, pelos olhos dela. A história dela – que é a história de uma época e de uma terra, e da indomável vontade de um povo – é a minha história: duas vidas entrelaçadas. E como qualquer boa história, a nossa vai começar, terminar e começar de novo.

Amor é o que permanece.

– Até logo – murmuro, mas sem realmente abrir mão das palavras, mantendo-as comigo. Olho para sua lápide, vejo aquela palavra, a palavra que sempre a definirá para mim: *guerreira.*

Sorrindo, olho para trás e vejo a fazenda que sempre será o meu lar, onde ela sempre estará esperando o meu regresso.

Mas, no momento, sou uma exploradora de novo, empoderada pelas vicissitudes e fortalecida pelas perdas, indo para o Oeste em busca de algo que só existe na minha imaginação. Uma vida diferente de tudo que conheci.

Esperança é uma moeda que me foi dada por uma mulher que sempre amarei, e que levo agora na minha jornada para o Oeste, como parte de uma nova geração de pioneiros.

A primeira Martinelli a cursar uma faculdade.

Uma mulher.

NOTA DA AUTORA

No dia 6 de setembro de 1936, em um de seus discursos para a nação americana no rádio, o presidente Franklin D. Roosevelt declarou:

Nunca esquecerei os campos de trigo tão arruinados pelo calor que não podiam ser colhidos. Nunca esquecerei os muitos campos de milho raquíticos, secos e desfolhados, que o sol deixou para os gafanhotos. Vi pastos marrons que nem com 20 hectares sustentariam uma vaca.

Mas não gostaria que vocês pensassem por um só minuto que existe um desastre permanente nessas regiões de seca ou que o que vi por lá implica o despovoamento dessas áreas. Nem a terra rachada, nem o sol causticante, nem o vento escaldante ou os gafanhotos são uma ameaça permanente para os indomáveis agricultores e pecuaristas e suas esposas e filhos, que têm passado por dias desesperançados, mas que nos inspiram com sua autoconfiança, sua tenacidade e sua coragem. Foi tarefa dos seus pais construir as casas; agora, é tarefa deles manter essas casas; e é nossa tarefa ajudá-los na sua luta.

Tenacidade e coragem. Autoconfiança. Palavras que definem aquela que ficou conhecida como "a geração grandiosa". Essas palavras permanecem comigo e contêm um importante significado.

Principalmente agora.

Escrevo esta nota em maio de 2020, quando o mundo está lutando contra a pandemia do novo coronavírus. O melhor amigo do meu marido, Tom, que foi um dos primeiros amigos a me encorajar como escritora e é padrinho do nosso filho, contraiu o vírus na semana passada e faleceu. Não pudemos chorar sua morte ao lado de sua viúva, Lori, e sua família.

Três anos atrás, comecei a escrever este romance sobre tempos difíceis nos Estados Unidos: o pior desastre ambiental da história do país; o colapso da economia; o efeito do desemprego em massa. Nem em meus sonhos mais desvairados cheguei a imaginar que a Grande Depressão se tornaria tão relevante para a nossa vida moderna, que veria tanta gente sem trabalho, passando necessidade, amedrontada com o futuro.

Como sabemos, a história nos ensina muitas lições. Esperança proporcionada por dificuldades enfrentadas por outros.

Já passamos por tempos difíceis antes e sobrevivemos, até prosperamos. A história tem nos mostrado a força e a durabilidade do espírito humano. No fim, é nosso idealismo e nossa coragem, nosso comprometimento uns com os outros – algo que todos temos em comum – que vão nos salvar.

Apesar de meu romance girar em torno de personagens fictícios, Elsa Martinelli representa centenas de milhares de homens, mulheres e crianças que foram para o Oeste nos anos 1930 em busca de uma vida melhor. Muitos deles, tal como os pioneiros que foram para o Oeste cem anos antes, levavam nada mais que a vontade de sobreviver e a esperança em um futuro melhor. Sua força e sua coragem foram notáveis.

Ao escrever esta história, tentei apresentá-la da forma mais verdadeira possível. A greve retratada no romance é fictícia, mas se baseia em paralisações ocorridas na Califórnia nos anos 1930. A cidade de Welty também é fictícia. Basicamente, minhas divergências dos registros históricos estão na linha do tempo dos acontecimentos. Em algumas instâncias, preferi manipular as datas para melhor situar minha narrativa ficcional. Peço desculpas antecipadamente aos historiadores e estudiosos do período.

Para mais informações sobre os anos de seca ou sobre os migrantes da Califórnia, acessem meu site – KristinHannah.com – para uma lista de leituras recomendadas em inglês (basta clicar no link "More to Read" na seção "Explore 'The Four Winds'").

AGRADECIMENTOS

Gostaria de agradecer a Sharon Garrison, que me levou para uma longa e exclusiva turnê pelo acampamento de "Weedpatch" em Arvin, Califórnia, construído em 1936 pela Administração para o Progresso dos Trabalhadores para abrigar migrantes. Sharon, obrigada por compartilhar essas lembranças comigo. Agradeço também aos muitos voluntários que mantêm esse período vivo nas comemorações anuais conhecidas como Dust Bowl Days. Sou grata por ter conhecido e conversado com muitos que moraram no acampamento.

Meus agradecimentos à Universidade do Texas em Austin e ao Harry Ransom Center. As anotações originais de Sanora Babb foram inestimáveis. Seu romance *Whose Names Are Unknown* é leitura obrigatória para qualquer um interessado nesse período da história americana.

Uma grande salva de palmas para minha "comunidade" criativa. Eu não teria conseguido sem vocês. Sem nenhuma ordem específica, agradeço a Jill Marie Landis, Jennifer Enderlin, Andrea Cirillo, Jane Berkey, Ann Patty, Megan Chance, Jill Barnett e Kimberly Fisk. Às vezes perco a cabeça no processo de edição ou de escrita (às vezes em ambos), e sou grata às mulheres inteligentes que me mantêm na linha e me fazem rir.

Agradeço à equipe da Jane Rotrosen Agency. Este ano faz 25 anos que trabalhamos juntas. O tempo passou num piscar de olhos, e não consigo imaginar melhores parceiras de viagem na montanha-russa da publicação de um livro.

A Matthew Snyder, com quem trabalhar é o maior barato e que me orienta no inexplicável mundo do cinema e da TV com paciência e bom humor. E a Carol Fitzgerald, que faz seu melhor para me manter no mundo virtual. Obrigada a Felicia Forman e a Arwen Woehler pela ajuda na pesquisa sobre o período.

Às pessoas que realmente fazem tudo funcionar na St. Martin's Press, eu adoro trabalhar com todos vocês: Sally Richardson, Lisa Senz, Dori Weintraub, Tracey Guest, Brant Janeway, Andrew Martin, Anne Marie Tallberg, Jeff Dodes, Tom Thompson, Kim Ludlam, Erica Martirano, Elizabeth Catalano,

Don Weisberg e Michael Storrings. E, claro, ao capitão do navio, John Sargent. Sou mais grata do que vocês imaginam por ser parte da equipe.

Obrigada à minha madrinha, Barbara Kurek. Amo você.

E, neste ano, um agradecimento especial aos que estão na linha de frente da pandemia – ao pessoal dos prontos-socorros, aos profissionais do serviço social, aos que trabalham em serviços essenciais e a todos que mantêm a segurança nas nossas comunidades. Vocês são incríveis.

Finalmente, por último porém não menos importante, obrigada ao meu marido, Ben. Pelo amor, pelas risadas, por me manter firme. Por tudo.

CONHEÇA OS LIVROS DE KRISTIN HANNAH

Quando você voltar

Amigas para sempre

O Rouxinol

As cores da vida

O caminho para casa

As coisas que fazemos por amor

A grande solidão

Tempo de regresso

Os quatro ventos